JASCC
がん支持医療ガイドシリーズ

がん治療に伴う
皮膚障害アトラス
＆
マネジメント

第2版

編 日本がんサポーティブケア学会

金原出版株式会社

JASCC practice guideline series
Atlas and Management of Skin Toxicities Associated with Cancer Treatment

edited by
Japanese Association of Supportive Care in Cancer

©JASCC, 2018, 2025

All rights reserved.

KANEHARA & Co., Ltd., Tokyo, Japan

Printed and bound in Japan

序

　日本がんサポーティブケア学会 Oncodermatology 部会作成の,「がん治療に伴う皮膚障害アトラス＆マネジメント 第2版」が発刊となりました。第1版から7年ぶりの改訂となります。がんサポーティブケアは,手術・放射線治療・抗がん薬治療等と異なり,その性格上,速やかな対応が必要になることが多いため,自宅近くの医療機関で受けることが望ましく,また,患者自身のセルフアセスメント・マネジメントも重要です。そのため,サポーティブケア関連の成書は,専門医だけではなく,一般の医療者や,できれば当事者である患者・その家族にも参照可能な内容であることが望ましいと考えます。そのなかでも皮疹については,その種類・程度を判定するために,その見た目が大きな判断材料になるため,実際の皮疹の画像が豊富に収載された書物は非常に有用です。

　この「がん治療に伴う皮膚障害アトラス＆マネジメント」は,がん薬物療法で生じる皮疹を,薬剤種類別・皮疹のタイプ別に解説しており,それぞれの皮疹には,実際の経過・治療方法が豊富な画像とともに記載されております。また,スキンケアのポイントの項が設けられており,そこでは,専門家からの助言がわかりやすく述べられ,実臨床にすぐに役立つ内容となっております。さて,本書の内容で,私自身が特に重要だと考えるのは,この本の執筆・作成に医師・看護師・薬剤師の多職種が関わっている点です。チーム医療の重要性が言われて久しいですが,特にがんサポーティブケアでは,それを成功させるためには,チーム治療が必須となります。そのため,日本がんサポーティブケア学会では,職種横断的な認定・専門制度に取り組んでおり,今年度（2025年）から来年までには最初の認定者が出る予定です。本書の内容は,患者およびその関係者から見ると決して平易ではありませんが,医師・看護師・薬剤師という複数の目線で作成されていることで,より患者目線に配慮したものになっているものと感じております。

　日本がんサポーティブケア学会が自信をもって世に送り出す書物でございますので,ぜひ,手にとっていただけますと幸いです。

　末筆とはなりましたが,本書の作成にあたりご多大な尽力をいただきました,Oncodermatology 部会の現部会長の平川聡史先生,前部会長の山﨑直也先生,部会員の皆様方,執筆者の方々,さらに金原出版の関係者の皆様方に,深甚なる感謝の意を表します。

2025年4月

日本がんサポーティブケア学会
理事長　山本信之

「がん治療に伴う皮膚障害アトラス&マネジメント 第2版」編集・執筆者一覧

【編　集】

日本がんサポーティブケア学会 Oncodermatology 部会

部会長	平川　聡史	聖隷浜松病院支持医療科
副部会長	柳　　朝子	国立がん研究センター中央病院看護部

【執　筆】

飯村　洋平*	東京大学医科学研究所附属病院薬剤部
市川　智里*	国立がん研究センター東病院看護部
伊輿田友和*	福島県立医科大学附属病院薬剤部
大吉　秀和*	国立がん研究センター東病院放射線治療科
柿原奈保子*	新潟大学大学院保健学研究科看護学分野
清原　祥夫*	静岡県立静岡がんセンター皮膚科
小林　直子	国立がん研究センター東病院看護部
白藤　宜紀	岡山ろうさい病院皮膚科
鈴村　里佳*	聖隷浜松病院栄養課
髙橋　　聡*	国立がん研究センター東病院皮膚腫瘍科
武田　真幸*	奈良県立医科大学がんゲノム・腫瘍内科学講座
田中　将貴*	国立がん研究センター東病院薬剤部
富澤　建斗*	国立がん研究センター東病院放射線治療科
中井　康雄*	なかい皮フ科クリニック/三重大学医学部附属病院皮膚科
中島　美文	国立がん研究センター東病院看護部
中村　千里*	聖マリアンナ医科大学病院緩和ケアセンター
西澤　　綾*	都立駒込病院皮膚腫瘍科
平川　聡史*	聖隷浜松病院支持医療科
松井　礼子*	国立国際医療センター薬剤部
山﨑　直也*	国立がん研究センター中央病院皮膚腫瘍科
山本　有紀*	和歌山県立医科大学皮膚科学教室
結城　明彦*	新潟県立がんセンター新潟病院皮膚科
吉川　周佐	静岡県立静岡がんセンター皮膚科
柳　　朝子*	国立がん研究センター中央病院看護部

（五十音順，*Oncodermatology 部会部会員）

目次

本アトラスについて x
第2版について xi
本アトラスの症例からみた支持療法のアルゴリズム xviii

第1章　分子標的薬

1 EGFR阻害薬
1 ざ瘡様皮疹 2
- 症例 1　Grade 1 および 2　原因薬剤　セツキシマブ 6
- 症例 2　Grade 1　原因薬剤　アファチニブ 8
- 症例 3　Grade 3　原因薬剤　セツキシマブ 10
- 症例 4　Grade 3　原因薬剤　エルロチニブ 13
- スキンケアのポイント（ざ瘡様皮疹） 15

2 皮膚乾燥 16
- 症例 1　Grade 1　原因薬剤　アファチニブ 21
- 症例 2　Grade 2　原因薬剤　エルロチニブ 22
- 症例 3　Grade 2　原因薬剤　オシメルチニブ 24
- 症例 4　Grade 3　原因薬剤　セツキシマブ 26
- 症例 5　Grade 3　原因薬剤　オシメルチニブ 28
- スキンケアのポイント（皮膚乾燥） 30

3 血管障害，びらん・潰瘍 31
- 症例 1　Grade 3　原因薬剤　ゲフィチニブ 36
- 症例 2　Grade 2　被疑薬　オキサリプラチン，フルオロウラシル，パニツムマブ 38
- 症例 3　Grade 2　被疑薬　オキサリプラチン，フルオロウラシル，セツキシマブ 40
- 症例 4　Grade 2　被疑薬　オキサリプラチン，フルオロウラシル，セツキシマブ 41
- 症例 5　Grade 2　原因薬剤　パニツムマブ 42
- 症例 6　Grade 2　原因薬剤　アファチニブ 43
- 症例 7　Grade 2　原因薬剤　エルロチニブ 44
- スキンケアのポイント（びらん・潰瘍） 45

4 爪囲炎 46
- 症例 1　Grade 1　原因薬剤　オシメルチニブ 48
- 症例 2　Grade 2　原因薬剤　エルロチニブ 50
- 症例 3　Grade 2　原因薬剤　パニツムマブ 51

| 症例 | 4 | Grade 2 | 原因薬剤 | オシメルチニブ | 52 |

症例 5　Grade 3　原因薬剤　パニツムマブ　53
◆スキンケアのポイント（EGFR阻害薬による爪囲炎）　54

5 毛髪・睫毛異常　58
症例 1　Grade 2　原因薬剤　オシメルチニブ　60
症例 2　Grade 2　原因薬剤　パニツムマブ　62
参考症例　眉毛の変化，異所性発毛　原因薬剤　セツキシマブ　64

2 マルチキナーゼ阻害薬

1 手足症候群　66
症例 1　Grade 2　原因薬剤　ソラフェニブ　68
症例 2　Grade 3　原因薬剤　レゴラフェニブ　70
症例 3　Grade 3　原因薬剤　レゴラフェニブ　72
症例 4　Grade 3　原因薬剤　パゾパニブ　74
◆スキンケアのポイント（手足症候群）　77

2 多形紅斑　78
症例 1　Grade 3　原因薬剤　レゴラフェニブ　80
◆スキンケアのポイント（多形紅斑）　82

3 その他の小分子性阻害薬

1 皮膚障害　83
症例 1　Grade 2 ないし 3　皮膚乾燥，下痢　原因薬剤　アベマシクリブ　86
症例 2　Grade 2　爪障害　原因薬剤　FGFR阻害薬　88
症例 3　Grade 1 ないし 2　爪障害，手足症候群　原因薬剤　ペミガチニブ　89
症例 4　Grade 2　手足症候群，播種状紅斑丘疹型薬疹
　　　　原因薬剤　ダブラフェニブ，トラメチニブ　90
症例 5　Grade 1　脱毛症　原因薬剤　ベムラフェニブ　92
症例 6　Grade 3　多形紅斑　原因薬剤　ベムラフェニブ　93
症例 7　Grade 3　多形紅斑型薬疹，手足症候群　原因薬剤　イマチニブ　94
症例 8　Grade 2　爪障害　原因薬剤　イマチニブ　98
症例 9　Grade 2　尋常性疣贅，カンジダ性口内炎　原因薬剤　ルキソリチニブ　100
◆スキンケアのポイント（脱毛）　102

第2章 殺細胞性抗がん薬

1 代謝拮抗薬，アントラサイクリン系，微小管阻害薬

1 皮膚障害 ……… 108

- 症例 1 | Grade 2 ないし 3　手足症候群，口唇・口内炎，下痢，発熱性好中球減少症
  原因薬剤 フルオロウラシル ……… 112
- 症例 2 | Grade 2 ないし 3　手足症候群，口内炎　原因薬剤 カペシタビン ……… 114
- 症例 3 | Grade 3　手足症候群，爪白癬　原因薬剤 カペシタビン ……… 116
- 症例 4 | Grade 2　固定薬疹
  原因薬剤 テガフール・ギメラシル・オテラシルカリウム ……… 118
- 症例 5 | Grade 2　播種状紅斑丘疹型薬疹
  被疑薬 パクリタキセル，カルボプラチン ……… 120
- 症例 6 | Grade 2　爪障害　原因薬剤 パクリタキセル，セツキシマブ ……… 122
- 症例 7 | Grade 2　爪障害，末梢神経障害　原因薬剤 ドセタキセル ……… 124
- 症例 8 | Grade 3　手足症候群，化学療法誘発性末梢神経障害
  原因薬剤 ドセタキセル ……… 126
- 症例 9 | Grade 3　薬剤性浮腫　原因薬剤 ドセタキセル ……… 128
- 症例 10 | Grade 2　薬剤性ループス　原因薬剤 ドセタキセル ……… 130
- ⭐スキンケアのポイント（殺細胞性抗がん薬による爪障害）……… 132

第3章 ホルモン療法薬

1 皮膚の生理的および病的変化 ……… 136

- 症例 1 | Grade 2　光毒性皮膚炎（薬剤性光線過敏症）　原因薬剤 ダロルタミド ……… 139

第4章 免疫チェックポイント阻害薬

1 皮膚障害 ……… 142

- 症例 1 | Grade 2　湿疹・皮膚炎　原因薬剤 ニボルマブ，イピリムマブ ……… 145
- 症例 2 | Grade 2　湿疹・皮膚炎　原因薬剤 アテゾリズマブ ……… 146
- 症例 3 | Grade 2　乾癬様皮疹　原因薬剤 ニボルマブ ……… 148
- 症例 4 | Grade 1　扁平苔癬　原因薬剤 ニボルマブ ……… 150
- 症例 5 | Grade 2　水疱性類天疱瘡　原因薬剤 ペムブロリズマブ ……… 152
- 症例 6 | Grade 1　水疱性類天疱瘡　原因薬剤 ニボルマブ ……… 154

症例 7　Grade 3　多形紅斑，サイトカイン放出症候群
　原因薬剤　イピリムマブ，ニボルマブ ·· 156

症例 8　Grade 1　白斑　原因薬剤　ニボルマブ ·· 158

症例 9　Grade 1 ないし 2　脱毛，白斑　原因薬剤　イピリムマブ，ニボルマブ ············ 159

症例 10　Grade 2 ないし 3　接触皮膚炎，汎下垂体機能低下症
　原因薬剤　オキシブチニン，イピリムマブ，ニボルマブ ·· 162

● スキンケアのポイント
（免疫チェックポイント阻害薬による皮膚免疫関連有害事象におけるスキンケア）········ 164

第5章　免疫チェックポイント阻害薬併用・逐次的薬物療法

1　皮膚障害 ·· 168

症例 1　Grade 2　新型コロナワクチンによる局所および全身性副反応
　原因薬剤　ニボルマブ，新型コロナワクチン ··· 171

症例 2　Grade 2　多形紅斑型薬疹　原因薬剤　ベバシズマブ ······································ 172

症例 3　Grade 3　播種状紅斑丘疹型薬疹
　関連薬剤　ニボルマブ，エンホルツマブ ベドチン ··· 174

症例 4　Grade 3　湿疹反応，皮脂欠乏性湿疹
　原因薬剤　ニボルマブ，セツキシマブ ··· 176

症例 5　Grade 3　接触皮膚炎，水疱性類天疱瘡
　関連薬剤　ペムブロリズマブ，セツキシマブ ··· 178

第6章　がん治療に伴う合併症

1　放射線皮膚炎 ··· 184

症例 1　Grade 1 ··· 188

症例 2　Grade 2 ··· 189

症例 3　Grade 3　関連薬剤　シスプラチン ··· 190

症例 4　Grade 4 ··· 192

症例 5　Grade 2　放射線皮膚炎，ざ瘡様皮疹　原因薬剤　オシメルチニブ ······ 194

● スキンケアのポイント（放射線皮膚炎）·· 196

2　感染症 ··· 198

症例 1　Grade 3　汎発性帯状疱疹
　関連薬剤　パクリタキセル，カルボプラチン，ベバシズマブ ···································· 200

症例 2　Grade 2　単純性皮膚軟部組織感染症（大きな炎症性粉瘤）
　関連薬剤　パクリタキセル，カルボプラチン，セツキシマブ ···································· 203

| 症例 | 3 | Grade 4 | 複雑性皮膚軟部組織感染症（MRSA 重症感染症） |
| 関連薬剤　ノギテカン ······ 204

| 症例 | 4 | Grade 2 | 手術部位感染（ポート造設部） |
| 関連薬剤　パクリタキセル，セツキシマブ ······ 206

● スキンケアのポイント（帯状疱疹） ······ 208

3 血管・血栓症に関連した有害事象 ······ 209

| 症例 | 1 | Grade 2 | インフュージョンリアクション（投与時反応） |
| 原因薬剤　ドキソルビシン内包 PEG リポソーム ······ 213

| 症例 | 2 | Grade 3 | ドキソルビシンの血管外漏出による皮膚潰瘍 |
| 原因薬剤　ドキソルビシン ······ 215

| 症例 | 3 | Grade 2 | 深部静脈血栓症　関連薬剤　経口エトポシド ······ 216

4 支持医療の副作用 ······ 218

| 症例 | 1 | Grade 2 | 接触皮膚炎　原因薬剤　保湿薬（ヘパリン類似物質） ······ 222
| 症例 | 2 | Grade 2 | 酒さ様皮膚炎　原因薬剤　副腎皮質ステロイド外用薬 ······ 223
| 症例 | 3 | Grade 2 | 酒さ様皮膚炎　原因薬剤　副腎皮質ステロイド外用薬 ······ 224
| 症例 | 4 | Grade 3 | 細菌性毛包炎　関連薬剤　mFOLFOX，セツキシマブ ······ 226
| 症例 | 5 | Grade 3 | 皮膚膿瘍，MRSA 感染症 |
| 原因薬剤　副腎皮質ステロイド外用薬，パニツムマブ ······ 228
| 症例 | 6 | Grade 2 | 色素沈着　原因薬剤　ミノサイクリン ······ 231

まとめの言葉 ······ 234
索引 ······ 235

本アトラスについて

　1990年代から今世紀にかけて，遺伝子学的な解析などさまざまな方法によって，がん細胞の分裂・増殖のメカニズムが次第に明らかにされ，分子レベルの阻害による抗腫瘍効果を期待して多くの分子標的治療薬が創薬され，臨床の現場に届けるための開発が進められた。なかでも細胞内シグナル伝達に関する因子や細胞または血管の増殖因子をターゲットにしたものは，がん種あるいは標的分子に特異的な作用を有するため，高い抗腫瘍効果と，正常細胞に対する低い毒性とによって，がん治療に求められる個別化治療の道を開くものと期待されている。

　このような進歩によって従来の抗がん薬で起こっていた骨髄抑制や悪心・嘔吐といった副作用があまり問題とならなくなってきた一方，今度はこれまでにはみられなかったような副作用が注目され始めた。

　その代表的なもののひとつとして，高頻度に出現する皮膚症状が挙げられる。ざ瘡様皮疹，脂漏性皮膚炎，皮膚乾燥（乾皮症），角化・亀裂，爪囲炎といったものや，従来の抗がん薬によるものとは異なった特徴をもつ分子標的治療薬による手足症候群である。

　これらの皮膚障害は，上皮成長因子受容体（EGFR）阻害薬に分類される薬剤，マルチキナーゼ阻害薬に分類される薬剤といったように，治療対象のがん種が異なっても同系統の薬剤であれば類似の皮膚障害がみられることが明らかとなっている。EGFR阻害薬では何らかの皮膚障害がほぼ必発，マルチキナーゼ阻害薬では疫学的に人種差のある皮疹が日本人では高頻度に出現することが知られている。

　ただし，ほぼ全例において生命に直接危険のないものであるため，Stage IVを中心とする進行例において生存期間の延長を目的とする全身薬物療法の治療体系のなかでは，皮膚障害に対する症状マネジメントは軽んじられがちな，優先順位の低いものであった。

　このような，がん医療における背景を踏まえ，JASCCが活動を始めた当初から田村和夫代表理事と検討を重ね，2018年JASCC編「がん薬物療法に伴う皮膚障害アトラス&マネジメント」を発刊した。本アトラスの目的は，皮膚障害に関する臨床写真を示し，幅広く皮膚障害対策を行うことができるよう，各医療者に向けて標準的な支持医療を紹介することであった。初版では，外見（アピアランス）の問題，皮膚障害に関する低いエビデンスレベル，がん薬物療法の急激な進歩と変化に伴う副作用などを課題に挙げ，皮膚科常勤医がいない一般病院でも皮膚障害対策を行える診療内容を図説した。

　初版から7年の年月が経ち，がん薬物療法の進歩のスピードは以前にも増して早くなり，多くのがん種で予後の改善がみられる一方で，いくつかの新たな皮膚障害も問題となってきている。まだまだエビデンスの少ない分野ではあるが，この改訂版は多職種医療チームが情報を出し合って難題に取り組んだ結果が随所にみられるものとなっている。本書が一人でも多くの患者に役立ち，各診療科で患者のケアに取り組む多くの医療者に役立つことを期待している。

　　　　　　　　　　　　　　　日本がんサポーティブケア学会 Oncodermatology 部会 前部会長　　山﨑直也

第 2 版について

はじめに

　支持医療のなかで，皮膚障害はエビデンスに欠ける領域のひとつである。このため，わたしは他領域の研究者や医療者から批判に晒されることがある。当該領域に対する批判を真摯に受け止め，本学会をとおして患者と社会に共感 compassion が生まれることを思い描き，今回「がん治療に伴う皮膚障害アトラス＆マネジメント 第2版」に取り組んだ。写真は，もっとも確かな証拠 evidence である。この医学書を手にとられた読者の皆様には，一枚一枚の写真のなかに込められた支持医療のメッセージに触れてほしい。そして，ぜひ本書を現場で活用し，各医療施設の患者・家族のために役立てて戴ければ幸いである。

　最初に，撮影に協力してくださった患者さん一人一人に深く感謝する。私ども医療者が支持療法を提供し，症状が緩和され well-being を回復した方がいる一方，残念ながら亡くなった方もいる。本書には支持療法の成功例だけではなく，後悔しながら経過を振り返り，支持医療の課題を取り上げた症例もある。ぜひ多くの視点で本書の内容を評価し，読者の皆様からコメントを戴きたい。

　本書は，いくつかのテーマを掲げながら改訂作業を行った。近年，がん薬物療法の標準治療として用いられる医薬品は増加し，支持療法薬も増える傾向にある。そこで，現在使用されている医薬品と関連する事例をできる限り多く紹介しようと考えた。皮膚障害の要因になるがん薬物療法の薬剤および支持医療薬を，それぞれ一覧に示す（表1，2）。薬剤の増加とともに，第2版の内容は前版に比べて複雑になり，わかりにくい箇所があるかもしれない。そこで，まず読者に対して本書のテーマを伝え，各章で着目してほしいポイントを紹介する。

1　タイトルの変更

　初版は「がん薬物療法に伴う皮膚障害アトラス＆マネジメント」だった。今回，本書を改訂し，タイトルを「がん治療に伴う皮膚障害アトラス＆マネジメント 第2版」へ変更した。がん診療は日々拡大し，がん薬物療法の進歩はめざましい。新規薬剤が標準治療として患者に提供される一方，すでに処方されなくなった薬剤もある。また，医療機器の発達とともに手術や放射線治療の精度も向上し，より新しい治療として患者に提供される機会が増えた。一方では症状緩和を図るため，がん治療では患者に鎮痛薬や制吐薬が投与されることがある。このため，がん薬物療法を踏まえつつ，多様な薬物相互作用に留意する必要がある。従来，皮膚障害を評価して対処するには，ある特定の薬剤から生じる皮膚障害を理解し，対処することが多かった。しかし，今日では治療や薬剤の組み合わせによって多様な皮膚症状が現れる可能性を考えながら対処する必要がある。そこで第2版では，従来のがん薬物療法による皮膚障害に立脚し，副作用の対象をがん治療全般へ広げ，タイトルを変更した。この結果，集学的治療や支持医療自体に生じる課題にも触れ，初版に比べて2倍に近い症例を呈示するに至った。

表1 皮膚障害の要因になる薬剤一覧

分子標的薬	
抗EGFR抗体	セツキシマブ, パニツムマブ, ネシツムマブ
抗EGFRおよび抗MET抗体	アミバンタマブ
EGFR-TKI	ゲフィチニブ, エルロチニブ, アファチニブ, オシメルチニブ, ラゼルチニブ
EGFRおよびHER2-TKI	ラパチニブ
マルチキナーゼ阻害薬	ソラフェニブ, スニチニブ, レゴラフェニブ, レンバチニブ, アキシチニブ, パゾパニブ, バンデタニブ, カボザンチニブ, フルキンチニブ
FGFR阻害薬	フチバチニブ, ペミガチニブ, タスルグラチニブ
Bcr-Ablチロシンキナーゼ阻害薬	イマチニブ, ニロチニブ, ダサチニブ, ボスチニブ, ポナチニブ, アシミニブ
JAK阻害薬	ルキソリチニブ, モメロチニブ
抗VEGFあるいはVEGF受容体抗体	ベバシズマブ, ラムシルマブ, アフリベルセプト ベータ
BRAF/MEK阻害薬	ダブラフェニブ, トラメチニブ, エンコラフェニブ, ビニメチニブ
CDK4/6阻害薬	アベマシクリブ, パルボシクリブ
PARP阻害薬	オラパリブ, ニラパリブ
殺細胞性抗がん薬	
ピリミジン代謝拮抗薬	フルオロウラシル, カペシタビン, テガフール・ギメラシル・オテラシルカリウム（S-1）, ゲムシタビン, シタラビン
プラチナ製剤	シスプラチン, カルボプラチン, オキサリプラチン
トポイソメラーゼI阻害薬	イリノテカン, ノギテカン, ハイカムチン
トポイソメラーゼII阻害薬	エトポシド, アントラサイクリン系抗がん薬［ドキソルビシン, リポソーム化ドキソルビシン（ドキシル®）など］
微小管阻害薬	パクリタキセル, nab-パクリタキセル（アブラキサン®）, ドセタキセル, カバジタキセル, エリブリン
内分泌療法薬	
LH-RHアゴニスト	リュープロレリン
アロマターゼ阻害薬	アナストロゾール, レトロゾール, エキセメスタン
CYP17阻害薬	アビラテロン
SERM	タモキシフェン, ラロキシフェン, バゼドキシフェン
SERD	フルベストラント
抗アンドロゲン薬	アパルタミド, エンザルタミド, ダロルタミド
免疫チェックポイント阻害薬	
ニボルマブ, ペムブロリズマブ, デュルバルマブ, アベルマブ, アテゾリズマブ, イピリマブ, トレメリムマブ, セミプリマブ	
抗体薬物複合体（ADC）	
エンホルツマブ ベドチン（パドセブ®）	
接触皮膚炎の原因薬剤	
貼付薬	NSAIDs, オキシブチニン
外用薬	ヘパリン類似物質, サンスクリーン剤
ワクチンによる副反応	
新型コロナウイルス	

表には国内未承認薬を含む（2025年4月21日時点）　　　　　　　　　　　　（作成：飯村洋平，田中将貴，平川聡史）

2　分子標的薬

　前版と同様に，第1章はEGFR阻害薬による皮膚障害から始まる．しかし，今回は「はじめに」および「スキンケアのポイント」を設け，本部会の薬剤師が重症度評価を担当し，看護師がスキンケアを執筆した．ともに専門施設および大学病院で活躍する第一線の医療者であり，第1章のみならず各章にわたり標準的な評価方法やケアの実際を紹介している．EGFR阻害薬による爪囲炎は，しばしば疼痛を伴い，患者は苦痛を訴える．また，皮膚の乾燥は湿疹化するとそう痒を伴い，睡眠障害を生じることがある．マルチキナーゼ阻害薬による手足症候群は，患者の日常生活において大きな課題のひとつである．がん薬物療法に伴い，患者の日常生活では多様な苦痛を生じる．そこで本書では患者の視点にたち，皮膚症状に基づいた皮膚障害対策を多職種で紹介する．また，本章の後半ではCDK4/6阻害薬（アベマシクリブ）やBcr-Abl阻害薬（イマチニブ）などを取り上げ，比較的皮膚障害を生じやすい分子標的薬による症例を呈示する．

表2 皮膚障害に関する支持医療の薬剤一覧

薬効分類	剤形	一般名	主な商品名
抗ヒスタミン薬 抗アレルギー薬	静注	d-クロルフェニラミンマレイン酸塩	ポララミン®
	内服	レボセチリジン塩酸塩	ザイザル®
		ベポタスチンベシル酸塩	タリオン®
		ロラタジン	クラリチン®
		オロパタジン塩酸塩	アレロック®
		フェキソフェナジン塩酸塩	アレグラ®
		エピナスチン塩酸塩	アレジオン®
		ビラスチン	ビラノア®
ステロイド系薬剤			
Strongest	外用	0.05％クロベタゾールプロピオン酸エステル	デルモベート®
		0.05％ジフロラゾン酢酸エステル	ダイアコート®
Very Strong		モメタゾンフランカルボン酸エステル	フルメタ®
		0.1％ジフルコルトロン吉草酸エステル	ネリゾナ®
		0.05％ジフルプレドナート	マイザー®
		0.05％ベタメタゾン酪酸エステルプロピオン酸エステル	アンテベート®
		0.1％酪酸プロピオン酸ヒドロコルチゾン	パンデル®
		0.05 フルオシノニド	トプシム®
Strong		0.12％ベタメタゾン吉草酸エステル	リンデロン®-V
		0.1％デキサメタゾンプロピオン酸エステル	メサデルム®
		0.3％デプロドンプロピオン酸エステル	エクラー®
Medium		アルクロメタゾンプロピオン酸エステル	アルメタ®
		0.1％ヒドロコルチゾン酪酸エステル	ロコイド®
		0.3％ プレドニゾロン吉草酸エステル酢酸エステル	リドメックス®
		0.05％ クロベタゾン酪酸エステル	キンダベート®
Weak		0.5％プレドニゾロン	プレドニゾロン
	口腔外用	デキサメタゾン	デキサルチン®/デキサメタゾン
	内服	プレドニゾロン	プレドニゾロン/プレドニン®
		ベタメタゾン	リンデロン®
		デキサメタゾン	デカドロン®
		ベタメタゾン・d-クロルフェニラミンマレイン酸塩	セレスタミン®
		ヒドロコルチゾン	コートリル®
	静注	メチルプレドニゾロンコハク酸エステルナトリウム	ソル・メドロール®/ソル・メルコート®
		ヒドロコルチゾンコハク酸エステルナトリウム	ソル・コーテフ®
皮膚疾患用密封療法薬	貼付	デプロドンプロピオン酸エステルプラスター	エクラー® プラスター
消炎鎮痛薬	外用	ジメチルイソプロピルアズレン	アズノール® 軟膏
		ジクロフェナク Na ゲル 1％	ラクール
	含嗽	アズレンスルホン酸ナトリウム水和物	アズノール® うがい液
		アズレンスルホン酸ナトリウム水和物・炭酸水素ナトリウム配合顆粒	含嗽用ハチアズレ® 顆粒
	内服	アセトアミノフェン	カロナール®
		ロキソプロフェンナトリウム	ロキソニン®
		セレコキシブ	セレコキシブ
	静注	アセトアミノフェン	アセリオ®

薬効分類	剤形	一般名	主な商品名
オピオイド	静注	フェンタニルクエン酸塩	フェンタニル
鎮痛補助薬	内服	プレガバリン	リリカ®
		ミロガバリンベシル酸塩	タリージェ®
保湿薬	外用	ヘパリン類似物質	ヒルドイド®
		尿素	ケラチナミン®
			ウレパール®
			パスタロン®
		白色ワセリン	プロペト®
		10%サリチル酸ワセリン	サリチル酸ワセリン
		オリブ油	オリブ油
外用局所収れん薬	外用	亜鉛華軟膏	亜鉛華（単）軟膏/サトウザルベ®
抗菌薬	外用	クリンダマイシンリン酸エステル	ダラシン® T
		ナジフロキサシン	アクアチム®
		0.1%ゲンタマイシン硫酸塩	ゲンタシン®
		テトラサイクリン塩酸塩	アクロマイシン®
		メトロニダゾール	ロゼックス®
	内服	ミノサイクリン塩酸塩	ミノマイシン®
		ドキシサイクリン塩酸塩	ビブラマイシン®
		クリンダマイシン塩酸塩	ダラシン®
		ロキシスロマイシン	ルリッド®
		クラリスロマイシン	クラリス®
		アモキシシリン水和物・クラブラン酸カリウム	オーグメンチン®
		ホスホマイシンカルシウム水和物	ホスミシン®/ホスホマイシン
		セフジニル	セフゾン®/セフジニル
		セファレキシン	ケフレックス®
		スルファメトキサゾール・トリメトプリム	バクタ®/ダイフェン®
	静注	バンコマイシン塩酸塩	バンコマイシン
		テイコプラニン	タゴシッド®
		タゾバクタム・ピペラシリン水和物	ゾシン®
抗真菌薬	内服	スルファメトキサゾール・トリメトプリム	バクタ®/ダイフェン®
		アムホテリシンB	ハリゾン®/ファンギゾン®
	外用	ケトコナゾール	ニゾラール®
抗ヘルペスウイルス薬	静注	アシクロビル	ビクロックス®
消毒薬	外用	ポビドンヨード	イソジン®
外用感染治療薬	外用	スルファジアジン銀クリーム	ゲーベン®クリーム
褥瘡，皮膚潰瘍治療薬	外用	0.003% アルプロスタジル アルファデクス	プロスタンディン®
腫瘍脱除（Mohs surgery）出血・滲出液・臭気などの緩和	外用	モーズペースト	
アントラサイクリン系抗悪性腫瘍薬の血管外漏出	静注	デクスラゾキサン	サビーン®
急性低血圧またはショック時	筋注	アドレナリン	アドレナリン注0.1%
創傷被覆材	貼付	高すべり性スキンケアパッド	リモイス®パッド
		綿状創傷被覆・保護材	デルマエイド®
		綿状創傷被覆・保護材	サンドガーゼ

薬効分類	剤形	一般名	主な商品名
創傷被覆材	貼付	局所管理ハイドロゲル創傷被覆・保護材	デュオアクティブ®，デュオアクティブ® ET
		二次治癒フォーム状創傷被覆・保護材	ハイドロサイト® ジェントル銀
		カテーテル被覆・保護材	カテリープラス™
粉状皮膚保護剤	外用	ストーマパウダー	アダプト® ストーマパウダー
爪保湿・補修液	外用	ネイルケアクリーム	Premium Nail Rich®
人工涙液	点眼		ソフトサンティア®
ビフィズス菌整腸剤	内服	ビフィズス菌製剤	ビオフェルミン®
ビタミン製剤	内服	メコバラミン	メチコバール®/メコバラミン
	外用	マキサカルシトール	オキサロール®
		トコフェロール・ビタミンA油	ユベラ®
レチノイド製剤	外用	アダパレン	ディフェリン®
	内服	エトレチナート	チガソン®
免疫抑制薬	静注	リツキシマブ	リツキサン®
	皮下注	デュピルマブ	デュピクセント®
	静注	免疫グロブリン製剤	献血ヴェノグロブリン® IH10%静注
ホスホジエステラーゼ4阻害薬	内服	アプレミラスト	オテズラ®
がん骨転移による骨病変	皮下注	デノスマブ	ランマーク®
抗凝固療法薬	静注	ヘパリンナトリウム	ヘパリンNa
	内服	エドキサバントシル酸塩水和物	リクシアナ®

（作成：飯村洋平，田中将貴，平川聡史）

3 殺細胞性抗がん薬

　初版では，タキサンによる爪障害を図説した。近年，分子標的薬や免疫チェックポイント阻害薬による皮膚障害が着目され，日常診療でも対処する機会が増えた。しかし，外来診療でもっとも多いのは，今日でも爪障害を始めとする殺細胞性抗がん薬による皮膚障害である。新しい薬剤による皮膚障害を診断するためには，従来の皮膚障害を鑑別する必要があり，殺細胞性抗がん薬による皮膚障害の重要性が相対的に減るものではない。そこで，本アトラスを改訂するにあたり，代謝拮抗薬・アントラサイクリン系・微小管阻害薬・プラチナ製剤など代表的な薬剤による皮膚障害を紹介した。本書では症例ごとに「ここがポイント」を設け，留意事項に触れている。特に，本章の手足症候群の項では，がんサバイバーの鈴村里佳さん（管理栄養士）が「通院治療では体重測定を忘れがちなので，継続して行いましょう」と提案している。手足症候群は，患者の日常動作や作業にも影響を与えやすい。このため，理学療法士や作業療法士による評価や対処も有用であり，多職種で患者を支援した症例を呈示した。なお，本章と関連して抗がん薬の血管外漏出（溢出）は皮膚障害対策で重要な課題のひとつである。本書では第1章および第6章で溢出に関連する症例を呈示し，予防と治療を踏まえて支持療法を紹介した。

4 ホルモン療法薬

　今回初めて，ホルモン療法と皮膚障害に着目してひとつの章を設ける機会を得た。ホルモン

は，皮膚にとって極めて重要である。性ホルモンが分泌され，小児の肌は瑞々しい思春期の肌に変化し，中高生では男性ホルモンによって尋常性ざ瘡が現れる場合がある。一方，ヒトは年齢とともに性ホルモンの働きが衰え，肌の老化や皮膚付属器（毛や爪）に変化が現れる。ホルモン療法が始まると患者の皮膚・付属器に生理的変化に類似した変化が現れ，薬疹など副作用を生じることがある。近年，前立腺がんの患者に対して投与されるアパルタミド（アーリーダ®）で薬疹が報告されるようになり，今回の改訂でも症例を呈示したいと考えた。しかし，残念ながら作業期間をとおして典型的な皮膚症状を撮影することができなかった。本書でアパルタミドによる皮膚症状を紹介できないことを読者の皆様にお詫びする。一方，乳がんのホルモン療法では，しばしばCDK4/6阻害薬を併用し，皮膚障害が現れる場合がある。本書ではアベマシクリブ（ベージニオ®）による皮膚障害を第1章に紹介したので参照してほしい。

5 免疫チェックポイント阻害薬

前版を編集していた2017年頃，免疫療法の適応症は一部のがん種に限られていた。しかし，第2版に至ると免疫療法が普及し，各診療科・各がん種における標準治療の薬剤のひとつとして免疫チェックポイント阻害薬（ICI）が多くの患者に投与されている。皮膚障害は，諸臓器の免疫関連有害事象（irAE）に比べると軽症にとどまることが多い。しかし，皮膚症状の発症頻度は高く，諸臓器のirAEに先行して現れる場合もある。irAEで皮膚障害を疑う場合には，内分泌異常など重篤な副作用に留意することが医療者には求められる。患者の安全を守るうえでも重要と考え，本章で症例を呈示した。ぜひirAEとして生じやすい乾癬様の皮疹，扁平苔癬，水疱性類天疱瘡などとあわせて参照してほしい。

6 免疫チェックポイント阻害薬併用・逐次的薬物療法

がん治療が進歩し，がん薬物療法と放射線治療による相互作用や，複数の薬物が併用あるいは逐次的に投与され，相互作用により今まで経験したことのない皮膚障害が現れたり，皮膚症状が重症化したりすることがある。特に，ICIを併用あるいは先行して投与し，さらに皮膚障害が起こりやすい薬剤が患者に投与されると，皮膚症状が重症化する場合がある。そこで，本章では診断や治療に苦渋した症例を呈示する。やむを得ず原因薬剤を中止した症例や，合併症のため患者が死亡した事例を挙げているが，いかに安全にがん薬物療法を患者に提供できるか，今までJASCC学術集会で議論した症例を含めて呈示した。さらに近年，がん治療に際して感染症を予防するために各種ワクチンを接種することが推奨されている。このため，本章ではワクチンに伴う皮膚障害も呈示した。ぜひ参照してほしい。

7 がん治療に伴う合併症

本書では，新たに「放射線皮膚炎」「感染症」「血管・血栓症に関連した有害事象」「支持医療の副作用」の項目をたて，症例を呈示する。放射線皮膚炎は，皮膚障害対策の主要なテーマのひとつであり，頭頸部の症例を中心に本章で概説する。感染症は，がん治療における大きな課

題であり，皮膚にも多様な合併症が現れる．本章では細菌感染症の視点から症例を呈示し，特に多剤耐性菌による皮膚障害を強調して評価・対処方法を紹介したい．また，帯状疱疹も皮膚合併症のひとつであり，患者に対する負担が大きいため，本章で症例を呈示した．「血管・血栓症に関連した有害事象」では，薬剤点滴静注に伴う投与時反応や血管外漏出（溢出），がん合併症として皮膚にも症状が現れる静脈血栓塞栓症を紹介する．また，本章の後半では「支持医療薬による副作用」に言及し，支持医療で生じ得る課題について，皮膚科診療からポイントを紹介し，注意喚起を行いたい．

最後に

　皮膚障害の診療やケアに関して，読者のなかには「皮膚障害は難しい．どのように診断し，評価すればよいかわからない」と感じる方がいるのではないだろうか？　正直に申し上げると，わたしもその一人である．初版から7年経ち，皮膚障害対策は終わるどころか課題が増え，本書のページ数も予想外に増えた．皮膚障害は本当に難しい．しかし，それを読み解くことが「やりがい」でもある．読者の皆様には，ぜひ本書で皮膚障害に関する支持療法の面白さを体感し，各医療施設で取り組んでいる支持医療に役立ててほしい．そして，本書がJASCCがん支持医療ガイドシリーズの一冊として患者の福音になることを願ってやまない．この場を借りて，初版から本書の作成に携わった山﨑直也医師（JASCC Oncodermatology部会　前部会長），柳　朝子看護師（同　副部会長）を始め執筆にご協力くださった皆様に感謝する．また，診療とケアをとおして本書の作成にご協力くださった聖隷浜松病院の皆様，皮膚科学と感染症をご指導くださった故荒田次郎先生（岡山大学　名誉教授）に深く感謝する．最後に，小杉貞子さん（金原出版）に深い謝意を表す．小杉さんの迅速な編集と温かいお声がけがなければ，本書は何年経っても日の目を見ることはありませんでした．本当にありがとうございました．

日本がんサポーティブケア学会Oncodermatology部会　部会長　　平川聡史

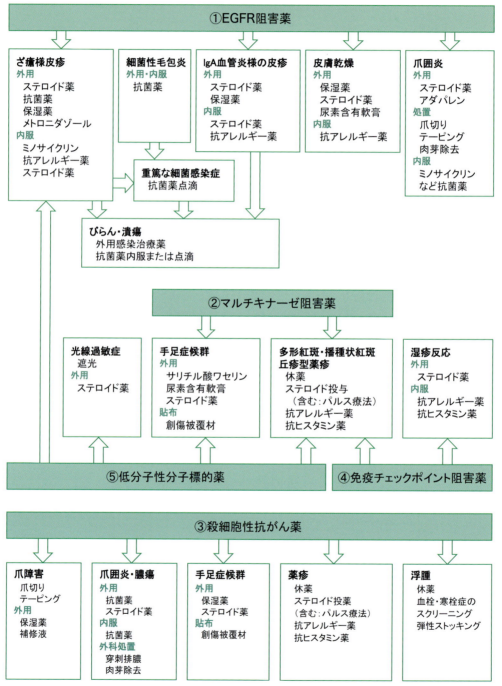

第1章 分子標的薬

1 EGFR阻害薬
1. ざ瘡様皮疹
2. 皮膚乾燥
3. 血管障害，びらん・潰瘍
4. 爪囲炎
5. 毛髪・睫毛異常

2 マルチキナーゼ阻害薬
1. 手足症候群
2. 多形紅斑

3 その他の小分子性阻害薬
1. 皮膚障害

第1章 分子標的薬

1 EGFR阻害薬

1 ざ瘡様皮疹

はじめに

EGFR阻害薬によるざ瘡様皮疹の発症頻度は高く，セツキシマブの使用成績調査においては8割以上の患者に発現したとの報告がある[1]。実際に，がん治療開始より約1週間の早期からおおよそ1カ月以内には発症することが多い。また，急速に悪化する場合もあり，毛包に一致したニキビ様の皮疹を特徴とする（4ページ参照）。顔面のみならず，頭皮や体幹・四肢に生じ，ときにかゆみや疼痛を伴うことから患者QOLの著しい低下にもつながる。このことからも重症化を防ぐために，治療開始時からのスキンケアの実施やミノサイクリン等の予防投与，発症時の早期の治療開始が大切となる[2]。また，ざ瘡様皮疹の治療は副腎皮質ステロイド外用薬の使用が中心となることや症状が長期間化する場合も多く，皮膚科専門医との連携を図り適切な対応が求められる。

一般に，EGFR阻害薬/抗EGFR抗体の副作用は多様であり，時期を変えながら多様な皮膚・粘膜症状が現れる。ざ瘡様皮疹はもっとも初期に現れ，次第に乾燥や爪囲炎などが現れやすい。皮膚・粘膜症状を時系列にまとめ，重症度とともに図1に示す。

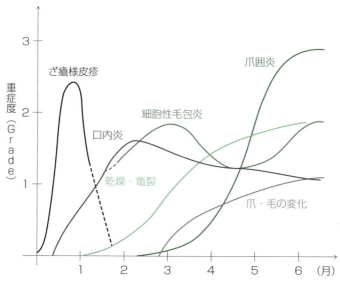

図1 EGFR阻害薬・中和抗体による皮膚・粘膜症状：種類と重症度の経時的変化

重症度評価

ざ瘡様皮疹の重症度を**表1, 2**に示す。本稿の図および説明をあわせて参照してほしい。

表1 ざ瘡様皮疹の重症度評価

Grade 1	Grade 2	Grade 3	Grade 4	Grade 5
体表面積の<10%を占める紅色丘疹および/または膿疱で、そう痒や圧痛の有無は問わない	体表面積の10-30%を占める紅色丘疹および/または膿疱で、そう痒や圧痛の有無は問わない；社会心理学的な影響を伴う；身の回り以外の日常生活動作の制限；体表面積の>30%を占める紅色丘疹および/または膿疱で、軽度の症状の有無は問わない	体表面積の>30%を占める紅色丘疹および/または膿疱で、中等度または高度の症状を伴う；身の回りの日常生活動作の制限；経口抗菌薬を要する局所の重複感染	生命を脅かす；紅色丘疹および/または膿疱が体表のどの程度の面積を占めるかによらず、そう痒や圧痛の有無も問わないが、抗菌薬の静脈内投与を要する広範囲の局所の二次感染を伴う	死亡

(有害事象共通用語規準 v5.0 日本語訳JCOG版より引用)

表2 EGFR阻害薬に起因する皮膚障害の治療手引き

	軽症	中等症	重症
ざ瘡様皮疹	顔面を中心に全体で20個前後の丘疹、膿胞を認める。疼痛、そう痒はない。日常は気にならない	顔面、躯幹に全体で50個前後の丘疹、膿胞を認める。疼痛、そう痒を時に感じる。症状について他人から指摘される	顔面、躯幹、四肢に全体で100個前後の丘疹、膿胞を認める。疼痛、そう痒を常に感じる。他人との面会が億劫である

(文献3) より引用)

■第1章　分子標的薬

前胸部の病変に関して，各 Grade を示す。

Grade 1（軽症）
セツキシマブによるざ瘡様皮疹

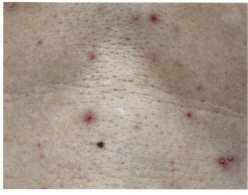

紅色丘疹が散在する。そう痒はない，あるいはごく軽度にとどまる。

Grade 2（中等症）
セツキシマブによるざ瘡様皮疹

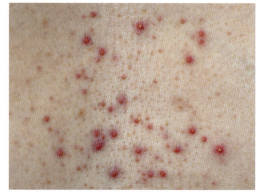

紅色丘疹が多発し，膿疱も散見される。浸潤は，Grade 1 に比べて強い。そう痒を伴う。

Grade 3（重症）
パニツムマブによるざ瘡様皮疹

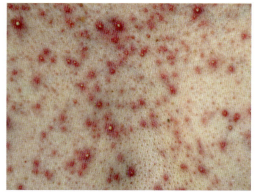

びまん性に紅色丘疹が多発・集簇し，膿疱が混在する。色調は鮮紅色で浸潤を伴い，炎症所見が強い。患者は，そう痒とともにヒリヒリする疼痛を訴える。睡眠障害を始め日常生活に支障をきたす。

（Grade 1～3 写真提供：聖隷浜松病院　平川聡史）

予防投与

EGFR阻害薬開始時からの予防投与については，STEPP試験[2]の結果より，スキンケアの開始とともに，保湿薬，副腎皮質ステロイド外用薬（weak class），テトラサイクリン系抗菌薬の内服，日焼け止めの使用（SPF：30，PFA：4〜8）による発症期間の延長や重篤化の緩和について報告されている。しかしながら副腎皮質ステロイド外用薬の長期使用の観点と実現可能性から，保湿薬の使用とテトラサイクリン系抗菌薬の内服（3カ月を目安）を実施しているケースが多い。

治療[3]

治療は副腎皮質ステロイド外用薬が中心となる。症状によって強度を上げた副腎皮質ステロイド外用薬に変更した場合でも，症状の緩和に応じて強度を下げる必要性がある。

また，2週間の治療で改善しない場合かつ，副腎皮質ステロイド外用薬を継続の場合（顔は2週間以上，その他は2〜4週間以上）は皮膚科専門医との密な連携をとり治療にあたる必要がある。

Grade 1（軽症）

副腎皮質ステロイド外用薬

頭部：Strong class のローション剤

顔面・頸部：Medium〜strong class の軟膏またはクリーム

＊2週間を目安として，予防ケアを行っていない場合は very strong class へ変更

体幹・四肢：Strong〜very strong class の軟膏またはクリーム

Grade 2（中等症）

副腎皮質ステロイド外用薬

頭部：Very strong class のローション剤

顔面・頸部：Medium〜very strong class の軟膏またはクリーム

体幹・四肢：Very strong〜strongest class の軟膏またはクリーム

かゆみを伴う場合：抗ヒスタミン薬の使用を検討

抗菌薬の内服：ミノサイクリン100〜200 mg/日

Grade 3（重症）

Grade 2（中等症）の治療の継続

加えて，抗がん薬の休薬，短期副腎皮質ステロイド内服（プレドニゾロン換算10 mg/日）の検討を行う。

まとめ

ざ瘡様皮疹は，患者QOLの著しい低下にもつながる副作用のひとつとなる。

EGFR阻害薬開始時からのセルフケアの重要性について，患者の理解を得て実施していただくことや，予防投与の実施など多職種が協力して介入していくことが大切である。

発症後の治療は副腎皮質ステロイド外用薬が中心のため，二次感染，MRSAを始め多剤耐性菌の出現，副腎皮質ステロイド外用薬の副作用に注意し，皮膚科専門医との連携タイミングを逃さないようにすることも重要である。

（松井礼子）

> **症例 1**
>
> 診断名：ざ瘡様皮疹
> 重症度評価：Grade 1 および 2，中等症
> 原因薬剤：セツキシマブ
> 支持療法：Very strong class の副腎皮質ステロイド（アンテベート®軟膏など）外用，ミノサイクリン 100 mg/日内服

〔概要〕30代男性。鼻腔腺様嚢胞がん再発，多発肝転移。一次治療 FP（フルオロウラシル，シスプラチン）＋ペムブロリズマブ療法を実施した。多発肺転移を指摘され病態進行と評価し，二次治療 weekly パクリタキセル＋セツキシマブ（パクリタキセル 80 mg/m^2，セツキシマブ初回 400 mg/m^2，2回目以降 250 mg/m^2）を開始した。予防的に保湿薬を外用していたが，2サイクル目から前額部に丘疹が現れたため，ざ瘡様皮疹 Grade 1 と診断した(1 病日，図1)。

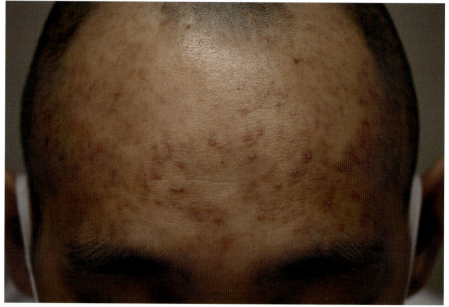

図1　セツキシマブによるざ瘡様皮疹，Grade 1
前額部に紅褐色の丘疹が散在する。浸潤は軽度にとどまり，そう痒を伴わない。リドメックス®軟膏外用を開始した。

〔経過〕Medium class の副腎皮質ステロイド（リドメックス®軟膏）を外用したが，8 病日に皮膚症状は増悪し，そう痒を伴った（図2）。このため，ざ瘡様皮疹 Grade 2 と診断し，副腎皮質ステロイド外用薬を very strong class の副腎皮質ステロイド（アンテベート®軟膏）にランクアップ，ミノサイクリン 100 mg/日内服を開始した。15 病日，丘疹は軽減したため，リドメックス®軟膏へランクダウンし，ミノサイクリンを継続した。36 病日，色素沈着主体になり，そう痒も消失した（図3）。パクリタキセルによる末梢神経障害 Grade 3 を生じたため，パクリタキセルを一段階減量したが，セツキシマブを減量することなく継続している。

1. EGFR阻害薬　1. ざ瘡様皮疹

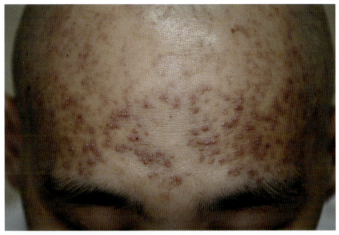

図2　経過，8病日，Grade 2
紅色丘疹が多発・集簇し，浸潤を伴う。膿疱が混在し，そう痒を伴う。副腎皮質ステロイド外用薬だけでは無効と判断し，ミノサイクリン内服を追加，アンテベート®軟膏へランクアップした。

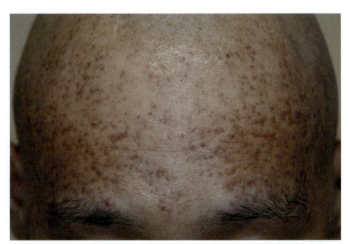

図3　経過，36病日
治療効果が現れ膿疱は消失，丘疹の浸潤は軽減した。色素沈着主体になり，そう痒は消失した。

ここがポイント

　若年男性の場合，高齢者や女性に比べるとざ瘡様皮疹は悪化しやすい。このため治療には，より強い副腎皮質ステロイド外用薬と抗菌薬内服を必要とする場合がある。

　ランクアップした副腎皮質ステロイド外用薬は，症状が改善したらランクダウンし，不要と判断したら中止して，副腎皮質ステロイドによる副作用を予防する。抗菌薬の全身投与も6～8週を目安に終了する。

　ざ瘡様皮疹が顔面など露出部で増悪した場合には，前胸部を始めとする体幹部にも皮疹が現れ，拡大していることがある。医療者から患者に質問し，皮膚症状の分布を評価することが望ましい。

〔平川聡史〕

■ 第1章 分子標的薬

| 症例 2 | 診断名：ざ瘡様皮疹
重症度評価：Grade 1，軽症
原因薬剤：アファチニブ
支持療法：Medium class の副腎皮質ステロイド（ロコイド® クリーム）外用 |

〔概要〕60代男性。原発性肺がんと診断され，一次治療としてアファチニブを選択した。開始後まもなく，顔面の脂漏部位（鼻唇溝・下顎部など）に紅斑，紅色丘疹あるいは膿疱が現れた（図1）。そう痒を伴わない。

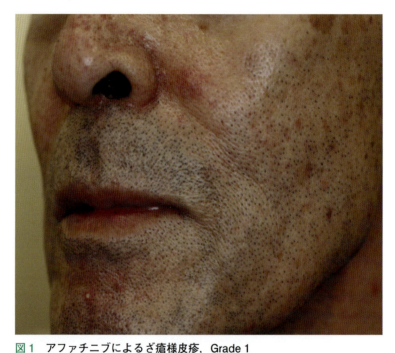

図1　アファチニブによるざ瘡様皮疹，Grade 1
顔面から頸部に丘疹がみられる。自覚症状は認めない。
（写真提供：国立がん研究センター中央病院　山﨑直也）

〔経過〕アファチニブは継続しつつ，適切なスキンケア指導とmedium classの副腎皮質ステロイド（ロコイド®クリーム）の外用を開始した．短期間の外用で皮疹は改善した（図2）．

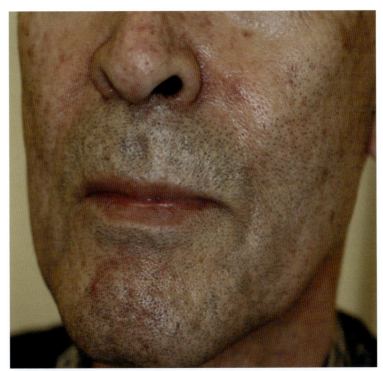

図2　経過
短期間のmedium classの副腎皮質ステロイド外用薬でほぼ改善した．

ここがポイント

Grade 1の皮膚障害は，副腎皮質ステロイド外用に反応する．長期の抗菌薬（テトラサイクリン系もしくはマクロライド系）を回避するためには，皮疹の程度は軽度でも，まずはmedium class以上の副腎皮質ステロイド外用薬で早期に炎症を改善させることが必要である．

（山本有紀）

症例 3	診断名：ざ瘡様皮疹 重症度評価：Grade 3，重症 原因薬剤：セツキシマブ 支持療法：Very strong class の副腎皮質ステロイド（アンテベート®軟膏など）外用，ミノサイクリン 200 mg/日，抗アレルギー薬（ザイザル®など5 mg/日）内服

（本症例は26ページと同一症例である）

〔概要〕50代女性。中咽頭がん，多発肺転移。一次治療 FP（フルオロウラシル，シスプラチン）＋ペムブロリズマブ療法を実施，病態進行のため，二次治療 weekly パクリタキセル＋セツキシマブ（パクリタキセル 80 mg/m^2，セツキシマブ 初回 400 mg/m^2，2回目以降 250 mg/m^2）を開始した。導入日，患者を診察したが予防薬を希望しなかったため経過観察した（1病日）。2サイクル後，皮疹・ヒリヒリする疼痛のため睡眠障害を生じた（11病日）。このため13病日，予定外に患者が受診した（図1）。日常生活に支障をきたすため，ざ瘡様皮疹 Grade 3 と診断した。膿疱から細菌培養検査を行い，*Cutibacterium acnes* を検出した（ミノサイクリンに対する感受性あり）。

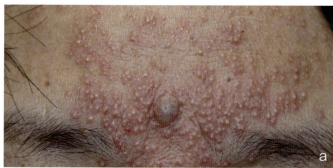
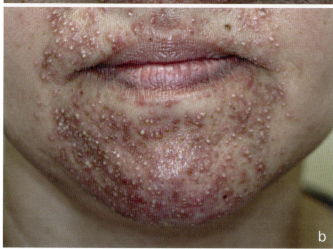

図1 セツキシマブによるざ瘡様皮疹，Grade 3
a. 前額部に紅色丘疹あるいは膿疱が集簇・多発し，互いに融合する。浸潤が強い。
b. 口周囲にも膿疱が多発し，強い炎症所見を伴う。ヒリヒリする疼痛を伴い［Numerical Rating Scale（NRS）10］，睡眠障害を生じた。

〔経過〕直ちに very strong class の副腎皮質ステロイド（アンテベート®軟膏）外用を行い，ミノサイクリン 200 mg/日，抗アレルギー薬（ザイザル®）5 mg/日内服を開始した．15 病日，治療効果が現れ，疼痛・睡眠障害は消失したため，予定どおりセツキシマブを投与した．22 病日から副腎皮質ステロイド外用薬をランクダウンし，ミノサイクリンを 100 mg/日へ減量した．42 病日，そう痒など自覚症状なく，顔面には色素沈着および毛細血管拡張が残存した（図 2）．一方，手指に爪囲炎が現れ，舌に粘膜炎を生じた（図 3）．

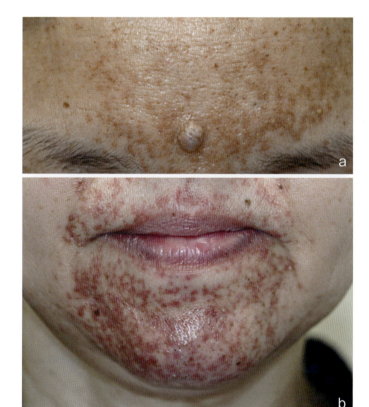

図 2　経過，42 病日
a. 前額部では色素沈着が残存するが，丘疹は消失した．
b. 口周囲には毛細血管拡張が残存するが，そう痒は伴わない．酒さ様皮膚炎，Peri-oral dermatitis に留意する所見である．

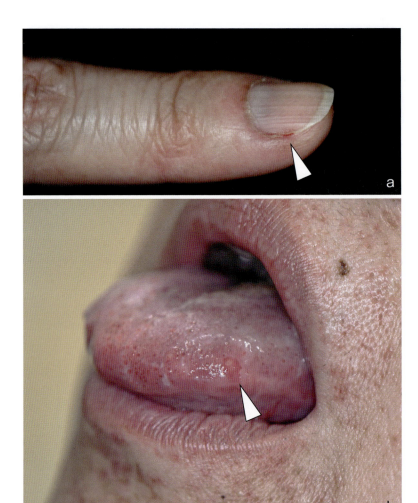

図3　経過，42病日，爪囲炎および粘膜炎の所見
a. 手指の側爪郭に紅斑を認める（矢頭）。明らかな疼痛を伴わない。爪囲炎 Grade 1 と診断した。
b. 舌にびらんあり（矢頭）。患者は疼痛および味覚異常を訴えた。粘膜炎 Grade 2 と診断した。

> **ここがポイント**

　患者と皮膚科医の間に初期から関係性が構築されたため，ざ瘡様皮疹の重症化・遷延化を予防できた。がん薬物療法の初日から皮膚科医が診察し，患者が診察を希望するタイミングで受診したため，ざ瘡様皮疹に対して速やかに対処し，セツキシマブを休薬せず投与することができた。

　ざ瘡様皮疹の膿疱から *Cutibacterium acnes*（いわゆるアクネ桿菌）を検出する場合がある。微生物学的環境を，これまでの無菌あるいは有菌という二者択一から，両者を連続的に捉える考え方がある。

（平川聡史）

1．EGFR 阻害薬　1．ざ瘡様皮疹

症例 4	診断名：ざ瘡様皮疹
	重症度評価：Grade 3，重症
	原因薬剤：エルロチニブ
	支持療法：休薬，medium class の副腎皮質ステロイド（ロコイド®クリームなど）外用

〔概要〕30 代男性。エルロチニブ内服中に発症したざ瘡様皮疹。Strong class の副腎皮質ステロイド・ゲンタマイシン硫酸塩配合薬（リンデロン®-VG クリーム），ナジフロキサシンクリーム外用とミノサイクリン 200 mg/日内服治療にもかかわらず，頬部は全体に発赤・腫脹を認め，多数の膿疱，紅色皮疹がみられ，Grade 3 と診断した（図 1）。

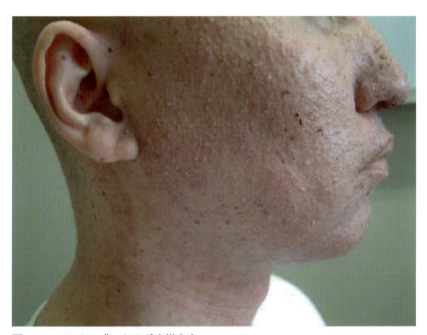

図 1　エルロチニブによるざ瘡様皮疹，Grade 3
顔面から頸部にかけてびまん性に多発する丘疹がみられる。クリーム外用部位と一致したそう痒を伴う紅斑も認め，外用薬による接触皮膚炎合併を疑った。

（写真提供：国立がん研究センター中央病院　山﨑直也）

〔経過〕エルロチニブを中断し，改めて皮膚の洗浄方法について指導を行い，外用薬を medium class の副腎皮質ステロイド（ロコイド® クリームなど）に変更した．7 週間後には発赤・皮疹は改善し，エルロチニブ内服を再開した（図2）。

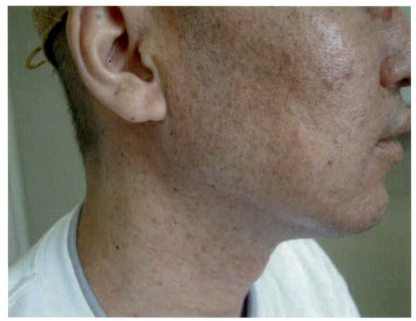

図2　休薬・外用薬変更 7 週間後
副腎皮質ステロイド外用薬の変更により，丘疹・紅斑は消退し，そう痒も改善した．
（写真提供：国立がん研究センター中央病院　山﨑直也）

ここがポイント

Grade 3 の皮膚障害が出現すると原疾患の治療（がん治療）を一旦休止することになってしまうので，スキンケア指導を含めた早期からの皮膚障害のコントロールが重要である．

（山本有紀）

スキンケアのポイント

● ざ瘡様皮疹のケア

EGFR阻害薬に伴うざ瘡様皮疹は，元々無菌性であり発現が治療効果に相関することもあるため，症状と付き合いながら重篤化しないようにケアすることが重要である。スキンケアの基本は，「清潔」「保湿」「最小限の刺激」である。

清潔

皮膚の汚れを洗い流すことが必要である。また，皮膚を傷つけないようにしっかりと洗浄剤を泡立てて，ゴシゴシとこすらずに泡で包み込むように愛護的に洗うようにする。洗い残しやすすぎ残しがないように洗い，清潔を保つことが必要である。

保湿

皮膚のバリア機能を補うために，保湿は重要なケアであり，保湿薬をたっぷりと数回に分けて塗布する。具体的な保湿方法については，「皮膚乾燥 スキンケアのポイント（30ページ）」を参考されたい。

最小限の刺激

皮膚が傷つくと症状が悪化したり，感染を併発したりすることがあるため，可能な限り皮膚への刺激を最小限にとどめることが重要である。紫外線による日焼けは炎症を引き起こすため，サンクリームを使用する，衣服などを工夫するなどし，皮膚が紫外線に曝露しないように調節することも大切である。また，男性の場合は，ひげそりも皮膚への負担となることがあるため，電気シェーバーを使用するなど，工夫が必要である。

● 指導のポイント

ざ瘡様皮疹のスキンケアの基本は「清潔」「保湿」「最小限の刺激」の3つであり，患者自身が実践することができるようにスキンケア方法やタイミング等を検討することが必要である。年齢や性別，スキンケアへの関心や経験等により，スキンケアのスキルは異なるため，患者の状況をよく把握し，継続できる方法をともに考えて指導することが重要である。

● 頭皮ケアの手順

頭皮に出現したざ瘡様皮疹が重症化すると，皮脂や汗，血液，塗布した軟膏の残り等の塊が形成されることがある。このような場合は，毛髪も絡まり，薬剤を塗布しても浸透せず症状は改善しくい。そのため，この塊を除去することが必要となる。

① 温タオルやシャワーで頭皮を湿らせる。

② 頭皮にオリーブオイルを優しくすり込み，塊をふやかす。

③ 塊がはがれやすくなるまで，①と②を繰り返す。

④ オリーブオイルをすり込みながら，塊を優しく丁寧に剥がしていく。

⑤ 泡立てたシャンプーでオリーブオイルをさっと落とし，タオルで押さえ拭き，またはシャワーで優しく流す。

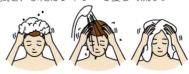

⑥ 副腎皮質ステロイド外用薬を塗布する。
⑦ 塊が多い場合は，一度に全部はとりきれないこともあるため，自宅でも同様に優しく丁寧に除去するよう指導する。

（市川智里）

第1章 分子標的薬

1 EGFR阻害薬

2 皮膚乾燥

はじめに

　細胞表面に存在する上皮成長因子受容体（EGFR）は，上皮成長因子（EGF）などが結合し活性化することで上皮系の細胞を増殖させる．腫瘍細胞ではその生存，増殖，転移，血管新生などに関わっているため，EGFRを阻害することで抗腫瘍効果を発揮する．一方で，EGFRは表皮角化細胞，外毛根鞘細胞，脂腺，汗腺の基底細胞などにも多数存在し[1,2]，表皮成長の促進，分化の抑制，創傷治癒の促進，ケラチノサイト遊走の促進など皮膚の正常化に関与している[1]．正常表皮細胞のEGFRが阻害されることでケラチノサイトの増殖・移動が停止，アポトーシスが起こり表皮は菲薄化，角層は角化異常によって保湿力が低下する．また皮脂腺も機能が抑制され，皮脂膜の減少から皮膚バリア機能の低下，毛包上皮は角化異常により開口部が閉塞し，ざ瘡様皮疹が生じるとともに皮脂減少を引き起こし皮膚の乾燥が起こるとされる[1]（図1）．EGFR阻害薬による皮膚乾燥は治療開始1～2カ月後に発現しはじめ，6カ月目には多くの症例で皮膚乾燥が発現し，長期にわたる．皮膚乾燥は，かゆみの閾値を低下させる[3]といわれ，かゆみにより掻破行動が繰り返されると二次性の湿疹が生じ，睡眠障害などQOL低下につながることがある[4,5]．前腕や下腿をはじめ鱗屑，さざ波様紅斑などがみられ（図2～4），手指や掌蹠では亀裂を生じ，激しい疼痛を伴うこともある（図5）．

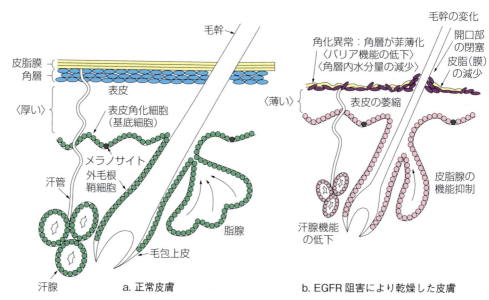

図1　EGFR阻害による表皮および付属器の変化
a．緑色の細胞はEGFRを発現する．
b．赤色の細胞はEGFR阻害により機能が低下している．

（イラスト：聖隷浜松病院　平川聡史）

1. EGFR 阻害薬　2. 皮膚乾燥

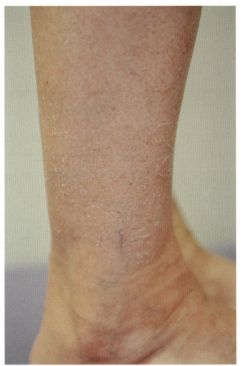

図2　下腿部のうろこ状の鱗屑（Grade 1）

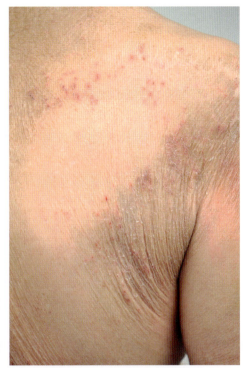

図3　背部のうろこ状の鱗屑（Grade 2）

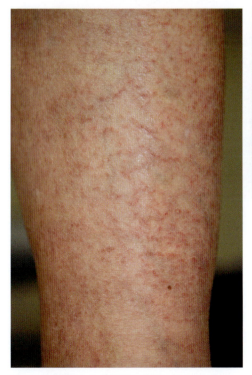

図4　下腿部のさざ波様の紅斑（Grade 2）

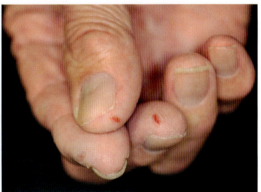

図5　手指の亀裂（Grade 2）

（図2～5写真提供：聖隷浜松病院　平川聡史）

重症度評価

　皮膚乾燥の重症度判定は CTCAE v5.0 に基づく（表1）[6]。Grade 3 は休薬や減量が必要になるため，Grade 2 でいかに対応をしていくかが治療継続の鍵となる。CTCAE では皮膚障害の面積と自覚症状の強さをもとに鑑別を行うが，あくまでも紅斑やそう痒，日常生活への影響の有無を基本に据え，発現部位の面積だけで Grade 3 と判定され，治療が中止となってしまうことを避けねばならない。皮膚乾燥の面積が全身皮膚の 30% を超えていても，自覚症状がなければ Grade 1 と評価し，一方で，そう痒による睡眠障害や手足の亀裂による疼痛などで日常生活に支障が生じる場合は，皮膚乾燥の範囲に関係なく Grade 3 と評価する（19 ページ参照）。「ボタンがかけられない」「箸が持てない」「靴が履けない」といった日常生活への影響がないか具体的な動作で問診し，評価を軽く見積もらないことが重要である。しかしながら，CTCAE は米国国立がん研究所（NCI）が主導した有害事象に関しての世界共通の評価基準だが，本来 CTCAE は主に臨床試験での有害事象を比較するための基準であり，臨床現場では外挿しにくい。本邦では JASCC Oncodermatology 部会の皮膚科医が，患者の自覚症状・日常生活を重視し，臨床現場にあった重症度評価を提案している（表2）[7]。

表1　CTCAE v5.0-JCOG（日本語表記：MedDRA/J v25.1）の評価基準

	Grade 1	Grade 2	Grade 3	Grade 4
皮膚乾燥	体表面積の<10%を占め，紅斑やそう痒は伴わない	体表面積の10-30%を占め，紅斑またはそう痒を伴う；身の回り以外の日常生活動作の制限	体表面積の>30%を占め，そう痒を伴う；身の回りの日常生活動作の制限	―

(有害事象共通用語規準 v5.0 日本語訳 JCOG 版より引用)

表2　JASCC Oncodermatology 部会の皮膚科医が提案した重症度評価

	軽症	中等症	重症
皮膚乾燥およびそう痒症	・かゆみを伴わない ・皮膚が白く目に映る/白い粉をふくような皮膚乾燥	・白い粉をふくような～鱗屑を伴う皮膚乾燥 ・かゆみを伴う	・鱗屑または紅斑を伴う皮膚乾燥 ・日常生活に支障があるかゆみを伴う
亀裂	・痛みがない～軽度の痛みを伴う ・亀裂	・身の回り以外の日常生活動作の制限がある痛みを伴う亀裂（食事の準備，買い物，金銭の管理などに影響がある）	日常生活動作を遂行できない痛みを伴う深い亀裂（入浴，着衣・脱衣，排泄に伴う行動などができない）

(文献7）より引用)

治療

　皮膚乾燥に確立した治療法はない．乾燥状態の皮膚では，皮脂膜の減少や角層内水分量減少などがみられ，そう痒や掻破行動による二次性湿疹の発現，増悪を引き起こす可能性がある[8]．保湿薬は角層のバリアを修復し，かゆみなどの皮膚症状を軽減することが知られている[9]．乾皮症や魚鱗癬に保険適用を有するヘパリン類似物質含有製剤や尿素クリームが用いられる[10]が，単独使用での有効性に関するエビデンスはない．また皮膚乾燥は皮膚が水分を失い白色の鱗屑を伴い，アトピー性皮膚炎の乾燥皮膚に類似するとされ[8]，皮膚炎と自覚症状の軽減を目的に保湿薬併用のもと，副腎皮質ステロイド外用薬の使用が勧められる[11]．ただし，二次性の湿疹やそう痒などの自覚症状を伴わない皮膚乾燥のみの症状に対して副腎皮質ステロイド外用薬を用いることは原則的に勧められない[11]．さらに皮膚乾燥によりそう痒を生じている症例において，重症例では入眠障害などを伴い，患者QOLの低下を引き起こし，原疾患に対する治療継続にも影響を及ぼすことがあるため，自動車運転への影響なども考慮しながら抗ヒスタミン薬の内服が推奨されている[12]．ただし，保湿薬や副腎皮質ステロイド外用薬との併用が基本である[12]．

まとめ

　いずれの治療も十分なエビデンスは確立されていない．保湿薬は分子標的薬による皮膚障害において予防から治療まで幅広く使用されている．副腎皮質ステロイド外用薬は介入時期，薬剤の強さ（種類），用法・用量などが確立されていないが，湿疹，皮膚炎，そう痒を伴う状況下では使用が勧められる．外用薬で十分な効果が得られない場合は，むやみに機を逃さず速やかに皮膚科医に相談すべきである．

（伊與田友和）

体幹部に生じた皮膚の乾燥

Grade 1（軽症）

細かい鱗屑が皮膚表面に付着し，患者は「かゆみはないが，脱衣で白い粉がふく」と訴える．

Grade 2（中等症）

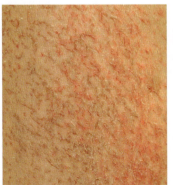

鱗屑とともに皮膚の乾燥が明らかで，患者はそう痒を訴える．炎症所見を伴う場合もある．

Grade 3（重症）

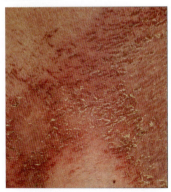

紅斑・鱗屑を始め炎症所見が強く，滲出液や血痂を伴うことがある．患者は，著しいそう痒とともに掻破による疼痛を訴え，睡眠障害を始め日常生活に支障をきたす．

（Grade 1〜3写真提供：聖隷浜松病院 平川聡史）

手指に生じた皮膚の乾燥と亀裂

手指や足蹠に乾燥が生じると，亀裂を伴いやすい。亀裂は痛みの原因となり，手指の病変は生活に支障をきたすことも多いため，留意する必要がある。

Grade 1（軽症）

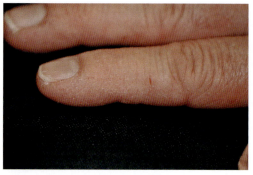

オシメルチニブによる手指の亀裂
手指に乾燥があり，亀裂を生じている。しかし，亀裂は関節を避けているため，可動に伴う痛みはない。したがって，軽症例と判断した。

Grade 2（中等症）

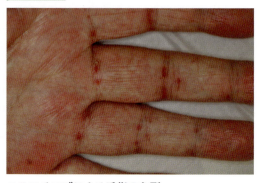

エルロチニブによる手指の亀裂
関節部の屈側面に亀裂が多発し，可動時に痛みを伴う。日常生活動作には制限があるものの，食事や着衣・脱衣など身の回りの動作には大きな制限を伴わないため，Grade 2 と判断した。

Grade 2（中等症）

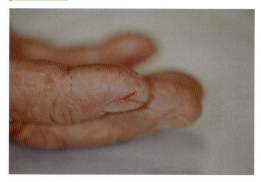

エルロチニブによる爪囲の亀裂
指先や爪囲は乾燥しやすく，亀裂を生じやすい。痛みを伴うため，創傷被覆材などで保護する。

Grade 3（重症）

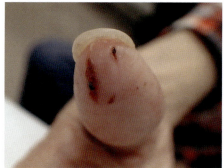

セツキシマブによる手指の亀裂
第1指の指腹部に深い亀裂が生じた。著しい痛みを伴い，着衣を始めとする基本的な日常動作に制限が生じたため，Grade 3 と判断した。

（Grade 1～3写真提供：聖隷浜松病院 平川聡史）

> | 症例 1 | 診断名：皮膚乾燥，角化・亀裂を伴う
> 重症度評価：Grade 1，軽症
> 原因薬剤：アファチニブ
> 支持療法：Strongest class の副腎皮質ステロイド（デルモベート®軟膏など）外用，サリチル酸ワセリン外用

〔概要〕60代男性。肺腺がん（多発転移）に対してアファチニブを投与。投与13週目に手足の亀裂を主訴に皮膚科を受診した。踵の皮膚は軽度角化と皮膚乾燥を認め，亀裂を伴っていた（図1）。鏡検で糸状菌は認めなかった。疼痛による靴の着脱，歩行障害は伴わず，アファチニブによる皮膚乾燥 Grade 1 と診断した。

〔経過〕踵部は角質が厚いため，strongest class の副腎皮質ステロイド（デルモベート®軟膏など）とサリチル酸ワセリン外用の併用を行った。皮膚乾燥と亀裂は改善（図2）し，副腎皮質ステロイド外用薬のランクダウンを行い，アファチニブは継続投与可能であった。

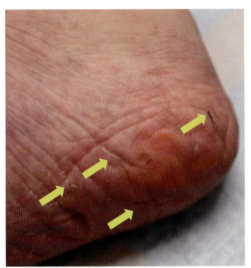 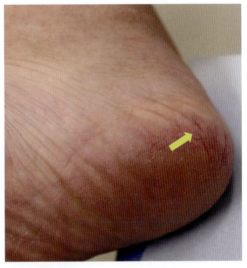

図1　アファチニブによる皮膚乾燥，Grade 1
踵の皮膚は乾燥と角化がみられる。線状の亀裂が複数カ所散在している。

図2　治療後
踵の亀裂は著明に改善し，1カ所のみ，わずかに残存する。
（図1, 2写真提供：国立がん研究センター中央病院　山﨑直也）

ここがポイント

手指，踵など角質の厚い部位では乾燥に伴い，いわゆる"ひび割れ"を伴う場合がある。今回用いたサリチル酸製剤や尿素製剤が用いられることが多いが，特に尿素製剤ではひび割れに薬剤が直接接触することで強い痛みが引き起こされることもあり，注意が必要である。

（中井康雄）

> **症例 2**
>
> 診断名：皮膚乾燥，接触皮膚炎
> 重症度評価：Grade 2，中等症
> 原因薬剤：エルロチニブ
> 支持療法：休薬（ベバシズマブ），創傷被覆材（デルマエイド®），白色ワセリン，strongest class の副腎皮質ステロイド（デルモベート®軟膏など）外用

〔概要〕60代女性。Ⅳ期 肺腺がん。原病に対してエルロチニブ 150 mg/日＋ベバシズマブ 15 mg/kg 3 週ごとを開始した。6 カ月後，体幹部が乾燥し，患者は右肩部に疼痛を自覚した。主科で皮膚症状を伝えたところ，帯状疱疹を疑われたため皮膚科へ紹介された。初診時の臨床像を示す（1 病日，図 1a，b）。そう痒を訴えたため，鑑別診断に湿疹・皮膚炎を挙げて患者に質問した。患者は「湿布を貼っていた」と回答したため，経皮吸収型鎮痛・抗炎症薬（NSAIDs）による接触皮膚炎と診断した。

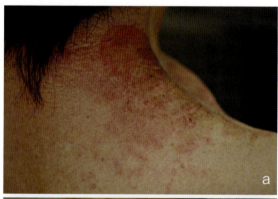
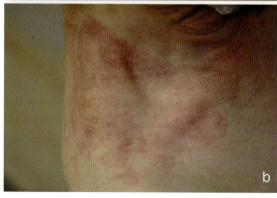

図1　エルロチニブによる皮膚乾燥, Grade 2
a. 体幹部皮膚は乾燥し，所々に色素沈着を伴う。右肩には紅斑が拡がり，紅色丘疹が散在する。
b. 上から見た所見。紅斑の境界は明瞭であり，貼付薬による接触皮膚炎を疑った。

〔経過〕経皮吸収型鎮痛・抗炎症薬を中止して，strongest class の副腎皮質ステロイド（デルモベート®軟膏）を外用した。皮膚病変部は，8 病日にびらんを呈し，疼痛を伴った（図 2）。このため，創面に白色ワセリンを外用し，創傷被覆材（デルマエイド®）で保護した。22 病日，創面は上皮化し始めたが，通常より創傷治癒は遷延した（図 3）。皮膚病変を治療した期間，エルロチニブは継続したが，ベバシズマブは創傷治癒遅延のため休薬した。

1．EGFR 阻害薬　　2．皮膚乾燥

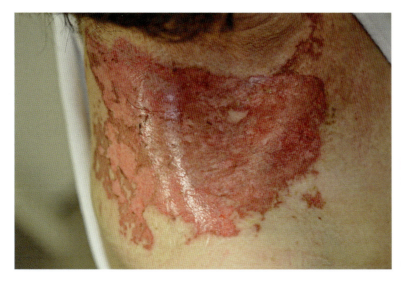

図2　経過，8病日
湿布の貼付部位に一致してびらんを形成した。びらんは疼痛を伴ったため，創面に白色ワセリンを外用して創傷被覆材（デルマエイド®）で覆い，疼痛緩和を図った。

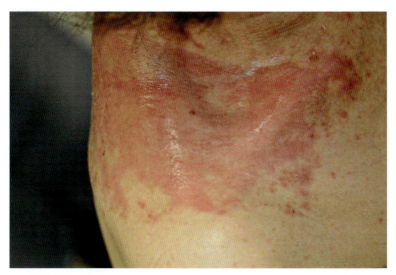

図3　経過，22病日
びらんは上皮化し始めたが，創傷治癒は遷延した。

ここがポイント

エルロチニブにより皮膚が乾燥し，角層にバリア異常を生じたため，自験例では NSAIDs による接触皮膚炎を起こした可能性がある。

NSAIDs は，接触皮膚炎を起こしやすい薬剤のひとつであり，経皮吸収型（湿布など貼付薬）は，原因薬剤を長時間にわたり皮膚へ曝露させるため，皮膚症状が重症化しやすいことが示唆された。

ベバシズマブは，抗血管新生作用のため創傷治癒を遅延し，NSAIDs はシクロオキシゲナーゼ阻害により局所の血流を低下させる。自験例では，両薬剤の副作用に加え，エルロチニブが表皮角化細胞の増殖を抑制し，接触皮膚炎がびらん・潰瘍化し，上皮化が遷延したと考えた。

（平川聡史）

症例 3	診断名：皮膚乾燥，湿疹 重症度評価：Grade 2, 中等症 原因薬剤：オシメルチニブ 支持療法：トコフェロール・ビタミンA油（ユベラ®軟膏など）外用，very strong classの副腎皮質ステロイド（ネリゾナ®ユニバーサルクリームなど）外用，社会資源の活用（デイサービス）

〔概要〕60代女性。原発性肺がん，多発脳転移。遺伝子検査：EGFR変異陽性（compound mutation）。既往歴：脳卒中（右被殻出血），左片麻痺。多発脳転移に対して放射線治療を行い，一次治療アファチニブを導入した。3カ月後，皮膚毒性が現れ，手指に亀裂が多発したため日常生活に支障をきたした。副作用のためアファチニブを中止して，二次治療オシメルチニブ80 mg/日を開始した。以後，2年間にわたり抗腫瘍効果が持続し，オシメルチニブを継続する一方，患者は両下肢に皮疹を自覚し（図1），「靴下を脱ぐとパラパラ皮膚が剥がれる」と訴えた。そう痒は軽度である。皮膚乾燥Grade 2と診断した。

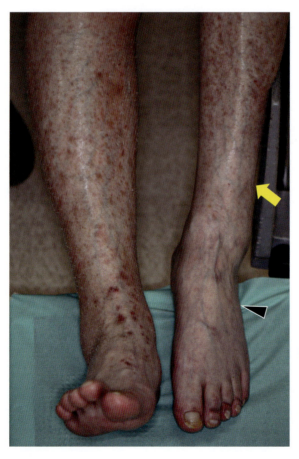

図1 オシメルチニブによる皮膚乾燥，Grade 2
左下肢（麻痺側）には廃用を伴う。右下肢（健常側）に比べて左下肢には筋萎縮があり（矢印），尖足位（drop foot）を認める（矢頭）。皮膚症状を比較すると左右差があり，健常側（右下肢）に皮疹が目立つ。

〔所見および経過〕患者は左片麻痺を煩い，両下腿部の皮膚症状に左右差がある．足関節部～足背部に関して，右側（健常側，図2a）では紅色丘疹を認めるが，左側（麻痺側，図2b）には丘疹を認めない．次に両下腿部外側を示す．右側（健常側）では紅斑，さざ波様の鱗屑，色素沈着を認め，炎症所見を伴う．皮膚の乾燥にとどまらず，湿疹化している（健常側，図3a）．一方，左側（麻痺側，図3b）では紅斑など炎症所見に乏しく，乾燥と鱗屑が主体である．オシメルチニブによる炎症反応や乾燥は，麻痺側では起こりにくいことが示唆される．治療は外用療法を行い，乾燥に対してトコフェロール・ビタミンA油（ユベラ®軟膏），湿疹に対してvery strong classの副腎皮質ステロイド（ネリゾナ®ユニバーサルクリーム）を週4回デイサービスで処置している．

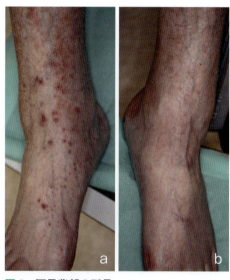

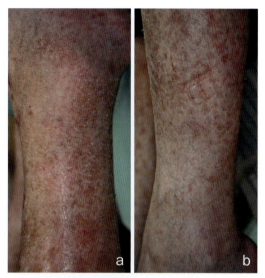

図2　両足背部の所見
a. 健常側。右足関節部（健常側）を中心に紅色丘疹が多発，散在する。
b. 麻痺側。左足関節部および周囲には明らかな皮疹がない。

図3　両下腿部外側の所見
a. 右側（健常側）には紅斑があり，炎症所見を伴う。皮膚の乾燥にとどまらず湿疹化しており，中等度の慢性湿疹である。
b. 左側（麻痺側）では炎症所見に乏しく，右側に比べて鱗屑も軽度である。

🛈 ここがポイント

　片麻痺のため，自験例ではオシメルチニブによる皮膚障害は麻痺側に起こりにくいことが示唆された．パクリタキセルによる爪障害は，片麻痺により軽減することが知られており，本稿ではEGFR阻害薬による皮膚障害もまた片麻痺により軽減することを紹介した．EGFR阻害薬は末梢神経に作用し，炎症性物質を介して皮膚障害を生じる可能性がある．

（平川聡史）

> **症例 4**
>
> 診断名：皮膚乾燥，湿疹
> 重症度評価：Grade 3，重症
> 原因薬剤：セツキシマブ
> 支持療法：一段階減量。Strongest class の副腎皮質ステロイド（デルモベート® 軟膏など）外用，ロキシスロマイシン 300 mg/日内服，抗アレルギー薬（アレジオン® など 20 mg/日）内服
>
> （本症例は 10 ページと同一症例である）

〔概要〕50 代女性。中咽頭がん，多発肺転移。既往歴：薬剤性肝障害（ミノサイクリン）。一次治療 FP（フルオロウラシル，シスプラチン）+ペムブロリズマブ療法を実施，病態進行のため，二次治療 weekly パクリタキセル+セツキシマブ（パクリタキセル 80 mg/m^2，セツキシマブ初回 400 mg/m^2，2 回目以降 250 mg/m^2）を開始した。支持療法薬ミノサイクリンによる薬剤性肝障害 Grade 1 を生じたが，重篤な副作用なく経過した。このため 8 週後，セツキシマブを隔週・倍量に変更した（1 病日）（パクリタキセル 80 mg/m^2 day 1，8，15，セツキシマブ 500 mg/m^2 day 1，15 4 週ごと）。14 病日，皮膚の疼痛を主訴に患者が予定外に受診した（図 1）。体幹部に乾燥・ヒリヒリする疼痛・そう痒を訴え，睡眠障害を伴った［そう痒 VAS(Visual Analogue Scale) 9］。セツキシマブによる皮膚乾燥，湿疹 Grade 3 と診断した。

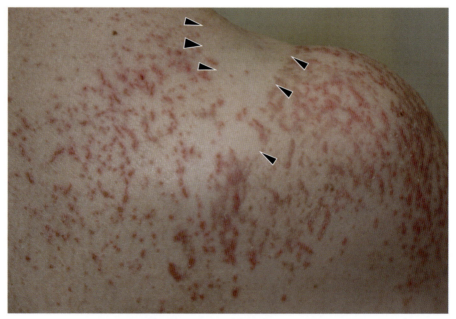

図 1　セツキシマブによる皮膚乾燥，湿疹，Grade 3
上背部に鮮紅色の丘疹が線状に集簇・多発し，肩には鱗屑を伴う。掻破により皮疹が誘発され（ケブネル現象），肌着に覆われた部位は掻破を免れたことが示唆される（矢頭）。

〔経過〕Strongest class の副腎皮質ステロイド（デルモベート®軟膏）外用を行い，抗アレルギー薬（アレジオン®）20 mg/日内服を開始した．15 病日，セツキシマブを中止した．29 病日，治療効果が現れ，疼痛，そう痒，睡眠障害は消失した．43 病日，セツキシマブを一段階減量して再開し（80％へ減量），ロキシスロマイシン 300 mg/日内服を併用して皮膚症状を予防した（図2）．その後，乾燥や疼痛なく，そう痒（VAS 2）に対して medium class の副腎皮質ステロイド（リドメックス®軟膏など）を外用している．わずかにざ瘡様皮疹が散在するものの湿疹は再燃せず（図3），原病に対する薬物療法を継続し，SD（stable disease）を維持している．

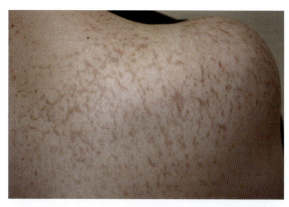

図2　経過，43 病日
丘疹は消失し，線状に色素沈着が残存する．

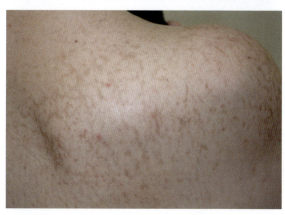

図3　経過，71 病日
セツキシマブ再開後，2 サイクル実施した．色素沈着は淡くなり，湿疹・皮膚炎が再燃する兆しはない．毎日，家族がリドメックス®軟膏を外用し，乾燥も消失した．

ここがポイント

セツキシマブ 250 mg/m² を毎週投与した場合，自験例では乾燥・湿疹を認めなかった．しかし，倍量・隔週でセツキシマブを投与すると重篤な乾燥・湿疹が現れた．血中セツキシマブ濃度が上昇したことが示唆されたため 80％へ減量し，至適濃度を検討した．

ミノサイクリンによる肝障害を生じたため，抗炎症作用をもつロキシスロマイシンを代替薬として選択し，ざ瘡様皮疹および湿疹・皮膚炎を予防した．

家族の協力を得て外用療法を継続し，皮膚の乾燥や皮膚症状を予防した．自験例では皮膚に対するセルフケアがなされ，がん薬物療法を再開・継続できた．

（平川聡史）

| 症例 5 | 診断名：皮膚乾燥，褥瘡，食欲不振
重症度評価：Grade 3，重症
原因薬剤：オシメルチニブ
支持療法：一段階減量。Very strong classの副腎皮質ステロイド（アンテベート® 軟膏など）外用，抗アレルギー薬（アレジオン®など20 mg/日）内服 |

〔概要〕80代女性。肺がん，多発脳転移，多発骨転移。頭蓋内病変に対して放射線治療を実施した後，一次治療オシメルチニブ80 mg/日内服を開始した。副作用のため，次第に皮膚に乾燥および食欲不振を生じた。患者はそう痒を訴え，very strong classの副腎皮質ステロイド（アンテベート® 軟膏）外用と抗アレルギー薬（アレジオン®）内服を開始したが，この1週間飲食できず，悪心・ふらつきを訴え外来を受診した。主科で脱水症と診断され，入院治療を開始した。オシメルチニブ内服後，体重は2カ月間で5キロ減少した。

〔経過〕入院時の現症を示す（1病日，図1）。背部全体が乾燥し，脊椎に沿って複数亀裂がある。患者は，局所に疼痛を訴えた。自宅では1週間臥床していたため，褥瘡と診断した。Grade 3の食欲不振および脱水のため，主科ではオシメルチニブを休薬し，皮膚科で創傷被覆材（デルマエイド®など）および保湿薬で褥瘡の治療・予防を行った（図2）。10病日，食欲・経口摂取が回復し，患者は15病日に退院した。22病日，オシメルチニブを一段階減量し，40 mg/日で再開した。退院3カ月後の臨床像を示す（図3）。皮膚全体の乾燥・皺襞は消失し，褥瘡は治癒した。

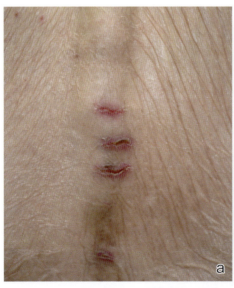

図1 オシメルチニブによる皮膚乾燥，褥瘡，Grade 3
a. 1病日，背部全体が乾燥し，皺襞を多数伴う。中央部に腰椎があり，椎体に沿って横走する亀裂を生じた。日常生活動作（ADL）が低下して皮疹が生じたため，褥瘡と診断した。
b. 同日，亀裂をデルマエイド®で被覆し，疼痛を軽減した。

1. EGFR阻害薬　2. 皮膚乾燥

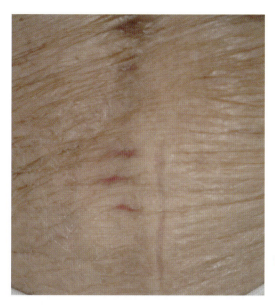

図2　経過，14病日
背部に鱗屑・皺襞が残存するが，亀裂は上皮化し，痂皮は脱落した。

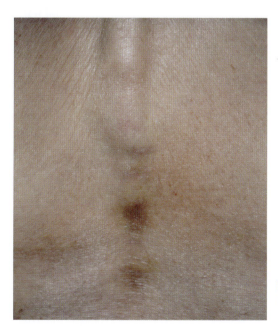

図3　オシメルチニブ一段階減量後
腰背部全体の乾燥が消失し，皺襞も軽減した。褥瘡は色素沈着を残して治癒した。

ここがポイント

　高齢の肺がん患者が通院治療を行い，EGFR阻害薬を内服する事例が増えている。年齢に伴うADL低下に加え，副作用で体重が減少し，皮膚が乾燥することは褥瘡のリスクと考える。

　患者の日常生活を評価し，食欲不振やADL低下を認めた場合には腰背部〜仙骨・臀部に疼痛がないか患者に質問し，褥瘡が発生していないかどうか確認する必要がある。

　EGFR阻害薬を一段階減量することにより，患者のADLとQOLは回復しやすい。特に高齢者の場合には，がん薬物療法の用量調整を心掛けたい。

〈平川聡史〉

スキンケアのポイント

●皮膚乾燥のケア

EGFR阻害薬により角質層の水分や油分量が低下するので、皮膚のバリア機能を補うために、保湿ケアは重要である。

保湿薬の使用方法

皮膚の水分や油分を補うために、保湿薬を塗布する。保湿薬には、クリームやローションなどさまざまなタイプがあるが、患者の状態や好みにあわせたものを選択するようにする。また、たっぷりと塗布することが重要であり、手の平の面積約2枚分に対して、チューブの場合は第2指の指先から第一関節の長さまで（FTU：フィンガーチップユニット）、または手の平に1円玉大程度の量を使用することが望ましいとされている（図1）。保湿薬を塗布した後にティッシュペーパーを当て、すぐには落ちない程度に塗布するのが目安とされている。また、皮膚を傷つけないようにするために、塗布する際はゴシゴシとこすらないように抑え塗りするとよい。また、保湿薬は1日に数回塗布することが必要であり、特に入浴後や洗面後は水分が失われやすいため、速やかに保湿薬を塗布する必要がある。広範囲の塗布が難しい場合は、保湿薬含有の入浴剤を用いた入浴も効果が期待できる可能性がある。

1FTU＝約0.25g（5gチューブ）
1FTU＝約0.5g（10gチューブ）

成人の第2指の第一関節までの長さ　両手の平の面積をカバーする量

図1　フィンガーチップユニット

そう痒感の対処

中等症以上になると、そう痒感が出現することがあり皮膚を掻破しないようにすることが必要である。乾燥を助長する高温や長時間の入浴、シャワー、冬場の長時間にわたるこたつの使用などを避けるようにする。さらに保湿薬の塗布回数を増やす、鎮痒薬の処方を検討するなどする。

亀裂の対処

乾燥が重症化すると亀裂が出現し、疼痛を伴うこともある。保湿クリームやローションでは保湿効果が低いため、白色ワセリンなどの軟膏を使用する、もしくはハイドロコロイド系創傷被覆材を貼付することも有用である。

●指導のポイント

皮膚乾燥に対するスキンケアは、保湿が重要であり、また、1日に数回塗布する必要があることから、患者が自ら実践することができるように保湿薬の使用方法やタイミング等を検討することが必要である。治療開始前から保湿薬を使用していた経験があるか否か、スキンケアへの関心の有無などにより、スキンケアのスキルは異なるため、患者の状況をよく把握し、継続できる方法をともに考えて指導することが重要である。例えば、入浴後に塗布することを失念しやすい場合は、脱衣所に保湿薬を置いておく、朝、出勤前に失念しやすい場合は更衣時に塗布できるようにクローゼット付近に置いておく等、患者の日常生活にケアを組み込めるように検討する。また、患者の好む使用感も重要であり、治療開始前から保湿薬を使用している場合は、皮膚の異常がなければ、同様の製品を使用してもよい。

（市川智里）

第1章 分子標的薬

1 EGFR 阻害薬

3 血管障害，びらん・潰瘍

はじめに

　EGFR 阻害薬は血管障害をきたし，下腿部などの皮膚の毛細血管に IgA 血管炎様の皮疹を呈することがある（図1）[1]〜[3]。病理組織所見は白血球破砕性血管炎（leukocytoclastic vasculitis；LCV）であり，蛍光抗体法で血管およびその周囲に免疫複合体の沈着を認めることがある。一般に，IgA 血管炎は薬剤を抗原とするアレルギー反応のひとつであり，感染症に続発する場合もある。このため，EGFR 阻害薬で類似した皮疹が生じた場合には，薬剤性あるいは感染症の潜伏や合併に留意する。

　EGFR 阻害薬による皮膚障害は多様な皮疹（原発疹）を呈し，重症化や遷延に伴いびらん・潰瘍をきたすことがある（続発疹）[4]〜[8]（図2）。びらんは表皮内にとどまる皮膚剥離であり（図2a），潰瘍は真皮から皮下組織に及ぶ組織欠損である（図2b）。EGFR 阻害薬によりびらん・潰瘍を生じる場合には，最初に細菌感染症を疑い，積極的に細菌培養を行う。EGFR 阻害薬による直接的な作用でびらん・潰瘍が生じるかどうかは不明である。

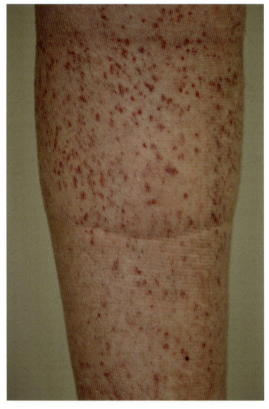

図1　エルロチニブによる IgA 血管炎様の皮疹，Grade 1
50代男性。肺腺がん，脳転移に対してエルロチニブを内服していた。経過中，下腿部に小型の紫斑が出現し，次第に多発し始めた。疼痛・そう痒を伴わない。

（写真提供：聖隷浜松病院　平川聡史）

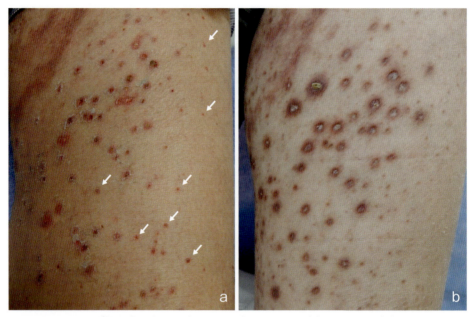

図2 エルロチニブ投与中に生じたびらん・潰瘍, Grade 2（a）, Grade 3（b）
60代男性。肺がんに対してエルロチニブ＋ベバシズマブを投与していた。
a. 大腿部前面に紅色丘疹が散在し，びらんが混在する。びらんの辺縁には鱗屑を伴い，臨床像は伝染性膿痂疹を思わせる。鑑別診断にはEGFR阻害薬による皮膚障害だけではなく，細菌感染症を挙げる必要がある。ミノサイクリン内服およびvery strong classの副腎皮質ステロイド（マイザー®軟膏）で治療を開始した。
b. 3週後の経過。皮疹は増悪し，潰瘍化した。副腎皮質ステロイド外用により悪化し，ミノサイクリンに抵抗したため，多剤耐性菌による細菌性毛包炎が懸念される。

（写真提供：聖隷浜松病院　平川聡史）

IgA血管炎様の皮疹

原発疹は紫斑である[3)9)〜11)]。個疹は比較的小型で，軽症の場合には浸潤を伴わない。中等症以上では集簇し，浸潤を伴う場合がある（33ページ参照）。皮疹は下腿部に好発し，ときに臀部や下腹部，上肢末梢部に及ぶことがある。

発現頻度は高いものではない。しかし，皮膚に痛みを生じ，腎臓など諸臓器に合併症を生じることがある。本態は，微小血管に生じる血管炎であり，好中球を主体とする炎症細胞が，皮膚病変部に浸潤する（36ページ参照）。

重症度評価

IgA血管炎様の皮疹の重症度を表1に示す。

1. EGFR 阻害薬　3. 血管障害, びらん・潰瘍

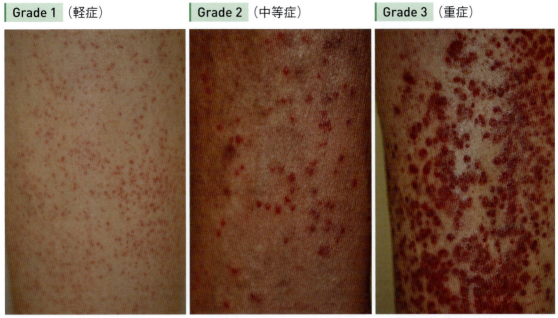

Grade 1（軽症）／Grade 2（中等症）／Grade 3（重症）

下肢に生じた小型の紫斑。多発しているが自覚症状なく, 触診すると平滑で浸潤を伴わない。

小型の紫斑が散在, 多発し, 触診すると個疹は隆起しており, 浸潤を触れる。疼痛, そう痒を伴う場合もある。

小型の紫斑が集簇・多発し, 融合する。触診すると浸潤を触れる。疼痛を伴う。

（Grade 1〜3 写真提供：聖隷浜松病院　平川聡史）

表1　IgA 血管炎様の皮疹の重症度評価

	Grade 1	Grade 2	Grade 3	Grade 4	Grade 5
血管炎	症状がなく, 治療を要さない	中等度の症状；内科的治療を要する	高度の症状；内科的治療を要する（例：副腎皮質ステロイド）	生命を脅かす；末梢または内臓の虚血；緊急処置を要する	死亡

（有害事象共通用語規準 v5.0 日本語訳 JCOG 版より引用）

治療

各 Grade の治療方針は下記の通りである。

Grade 1
安静・下肢挙上を行う。EGFR 阻害薬による原疾患の治療は継続して行う。

Grade 2
安静・下肢挙上に加え, 副腎皮質ステロイド外用薬で治療を行う。EGFR 阻害薬による原疾患の治療は継続して行う。

Grade 3
EGFR 阻害薬を一時休止し, 安静を心掛け, NSAIDs や副腎皮質ステロイド薬を全身投与し, 疼痛や炎症症状に対して治療を行う。

びらん・潰瘍

　EGFR阻害薬を投与し，ざ瘡様皮疹に対する支持療法として抗菌薬や副腎皮質ステロイド外用薬を数カ月単位で投与継続すると，下腿あるいは背部などに丘疹や小型の紫斑を生じ，びらん・潰瘍を伴う場合がある（図2a, b）。この場合，鑑別診断に細菌性毛包炎を挙げて検査する必要があり，症状が遷延する場合にはMRSAを始めコアグラーゼ陽性黄色ブドウ球菌による細菌感染症に留意する[12]（226ページを参照）。

重症度評価

　皮膚潰瘍形成の重症度（CTCAE v5.0）を表2に示す。しかし，ざ瘡様皮疹に対する治療で多剤耐性菌に感染し，皮膚症状が増悪した結果と考えると，細菌性毛包炎と解釈するほうが実態に即していると考えられる。

治療

　皮膚潰瘍に対する外用薬などの局所療法のほか，細菌検査の結果，起因菌が検出された場合には感受性のある抗菌薬を投与する。病変・疼痛の程度によっては，一時休薬が必要とされる。
　びらん・潰瘍も予防が必要であり，スキンケアに加え，物理的な圧力や摩擦の予防も重要である。長時間圧力がかかりやすい臀部や仙骨部に対しては，創傷被覆材によるドレッシングを行い（図3），体圧分散寝具，クッションなどを使用し，予防・悪化防止に努める。

表2　皮膚潰瘍形成の重症度評価

	Grade 1	Grade 2	Grade 3	Grade 4	Grade 5
皮膚潰瘍形成	潰瘍部の合計の径が<1 cm；正常皮膚の押しても消退しない紅斑で，浮腫や熱感を伴う	潰瘍部の合計の径が1-2 cm；真皮までの皮膚欠損；皮膚または皮下脂肪に及ぶ損傷	潰瘍部の合計の径が>2 cm；皮膚の全層欠損または皮下組織から筋層に及ぶ損傷または壊死	大きさを問わず皮膚の全層欠損の有無も問わない，筋，骨，支持組織に及ぶ広範囲の破壊/組織壊死/損傷を伴う潰瘍	死亡

（有害事象共通用語規準v5.0 日本語訳JCOG版より引用）

1. EGFR 阻害薬　3. 血管障害, びらん・潰瘍

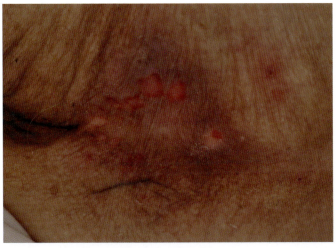

図3　セツキシマブによる褥瘡, Grade 2
80代女性。歯肉がん再発に対してセツキシマブを投与した。副作用で口内炎を生じ, 経口摂取量が減少したため, 体重減少および活動性が低下した。仙骨部に皮膚潰瘍が多発し, 褥瘡と診断した。カテーテル被覆・保護材（カテリープラス™ ロールなど）を貼付し, 創面を保護した。

（写真提供：聖隷浜松病院　平川聡史）

まとめ

　EGFR 阻害薬によるアレルギー反応で IgA 血管炎様の皮疹を生じることがある。一方, 長期の EGFR 阻害薬投与により黄色ブドウ球菌の定着を生じ, 感染に至ることがある。このため, 血管炎様病変の出現をみたら, 皮膚潰瘍部などから適宜細菌叢のモニタリングを行い, 細菌感染症と診断した際には速やかに適切な抗菌薬を投与する必要がある。

（伊與田友和）

症例 1	診断名：IgA 血管炎様の皮疹 重症度評価：Grade 3, 重症 原因薬剤：ゲフィチニブ 支持療法：休薬，副腎皮質ステロイド（プレドニン® など 15 mg/日）内服，strongest class の副腎皮質ステロイド（デルモベート® 軟膏など）外用

〔概要〕70 代女性。転移性肺腺がんに対してゲフィチニブを内服していた。両下腿部に点状出血斑が出現。皮疹は下肢にとどまらず臀部や下腹部および前腕部へ拡大。疼痛を伴う。ゲフィチニブによる IgA 血管炎様の皮疹 Grade 3 と診断した（図 1〜4）。

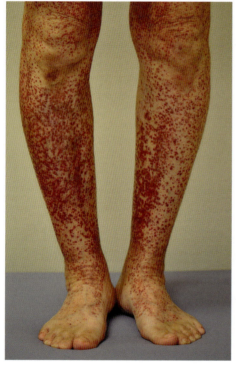

図 1　ゲフィチニブによる紫斑，Grade 3
びまん性に出現し，集簇・多発している。皮疹は大腿部や足背部にも及ぶ。疼痛を伴う。

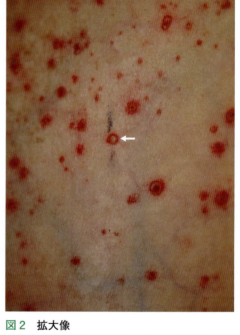

図 2　拡大像
点状出血斑は鮮紅色で，触診すると，浸潤を触れるものや中央が壊死して陥凹するものがある。膿疱を付す点状出血斑（矢印）から皮膚生検を行った。

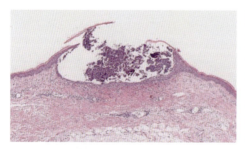

図 3　病理組織所見（HE 染色）
弱拡大像では，表皮内に好中球からなる単房性の膿瘍が認められる。真皮浅層には，炎症細胞浸潤と血管の拡張像を認める。

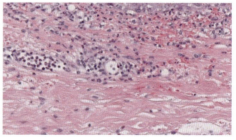

図 4　強拡大像
真皮浅層の血管に好中球が著明に浸潤し，リンパ球の浸潤も伴う。また，血管外に赤血球が漏出している。毛細血管レベルで血管障害（血管炎）をきたした所見である。

〔経過〕ゲフィチニブを 2 週間休薬のうえ，副腎皮質ステロイド（プレドニン® など 15 mg/日）内服，strongest class の副腎皮質ステロイド（デルモベート® 軟膏など）外用を行った。皮疹は軽減し，Grade 1 へ回復した（図 5）。その後，ゲフィチニブを減量し，原疾患に対する治療を再開した。

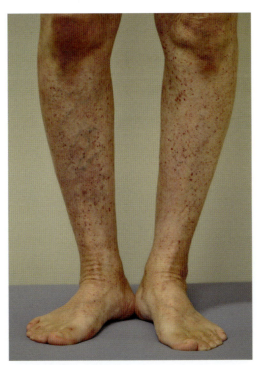

図 5　治療後，Grade 1
疼痛は消失し，下腿部〜足背部の紫斑も軽減した。

ここがポイント

　IgA 血管炎様の皮疹は，安静・下肢挙上により改善することが多い。しかし，EGFR 阻害薬投与中は，治療の継続により重症化することがあるため，注意を要する。
　疼痛など自覚症状に対しては，積極的に副腎皮質ステロイド内服などを行い，重症度の軽減を図る。皮疹が陥凹して潰瘍化した場合には，抗潰瘍薬などを用いて皮膚障害の回復に努める。

（平川聡史）

> **症例 2**
>
> 診断名：静脈炎・皮膚潰瘍
> 重症度評価：Grade 2，中等症
> 被疑薬：オキサリプラチン，フルオロウラシル，パニツムマブ（末梢静脈投与）
> 支持療法：CVポート造設，創傷被覆材によるドレッシング

〔概要〕50代女性。大腸がん，多発肝転移。Conversion surgeryを目指し，末梢静脈からmFOLFOX＋パニツムマブを4サイクル投与した［オキサリプラチン 85 mg/m^2 day 1，フルオロウラシル 400 mg/m^2 day 1（ボーラス），フルオロウラシル 1,200 mg/m^2 day 1, 2（持続静注），レボホリナート 200 mg/m^2 day 1，パニツムマブ 6 mg/kg 2週ごと］。左上肢に穿刺を繰り返し，次第に色素沈着と皮膚潰瘍が現れ，当科へ紹介された（図1）。患者は潰瘍部にヒリヒリ疼痛を訴えた。mFOLFOX＋パニツムマブによる静脈炎・皮膚潰瘍と診断した。

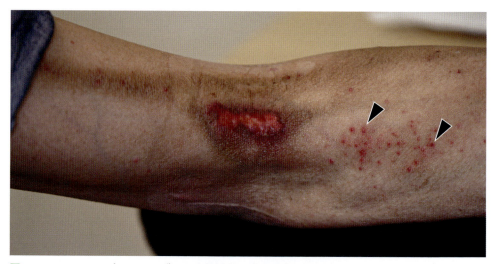

図1　mFOLFOX＋パニツムマブによる静脈炎・皮膚潰瘍，Grade 2
左肘窩部に索状の皮膚潰瘍があり，辺縁に色素沈着を伴う。皮膚潰瘍は，正中静脈に一致する。前腕から上腕にも縦走する色素沈着を認める。前腕部には点状の紫斑が集簇する。IgA血管炎の皮膚症状に類似し（矢頭），微小血管障害を示唆する。

〔経過〕皮膚潰瘍を創傷被覆材で覆い，疼痛を緩和した。薬物療法の効果判定は PR（部分奏効）だったため，肝転移を外科的に切除した。3 カ月後の臨床像を示す（図2）。がん薬物療法を終了後，皮膚潰瘍は上皮化し，色素沈着は軽減した。術後薬物療法に先立ち CV ポートを造設した。

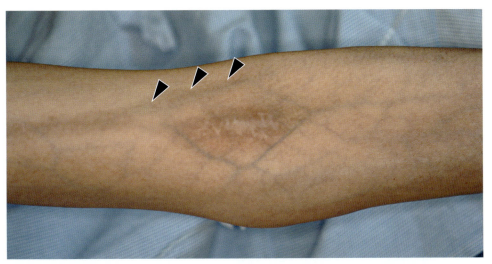

図2 Conversion surgery 3 カ月後
皮膚潰瘍は上皮化し，色素沈着は軽減した。色素沈着に一致して静脈を透見する（矢頭）。

ここがポイント

オキサリプラチンは壊死起因性抗がん薬である。フルオロウラシルを持続静注すると両薬剤は溢出を生じる可能性がある（211 ページ参照）。自験例ではパニツムマブを併用したため皮膚炎および血管障害を伴い，薬剤の相互作用として静脈炎・皮膚潰瘍を生じたものと考えた。

静脈炎・皮膚潰瘍を予防するためには，がん薬物療法導入時に，CV ポート造設を患者に提案し，実施することが望ましい。

（平川聡史）

症例 3	診断名：静脈炎・皮膚潰瘍 重症度評価：Grade 2，中等症 被疑薬：オキサリプラチン，フルオロウラシル，セツキシマブ（末梢静脈投与） 支持療法：CVポート造設，very strong classの副腎皮質ステロイド（アンテベート®軟膏など），ミノサイクリン 200 mg/日

〔概要〕70代男性．大腸がん，多発肺転移．末梢静脈からmFOLFOX＋セツキシマブを4サイクル投与した［mFOLFOX（レジメンは38ページと同じ），フルオロウラシル（持続静注）を70％へ減量，セツキシマブ 500 mg/m² 2週ごと］．その後，左前腕部に皮疹が現れたため，当科へ紹介された（図1）．患者は皮膚病変に疼痛，そう痒を訴えた．皮膚病変は紅色～紫紅色を帯び，炎症を伴う．

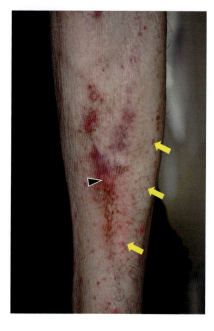

図1　mFOLFOX＋セツキシマブによる静脈炎・皮膚潰瘍，Grade 2
左前腕部に紅斑～紫紅色斑が線状に分布し，血管走行に沿う．病変の中央部にはびらんがある（矢頭）．辺縁には点状の紫斑が散在し（矢印），微小血管障害を示唆する．

〔経過〕mFOLFOX＋セツキシマブによる静脈炎・皮膚潰瘍と診断し，very strong classの副腎皮質ステロイド（アンテベート®軟膏など）外用，ミノサイクリン 200 mg/日内服で治療した．その後，CVポートを造設した．

ここがポイント

mFOLFOXにセツキシマブを併用し，末梢静脈ルートから薬剤を投与したため，静脈炎・皮膚潰瘍を生じたものと考えた．

セツキシマブは皮膚炎・血管障害を生じやすいため，他剤が溢出する一因になり，皮膚障害が悪化することが懸念される．自験例でも血管走行に一致して紅斑や微細な紫斑が現れ，薬物による皮膚炎および血管障害が悪化した．

（平川聡史）

1. EGFR阻害薬　3. 血管障害，びらん・潰瘍

| 症例 4 | 診断名：静脈炎・皮膚潰瘍
重症度評価：Grade 2，中等症
被疑薬：オキサリプラチン，フルオロウラシル（末梢静脈投与），セツキシマブ（術前投与）
支持療法：CVポート造設，創傷被覆材によるドレッシング |

〔概要〕50代男性。大腸がん，肝転移。Conversion surgery を目指し，末梢静脈から mFOLFOX＋セツキシマブを4サイクル投与した（レジメンは38ページと同じ）。治療効果判定で部分奏効と判断し，肝転移を切除した。術後2カ月から術後薬物療法開始，末梢静脈からmFOLFOXを投与した。2サイクル後，前腕部の血管走行に沿い色素沈着および発赤・線状の皮膚潰瘍が現れた（図1）。

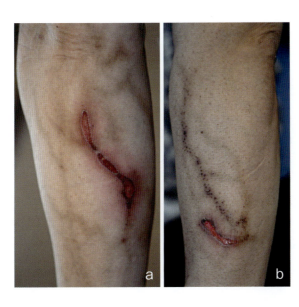

図1　mFOLFOX，セツキシマブによる静脈炎・皮膚潰瘍，Grade 2
a. 伸側に線状・蛇行する皮膚潰瘍があり，周囲に発赤を伴う。線状に色素沈着が縦走あるいは蛇行し，血管走行に一致する。
b. 橈側にも線状の皮膚潰瘍と血管走行に一致する色素沈着がある。

〔経過〕局所を外用感染治療薬（ゲーベン®クリーム）外用で治療し，CVポートを造設した。

> ここがポイント

オキサリプラチンは壊死起因性抗がん薬であり，フルオロウラシルも壊死起因性抗がん薬になりうる。

自験例では末梢静脈からオキサリプラチン，フルオロウラシルを繰り返し投与したため，静脈炎・皮膚潰瘍が誘発された。

mFOLFOXを投与する際には，予防的にCVポートを造設することが推奨される。

（平川聡史）

症例 5	診断名：びらん・潰瘍 重症度評価：Grade 2，中等症 原因薬剤：パニツムマブ 支持療法：洗浄，セルフケア

〔概要〕60代男性。直腸がん，多発肝転移。一次治療ベバシズマブ＋SOX療法（ティーエスワン®，オキサリプラチン）を実施した。しかし，病態進行のため二次治療イリノテカン＋パニツムマブを開始した（イリノテカン 150 mg/m^2＋パニツムマブ 6 mg/kg 2週ごと）。8カ月後，患者が足に疼痛を訴え，靴下から臭気が漂うため診察した。趾間部の皮膚が浸軟し，びらんが多発していた（図1）。一般細菌培養および嫌気性培養を提出し，*Staphylococcus aureus*（MSSA），*Proteus vulgaris*, *Alcaligenes faecalis*, *Morganella morganii* を検出し，嫌気性菌および真菌は検出しなかった。不十分な保清のため生じた細菌感染症と診断した。

図1 パニツムマブによるびらん・潰瘍，Grade 2
泡ソープで洗浄後に撮影した。趾間部は浸軟し，線状・島状にびらんが多発する。看護師から患者へセルフケアを指導した。

〔経過〕泡ソープで洗浄し，セルフケアを指導した。2週後，びらんは上皮化し，浸軟・疼痛ともに消失した（図2）。

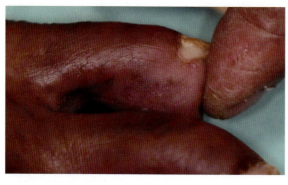

図2 経過，2週後
患者が自宅で洗浄を続けた結果，びらんは上皮化し，浸軟・疼痛が消失した。

ここがポイント

細菌感染症は，皮膚疾患の増悪因子である。自験例は，医療者から患者へ適切なセルフケアを具体的に提供することにより，症状が改善した。

細菌感染症を疑う場合には，一般細菌および嫌気性検査を提出する。自験例では複数の起因菌を検出したが，保清を保ち除菌に努めたため，抗菌薬を使用せず治癒した。

（平川聡史）

| 症例 6 | 診断名：ざ瘡様皮疹に伴う皮膚潰瘍
重症度評価：Grade 2, 中等症
原因薬剤：アファチニブ
支持療法：休薬・減量，ミノサイクリン 100〜200 mg/日内服，サリチル酸ワセリン＋strongest class の副腎皮質ステロイド（デルモベート®軟膏）外用，外用感染治療薬（ゲーベン®クリームなど）外用 |

〔概要〕70代男性。肺腺がん術後再発，肝転移あり。Stage Ⅳと診断され，アファチニブを投与中。投与開始の約1年後に乾燥を伴う皮疹が手足指や臀部に出現し皮膚科受診となった。

〔経過〕Grade 2 と診断，アファチニブを休薬・減量再開しミノサイクリン 200 mg/日を開始したが消化器症状が強くすぐ 150 mg/日に減量し内服を継続，乾燥を伴う皮疹に対しサリチル酸ワセリン＋strongest class の副腎皮質ステロイド（デルモベート®軟膏）の外用を開始した。皮膚科初診から1カ月後に臀部にびらん・潰瘍形成がみられた（図1）ため，同部位に外用感染治療薬（ゲーベン®クリームなど）を追加した。その後の経過は良好で，ミノサイクリンを 100 mg/日に減量し，初診から5カ月後には潰瘍の上皮化を認めた（図2）。

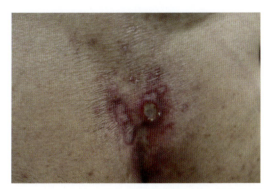

図1 アファチニブによるざ瘡様皮疹に伴う皮膚潰瘍，Grade 2
両側臀部にびらんを認め，右側の一部は潰瘍化している。その周囲には乾燥を伴い，アファチニブによるざ瘡様皮疹が散在する。特に荷重部位では物理的刺激も加わり，潰瘍化した。

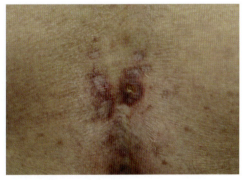

図2 初診から5カ月後
臀部の潰瘍は上皮化した。

ここがポイント

EGFR 阻害薬を約1年間比較的長期にわたり投与し，臀部にざ瘡様皮疹が現れた。皮膚症状が潰瘍化する要因は複数ある。ひとつは荷重であり，他には細菌感染症などが挙げられる。自験例では潰瘍治療薬として抗菌作用をもつゲーベン®クリームを用いた。さらに患者と生活環境を見直し，日常生活で臀部に対する荷重を軽減する工夫を行った。また，臀部など下着に被覆される部位は保清も大事な課題である。

（山﨑直也）

症例 7	診断名：MRSA 感染症による皮膚の潰瘍化，IgA 血管炎様の皮疹 重症度評価：Grade 2，中等症 原因薬剤：エルロチニブ 支持療法：休薬，抗菌薬点滴および内服

〔概要〕40代男性。肺腺がんに対し，ゲフィチニブを8カ月間投与後，エルロチニブを14カ月投与した。ベバシズマブを併用。臀部，下肢などに血管炎を思わせる小丘疹が出現し，続いて，下肢に非常に強い痛みを伴うびらん，潰瘍を形成した（図1）。

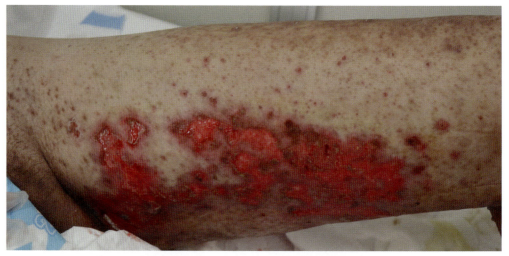

図1　エルロチニブによる皮膚潰瘍，Grade 2（IgA 血管炎様の皮疹から生じた）
大腿部内側に生じた不整形，有痛性の潰瘍。潮紅を伴う。また，丘疹，色素沈着などが認められる。

〔経過〕アモキシシリン・クラブラン酸カリウムを投与するも軽快しなかった。びらん面よりMRSAを分離したため，ホスホマイシンおよびセフジニルの2剤を併用したところ，急速に潰瘍が上皮化し，疼痛も消退した。

ここがポイント

エルロチニブの長期投与中，MRSA感染を伴う皮膚潰瘍を生じ，休薬と抗菌薬投与を要した。

（白藤宜紀）

◆ スキンケアのポイント

● びらん・潰瘍のケア

びらんや潰瘍形成をした場合には皮膚のバリア機能は破綻し，滲出液を生じることもあるので，感染予防に努め，清潔を維持するためスキンケアを徹底することが大切である。また，浅い潰瘍を生じた場合には疼痛や滲出液を伴うこともあるため，愛護的なケアが重要となる。

● 指導のポイント

症状が悪化すると日常生活に影響を及ぼすため，症状が発現する前から定期的に皮膚の観察を行うことや，EGFR阻害薬投与開始前から予防的スキンケアを行うことを指導する。

皮膚障害を生じた際には，疼痛の有無や滲出液の性状・量，感染徴候の有無を観察し，状況をアセスメントしながら適切なケアを行う必要がある。

皮膚症状が広範囲に及ぶ場合や，背部，臀部など本人がケアできない箇所に皮膚症状を生じることもあり，家族にも協力をしてもらい一緒にケアができるよう関わっていくことも重要である。

● 具体的ケア

疼痛を伴う場合

愛護的に基本的スキンケアを行ったのち，適度な湿潤環境を保つため，抗炎症作用や創面保護作用を有する炎症性皮膚疾患治療薬（アズノール®軟膏）や白色ワセリン軟膏等を使用し，非固着性のガーゼで保護を行う。

臀部など圧迫の加わる箇所に潰瘍を形成した場合には，創傷被覆材を使用して圧の分散と創面の保護を行い，疼痛を緩和させることも検討する。ただし感染を伴う場合には閉鎖環境にすることで悪化させることがあるため，創の観察を行い適切に判断する必要がある。

滲出液を伴う場合

滲出液の性状を観察し感染徴候のある場合には，洗浄後，抗菌作用のある薬剤や被覆材を使用する。感染徴候がない場合でも創表面にぬめりを伴う場合にはクリティカルコロナイゼーション（感染に移行しそうな状態，あるいは創治癒が遅延した状態）を疑い，感染に準じたケアを行う。

滲出液が多い場合には，滲出液吸収作用を有する外用薬を使用し，適切な湿潤環境を維持する。

感染を伴う場合

蜂窩織炎など感染を伴う場合は，敗血症など重篤な全身症状に移行する可能性もあるため，すぐに医師へ報告し，抗菌薬の投与や治療の継続について検討してもらう。

（中島美文）

第1章 分子標的薬

1 EGFR阻害薬

4 爪囲炎

はじめに

　爪囲炎は，EGFR阻害薬により生じる皮膚障害のひとつである[1)~3)]。投与開始数週間～2カ月で生じ，6カ月以降では約50％の患者で発症する[2)~4)]。疼痛を伴うことが多く，患者のQOLが低下しやすい。爪囲炎が重症化すると，分子標的薬を休薬せざるを得ない状況に陥る場合もあり，がん薬物療法の治療強度に影響を与えうる。爪囲炎は重症化しないように対処することが重要であり，保湿薬や副腎皮質ステロイド外用薬，テトラサイクリン系，マクロライド系抗菌薬の内服（副作用がなければ6週間の内服継続を目安とする）[5)6)]あるいはテーピングで重症化予防を図るとともに[7)]，炎症や肉芽が増悪した場合にはアダパレン（ディフェリン® ゲル）を使用したり[8)]，観血的に肉芽を除去したりすることにより，炎症の遷延および疼痛の軽減を図る必要がある[9)]。

重症度評価

　CTCAE v.5.0には爪囲炎の項目があるものの，肉芽など分子標的薬で生じる特徴的な症状が記載されていない。また，身の回り（以外）の日常生活動作の制限や外科的処置について，その具体的な内容は不明である。爪囲炎には，皮膚科・腫瘍内科有志コンセンサス会議によるものをはじめ，いくつかの重症度評価がある。諸班の活動に先立ち，平川らは四国がんセンター重症度評価と治療内容を検討し，新たな重症度評価（案）を作成した（表1）[10)]。以下に，重症度評価（案）による各Gradeの典型的な臨床像を次頁に示す。

表1　爪囲炎の重症度評価（案）と治療

	Grade 1	Grade 2	Grade 3
局所所見	軽度の発赤 軽度の腫脹 ささくれ・さかむけ	発赤 腫脹 軽度の肉芽 滲出液や爪の変化（分離など）	著明な発赤 著明な腫脹 肉芽（血管拡張性肉芽腫に相当） 出血など
自覚症状	なし	痛み：圧痛，荷重に伴う痛み 靴下や靴が当たると痛いことがある	痛み：当たると飛び上がるような痛み
日常生活 での制限	なし	伴う場合あり：身の回り以外のこと 　畑仕事，ゴルフ，釣りなど 　食事準備や水仕事に制限あり 　歩行に制限あり	あり：生活全般にわたる 　携帯やスマホを操作できない 　ボタンかけができない 　水仕事ができない 　歩行困難など
合併症	通常なし	通常なし	二次感染：ひょう疽の併発など
治療	テーピング 副腎皮質ステロイド外用	テーピング 爪切りの指導など 副腎皮質ステロイド外用：very strong class以上 アダパレン外用	肉芽除去，液体窒素による肉芽処置 休薬：主治医と相談 副腎皮質ステロイド外用：very strong class以上 フェノール法による部分抜爪など

Grade 1（軽症）

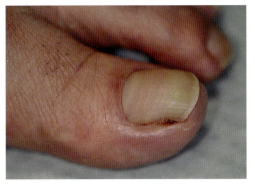

さかむけや軽度の発赤を生じ，軽度の疼痛を伴うことがある。

Grade 2（中等症）

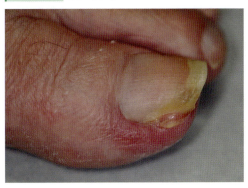

疼痛を伴う発赤や腫脹が目立ち，日常生活に制限が生じる場合もある。

Grade 3（重症）

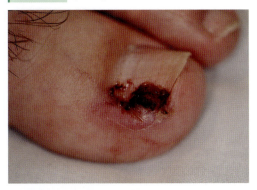

肉芽を伴い疼痛が著しく，身体および精神的な制限が生活全般にわたる。

（Grade 1〜3 写真提供：聖隷浜松病院　平川聡史）

治療

　爪囲炎は，肉眼的な症状や疼痛の度合いが多様であり，治療のエビデンスがほとんどないのが現状である。スキンケアのポイントは後述（54 ページ参照）するが，発症時の薬物療法としては ESMO Clinical Practice Guidelines において副腎皮質ステロイド外用薬や抗菌薬外用が推奨されており[3]，実臨床では慣例的に very strong class 以上の副腎皮質ステロイド外用薬が用いられる。テーピング等の皮膚ケアと併用しながら個々の症状や部位に応じて適切な治療を選択することが求められる。なお，予防的に用いられるテトラサイクリン系抗菌薬は，相互作用としてマグネシウム製剤やカルシウム製剤と併用すると薬効が落ちる。患者の併用薬を確認しながら，予防・治療効果を十分発揮するためのモニタリングが必要である。

まとめ

　爪囲炎は肉眼的な症状と患者の苦痛が乖離する場合がある。例えば，肉眼的には軽症と判断されても，発現部位によって強度の疼痛，QOL 低下を招いている場合も散見される。外見的な症状だけでなく，患者から日常生活への影響について聴取する必要がある。

（飯村洋平）

■第1章　分子標的薬

| 症例 1 | 診断名：爪囲炎
重症度評価：Grade 1，軽症
原因薬剤：オシメルチニブ
支持療法：テーピング，strongest class の副腎皮質ステロイド（デルモベート®軟膏）外用
（本症例は 223 ページと同一症例である） |

〔概要〕40 代女性。原発性肺腺がん。原病に対して一次治療オシメルチニブ 80 mg/日内服を開始した。1 年内服した後，第 1 趾の爪囲に爪甲が接触するとき，疼痛を自覚した（図 1）。爪囲炎 Grade 1 と診断した。

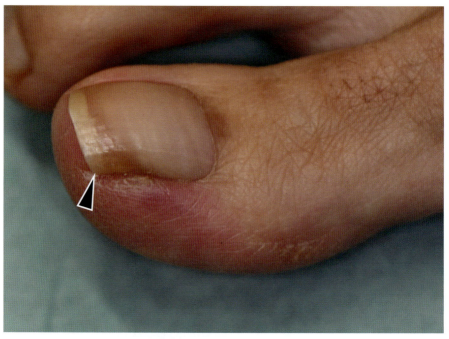

図 1　オシメルチニブによる爪囲炎，Grade 1
側爪郭に紅斑があり，軽度の腫脹を伴う。ストレスポイントで爪囲と腫脹した爪囲が接触する（矢頭）。圧痛を伴うが，歩行など日常生活に支障はない。

〔経過〕爪囲にテーピングを行い，ストレスポイントの摩擦を解除した（図2a）。爪甲と爪囲が触れなくなり，発赤・疼痛は消失した。セルフケアを開始してから1年間，爪囲炎は悪化せず経過していたが，定期受診で診察すると肉芽が現れていた（図2b）。患者には疼痛など自覚症状がなく，医療者が気づいた。このため，strongest class の副腎皮質ステロイド（デルモベート®軟膏）外用で加療を開始した。7日後，肉芽は消失した（図2c）。

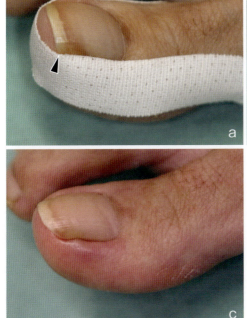

図2　経過
a. 爪囲にテーピングを施した。テーピングの目的は，爪甲と爪囲の接触を解除することである（矢頭）。この施術により，爪囲の炎症は軽減した。
b. セルフケア1年後。患者自身でテーピングを行い，疼痛なく経過していたが，定期受診で観察すると側爪郭に肉芽を認めた（矢頭）。
c. 肉芽に対する外用療法後。7日間，デルモベート®軟膏を外用し，肉芽は消失した。

!ここがポイント

　テーピングで爪囲炎の悪化を予防した。医療者が患者にテーピングを指導し，患者がセルフケアを継続することにより，長期にわたり目標を達成した。

　テーピングは複数の方法が紹介されている。自験例では，ストレスポイントの疼痛を軽減し，爪甲と爪囲の接触を解除するために施術した。

　爪囲炎の経過中，肉芽を生じることがある。肉芽が小さく，セルフケアできる患者の場合には副腎皮質ステロイド外用薬の効果が期待される。

（平川聡史）

症例 2	診断名：爪囲炎 重症度評価：Grade 2，中等症 原因薬剤：エルロチニブ 支持療法：ポビドンヨード，ミノサイクリン 100 mg/日内服

〔概要〕50代女性。原発性肺腺がん再発。多発リンパ節転移。遺伝子検査：*EGFR* 遺伝子 L858R 変異陽性。併存疾患：アトピー性皮膚炎。再発後，一次治療エルロチニブ＋ラムシルマブを開始した（エルロチニブ 150 mg/日，ラムシルマブ 10 mg/kg 2週ごと）。2カ月後，外傷をきっかけに左第1趾に発赤・疼痛が現れた。初診時の臨床像を示す（1病日，図1a）。びらんから一般細菌培養を提出し，黄色ブドウ球菌(MSSA)を検出した。エルロチニブによる爪囲炎 Grade 2 と診断した。

〔経過〕ポビドンヨードを外用し，治療を開始した。14病日，ストレスポイントに生じた肉芽は縮小したが，爪囲の腫脹は増悪した(図1b)。鑑別診断に爪囲炎の悪化およびポビドンヨードによる接触皮膚炎を考え，ポビドンヨードを中止してミノサイクリン 100 mg/日内服を開始した。43病日，爪囲の腫脹および爪甲下出血は消退し，疼痛も消失した（図1c）。

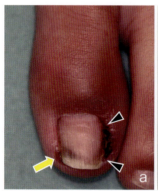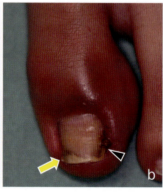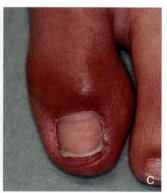

図1 エルロチニブによる爪囲炎，Grade 2
a. 初診時。ストレスポイントに肉芽があり，爪甲下出血がみられる(矢印)。側爪郭に発赤・腫脹を認め，びらんに eschar（血痂・痂皮）が付着する（矢頭）。
b. 14病日。ポビドンヨード外用後。ストレスポイントの肉芽は縮小した（矢印）。側爪郭の eschar も脱落し始めた（矢頭）。しかし，爪囲の発赤・腫脹は増悪したため，ポビドンヨードを中止した。
c. 43病日。ミノサイクリン内服により，爪囲の炎症所見が軽減し，肉芽・痂皮も消失した。歩行時の疼痛も消失した。

> **ここがポイント**

抗 VEGF あるいは抗 VEGFR-2 抗体を併用すると，爪囲炎を始め EGFR 阻害薬による副作用が強調されることがある。

自験例では保存的に爪囲炎を治療した。爪囲炎は起因菌の定着や感染を生じる場合があり，ポビドンヨードは外用薬の選択肢のひとつである。ただし，接触皮膚炎を生じる場合があるので留意する。

アトピー性皮膚炎を始め併存する皮膚疾患は，EGFR 阻害薬/抗 EGFR 抗体による副作用を悪化させ，感染症を併発することがある。自験例では細菌感染症に留意してポビドンヨードを外用した。

（平川聡史）

症例 3	診断名：爪囲炎 重症度評価：Grade 2，中等症 原因薬剤：パニツムマブ 支持療法：アダパレン（ディフェリン®ゲル）外用

〔概要〕40代男性。転移性結腸がん。肝転移（Stage IV）でパニツムマブを開始した。6週後から手指の爪囲に発赤・腫脹が現れ，次第に湿潤を伴い，肉芽が生じた（図1a）。爪囲に触れたり，物が当たると痛い。

〔経過〕Very strong class の副腎皮質ステロイド（アンテベート®軟膏など）を外用し加療したが，皮疹は軽快しなかった。このためアダパレン（ディフェリン®ゲル）外用で加療した（図1b）。

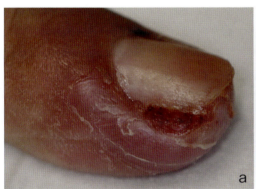 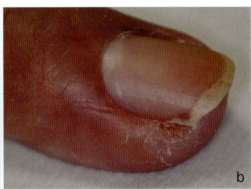

図1　パニツムマブによる爪囲炎，Grade 2，アダパレン外用前後
a. 爪郭に発赤・腫脹が生じ，肉芽の表面には痂皮を付着し，疼痛を伴う。
b. アダパレン外用開始2週後。発赤・腫脹と疼痛が軽減し，肉芽も退縮した。

ここがポイント

アダパレンはレチノイド（ビタミンA誘導体）の一種で，爪囲炎やざ瘡様皮疹に対して有用な場合がある。副腎皮質ステロイド外用薬に比べるとアダパレンの効果が現れるまでには時間を要するので（日 vs 週），患者には「根気よく外用しましょう」と説明するよう心掛ける。爪囲炎やざ瘡様皮疹に対するアダパレンは保険適用外である。

（平川聡史）

症例 4	診断名：爪囲炎 重症度評価：Grade 2，中等症 原因薬剤：オシメルチニブ 支持療法：外科処置（肉芽および爪の一部を切除）

〔概要〕60代女性．原発性肺がん，骨転移・病的骨折（Th12）．原病に対して一次治療オシメルチニブ 80 mg/日を開始した．その後，抗腫瘍効果があり，重篤な副作用はなく1年4カ月継続した．次第に，歩行すると右第1趾に疼痛を自覚した．このため，近隣の皮膚科医院を受診した．オシメルチニブによる爪囲炎と診断され，テーピング処置，副腎皮質ステロイド外用薬を処方された．一定の効果は得られたが，疼痛が再燃したため主科から支持医療科へ紹介された．

〔経過〕初診時，右第1趾の臨床像を示す（1病日，図1a）．爪囲に紅斑・腫脹があり，ストレスポイントで爪甲と爪囲が接触し，爪囲に肉芽を生じていた（矢頭）．爪囲炎 Grade 2 と診断し，患者に対して保存的および外科的治療を複数提案した．患者は疼痛緩和を目的に外科処置を希望した．このため局所麻酔下に肉芽および爪甲の一部を切除し，双方の接触を解除した（図1b 矢頭）．その後，炎症所見は軽減し，歩行に伴う疼痛も消失した（図1c）．

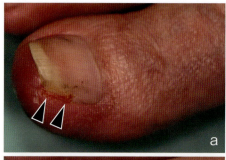
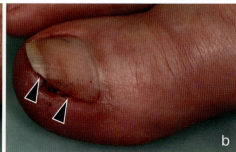
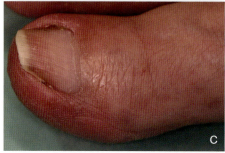

図1 オシメルチニブによる爪囲炎，Grade 2
a. 初診時（1病日）．側爪郭〜ストレスポイントに肉芽を認め（矢頭），爪囲に発赤・腫脹を伴う．
b. 8病日，外科的に肉芽を切除し，爪の一部を切った（矢頭）．処置後，速やかに疼痛は消失した．
c. 51病日．爪囲の炎症は軽減し，肉芽の再生なく経過した．歩行時の疼痛も再燃しなかった．

ここがポイント

自験例では，前医で保存的に爪囲炎を治療していた．重症度評価は Grade 2 だが，疼痛緩和を目的に外科処置を行った．一般診療で解決できない副作用および苦痛は，状況に応じて専門的かつ積極的に治療する．

肉芽切除は侵襲を伴うが，疼痛は速やかに消失するため，患者の満足度は高い．

患者はセルフケアでスクエアカットを行っていた．ただし適切なケアにもかかわらず爪囲炎および疼痛を生じ，その要因のひとつが爪甲である場合には爪甲の一部を切除して症状緩和を図る．

（平川聡史）

1. EGFR阻害薬　4. 爪囲炎

| 症例 5 | 診断名：爪囲炎
重症度評価：Grade 3，重症
原因薬剤：パニツムマブ
支持療法：外科処置 |

〔概要〕40代男性。直腸がん，多発肝転移。原病に対してmFOLFOX＋パニツムマブを導入した［オキサリプラチン85 mg/m^2，フルオロウラシル400 mg/m^2（ボーラス），フルオロウラシル2,400 mg/m^2 48時間持続静注，パニツムマブ6 mg/kg 2週ごと］。4カ月後，両第1趾に爪囲炎が現れた。薬物療法を始め保存的な対処を行ったが，次第に悪化した。11サイクル後，爪囲炎をGrade 3と評価したため，12サイクル目からパニツムマブを一段階減量した（80％へ減量）。しかし，その後も爪囲炎を繰り返し，患者は爪囲の疼痛と歩行困難を訴え，車いすで診察室へ入った。

〔経過〕導入から7カ月後の臨床像を示す（図1a）。左第1趾に爪囲炎を認め，患者は著しい疼痛を訴えた。このため，患者と話し合い，外科処置を行った。局所麻酔後，血痂を除去すると側爪郭に肉芽を認めた（図1b）。肉芽が爪囲を圧排し，著しい疼痛を伴っていたため，外科処置を行った（図1c）。肉芽を切除した後，疼痛は速やかに消失し，患者は歩行して帰宅した。

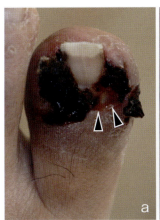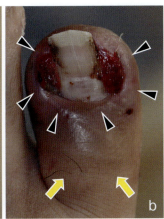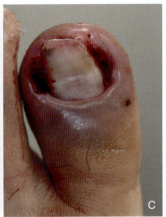

図1　パニツムマブによる爪囲炎，Grade 3
a. 左第1趾の爪囲にeschar（血痂）が付着する。爪囲には血性の滲出液を伴い，強い炎症が示唆される（矢頭）。
b. 局所麻酔を行い，血痂を除去した。側爪郭に肉芽が現れ，爪郭全周にわたり腫脹を認めた（矢頭）。第1趾基部が腫脹しているのは，局所麻酔薬を注射したためである（矢印）。
c. 肉芽を切除し，止血を行った。ストレスポイントに爪甲が触れないよう，爪切りを行い，形を整えた。

ここがポイント

爪囲炎は，歩行や圧迫などで強い疼痛が誘発されるため，患者の日常生活に大きな影響を及ぼす。患者に疼痛を我慢する傾向がある場合には，医療者から具体的に治療を促す場合もある。

（平川聡史）

スキンケアのポイント

●EGFR阻害薬による爪囲炎のケア

　EGFR阻害薬による爪囲炎は，治療開始後，約6～8週頃から出現することが多く，症状は長期間続くことが多いため，医療者による継続的なケアや観察が必要となる。症状の特徴として，爪の周りの赤みや腫れを感じる軽度の症状から始まり，進行すると滲出液を認め，疼痛が強くなることで日常生活に支障をきたすようになる。爪囲炎は，運動などで外力が加わり肥厚弯曲した爪の側縁が脆弱化した側爪郭上皮に刺入し，陥入爪を生じると疼痛を生じ，陥入した爪による不良肉芽（爪囲肉芽腫）を形成すると疼痛も強くなると言われている。爪の増殖障害も起こるため，爪の亀裂や形成異常，爪甲剥離を生じることもある。そのため，爪や爪周囲のケアでは，丁寧に洗浄することで清潔を保つこと，乾燥や外力からの刺激を避けること，正しい爪切り，などのスキンケア指導がポイントとなる。

　セツキシマブやエルロチニブにおいては，皮膚症状出現例において予後が良好とされているが，治療効果が発揮されるよう，そして治療を継続できるよう，皮膚症状の制御が重要となる。そのため発現好発時期を見越した予防的なスキンケアを提供することが重要なポイントである。さらに，爪囲炎の治療薬として副腎皮質ステロイド外用薬を使用するため，白癬の既往歴がないか事前に把握しておくことが必要である。

予防的スキンケア

保清	・よく泡立てた洗浄剤で指先をやさしく洗う ・爪と皮膚の間や爪先など爪の内側まで洗う ・足指は特に皮脂や汚れが残りやすいため，指1本1本を丁寧に洗う ・熱い湯での足湯は避ける
保湿	・ささくれから爪囲炎に発症することもあるため，十分な保湿をする ・手洗い・入浴後は必ず，保湿薬を塗布する習慣をつける ・保湿薬の塗布後は木綿手袋を使用する
保護	・指先を締め付けない薄手の手袋やネットなどで保護する ・炊事の際にはネットをはめ，その上からゴム手袋を使用する ・指先の負担になる動作は避ける（長時間の筆記，長時間水に触れる，重い荷物をもつなど） ・足のサイズにあった柔らかい靴を選ぶ 　◎：ウォーキングシューズ 　×：足指先が出るサンダル，革靴，ハイヒール ・靴の中敷きを挿入したり靴底が指にあたる部位にパットを挿入したりする ・長時間の歩行や立ち仕事，ジョギングなどは避ける ・靴下は締め付けないもので，木綿の厚手のものを選ぶ
その他	・爪白癬や手湿疹などの既往がないかを治療前に確認しておく ・就業などで手足指を酷使する動作を日常的に行うかをあらかじめ確認する ・深爪を避け，巻き爪にならぬよう爪を切る際はスクエアカットとする

● **指導のポイント**

症状の重症度にあわせ，患者個人の生活スタイルや就業，役割に応じた具体的な日常生活指導が必要になる。軽症では，軽度の赤みや腫れが生じるが痛みはなく，日常生活に影響しない。中等症では，炊事（包丁やフライパンを握る）や，重いものをもつなど力を入れて握る動作や歩行などに影響するが，基本的には身の回りのことは自立して行える。重症では携帯電話やパソコン操作，ペットボトルのキャップ開閉，ボタン掛けなど指先を使う動作が行えなくなり生活全般に支障が及ぶようになる。そのため，発症前から爪周囲の刺激となることを避け，可能な限り予防を心掛ける。

爪囲炎の治療スキンケア

Grade 1 軽症	・保清（洗浄）や保湿などの予防的スキンケアを徹底する ・発赤や腫脹を認める場合はテーピングを行う ・赤み（炎症）がある場合は副腎皮質ステロイド外用薬を塗布する
Grade 2 中等症	・副腎皮質ステロイド外用薬（very strong class 以上）を使用する ・アダパレン外用薬を使用する ・腫脹や肉芽形成を認める場合はテーピングを実施する ・爪切りはスクエアカットとし，肉芽に爪が触れないようにする ・爪切りの方法やセルフケア指導を行う ・皮膚科専門医による専門的治療を検討する
Grade 3 重症	・強度の疼痛を伴うため，がん治療薬の休薬を検討する ・重症肉芽は外科的処置（部分抜爪，液体窒素凍結療法）を検討する ・副腎皮質ステロイド外用薬（very strong class 以上）を使用する

● **爪の洗浄方法**（図1）

①泡タイプの洗浄剤を使用する。
②爪と指に石鹸の泡をのせ，汚れを泡に吸着させるため少し時間をおく。
③指先や爪脇，指の間などを1本ずつ丁寧に洗っていく。
　痛みで洗うことが難しい場合は，泡で包み込むようにやさしく洗い，水圧を抑えて洗い流す。
④タオルで水分を拭き取る際には，こすらず抑えるようにして水分を拭き取る。
　※特に爪の汚れがある場合は，清潔な綿棒などで汚れを取り除いてから洗浄する。

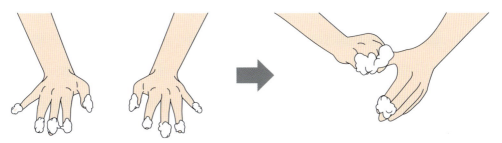

図1　爪の洗浄方法

■第1章　分子標的薬

●爪囲炎ケアの手順
スクエアカットの方法（図2）
①入浴後など，爪が柔らかいときに行う。
②爪の白い部分を残し，爪切りで四角く切る。
③両角を爪ヤスリで削り，角を丸める。

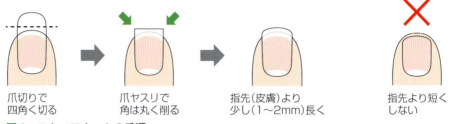

図2　スクエアカットの手順

テーピングの方法（図3）
①テーピング前に，指先を洗浄し清潔にする。
②伸縮性のないテープを選択する。
③患部の部位や処置の続けやすさにあわせてテーピング法を選択し貼る。
④スパイラルテーピング法の巻き始めは強めに引っ張り固定し，その後は緩やかに巻く。
⑤テーピング後に副腎皮質ステロイド外用薬を塗布する。

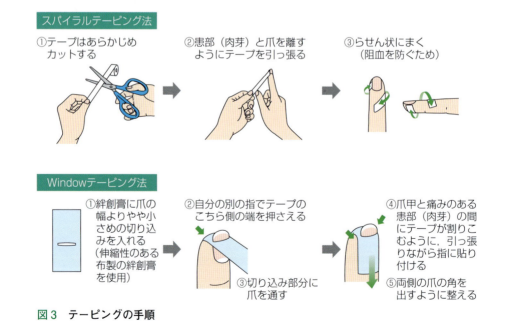

図3　テーピングの手順

1．EGFR 阻害薬　　4．爪囲炎

被覆材保護法

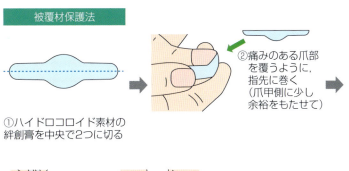

①ハイドロコロイド素材の絆創膏を中央で2つに切る

②痛みのある爪部を覆うように，指先に巻く（爪甲側に少し余裕をもたせて）

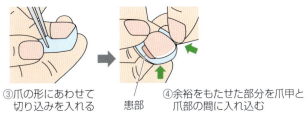

③爪の形にあわせて切り込みを入れる　　患部　　④余裕をもたせた部分を爪甲と爪部の間に入れ込む

図3　テーピングの手順（続き）

（中村千里）

第1章 分子標的薬

1 EGFR阻害薬

5 毛髪・睫毛異常

はじめに

　EGFR阻害薬による毛髪異常は各薬剤の報告では1〜10％と発現頻度は高くはない症状である[1)2)]。脱毛は他覚的には起こりにくく，毛髪の質の変化がみられる傾向がある。比較的長期にEGFR阻害薬を使用している症例にみられ，縮毛や長毛が現れることが多い。EGFR阻害薬が毛髪に影響を与える要因としては毛根のケラチノサイトや脂腺等の結合組織にもEGFRが発現していることが挙げられる[3)]。

　生命に影響を与える有害事象ではないが，髪質の変化によって以前と印象や雰囲気が変化することで患者の社会生活への影響が考えられ，また頭髪だけでなく睫毛の変化により逆さ睫毛のような状態になり，眼球へ毛髪が入り込みやすくなり疼痛を招くなど，QOLの低下をきたしやすい症状となる。

毛髪の異常

頭髪の異常

　EGFR阻害薬投与開始から数カ月経過した症例によくみられる症状であり，長毛や縮毛を起こす。特に縮毛は外観の変化がわかりやすいため患者の心理的ストレスとなりうる（図1）。

　がん薬物療法中，毛髪の変化は継続するため，患者はウィッグなどを使用する場合がある。また，EGFR阻害薬による治療を終了しても新たな毛髪が成長し，散髪などで整えるまでは症状が継続するため長期のケアが必要になる症状でもある。

図1　セツキシマブによる毛髪異常
（写真提供：聖隷浜松病院　平川聡史）

睫毛，眉毛の異常

　頭髪と同様に長毛や縮毛が目立つ。脱毛は比較的起こりにくく，長毛や不揃いな睫毛になりうるため，目の表情が変化したり，眼球に対する刺激が生じたりする場合もある。二次的に角膜炎や結膜炎を発症することがあり，留意する。

重症度評価[4]

毛髪異常に関わる重症度評価はもっとも高いもので Grade 2 である。治療継続困難な Grade 3 以上の項目はないが患者の心理・社会的な負担を考慮した評価を行う必要がある（表1）。

表1　毛髪異常に関わる重症度評価

	Grade 1	Grade 2	Grade 3	Grade 4
脱毛症	遠くからではわからないが近くで見るとわかる50%未満の脱毛；脱毛を隠すために，かつらやヘアピースは必要ないが，通常と異なる髪形が必要となる	他人にも容易にわかる50%以上の脱毛；患者が脱毛を完全に隠したいと望めば，かつらやヘアピースが必要；社会心理学的な影響を伴う	―	―
毛質異常	あり	―	―	―
多毛症	体毛の長さ，太さ，密度の増加で，定期的なシェービングや脱毛で隠すことができる，または何らかの脱毛処理を行うほどではない	少なくとも通常露出する身体の部位（顔のあごひげ，口ひげ，腕に限らない）の体毛の長さ，太さ，密度の増加で，隠すために頻回のシェービングや永久脱毛が必要；社会心理学的な影響を伴う	―	―

（有害事象共通用語規準 v5.0 日本語訳 JCOG 版より引用）

治療

長毛に関しては定期的な散髪などで調整が可能であるが縮毛に関しては明確な改善方法がない。また睫毛の長毛や縮毛による結膜炎を発症した場合は眼科受診を考慮する。

まとめ

EGFR 阻害薬による毛髪異常は脱毛よりも長毛や縮毛といった症状が現れやすい。直接生命を脅かす症状ではないが患者の社会参加への意欲を低下させる要因のひとつにもなりうるため患者の精神面にも配慮した経過観察をする必要がある。

（田中将貴）

> | 症例 1 | 診断名：毛髪の異常［脱毛・疎毛，縮毛（カーリング・ウェービング），白髪］
> 重症度評価：Grade 2，中等症
> 原因薬剤：オシメルチニブ
> 支持療法：Strong class の副腎皮質ステロイド（リンデロン®-V ローション）外用。併発していたざ瘡様皮疹の治療（ミノサイクリン 200 mg/日の内服）に加えて，アピアランスケアとしての日常のスキンケア・毛髪のケア［洗髪前のオリーブ油または白色ワセリンによるクレンジング，洗髪後の保湿薬（ヘパリン類似物質ローション）外用など］およびウィッグの正しい使用の指導

〔概要〕70代女性。肺腺がんの術後にオシメルチニブを内服していた。内服開始2カ月後頃より徐々に頭頂部の脱毛が生じてきた。脱毛の進行とともに被髪頭部のびまん性紅斑，そう痒，一部は鱗屑や血痂を伴いチクチクとした痛みも覚えるようになった（同時にざ瘡様皮疹を生じていた）。しかし，主治医にも家族にも伝えずに我慢していた。脱毛後に一部再生した毛髪は，元の毛髪とは異なる質感や色［細く，疎毛，縮毛（カーリング・ウェービング），白髪］となった（図1，2）。

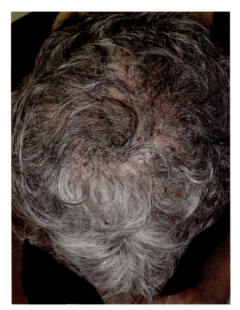

図1 オシメルチニブによる頭髪異常［脱毛・疎毛，縮毛（カーリング・ウェービング），白髪］，Grade 2（頭頂部）
頭皮はびまん性紅斑，そう痒，一部は鱗屑や血痂を伴いチクチクとした痛み（ざ瘡様皮疹の併発）があった。

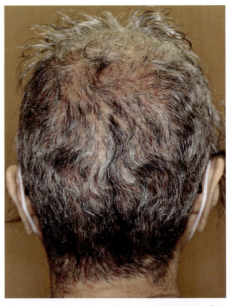

図2 オシメルチニブによる頭髪異常［脱毛・疎毛，縮毛（カーリング・ウェービング），白髪］，Grade 2（後頭部）

〔経過〕 オシメルチニブを3週間休薬し，併発していたざ瘡様皮疹の治療（ミノサイクリン200 mg/日の内服）およびスキンケア・頭髪のケア［洗髪前のオリーブ油または白色ワセリンによるクレンジング，洗髪後の保湿薬（ヘパリン類似物質ローション）外用など］とともにstrong classの副腎皮質ステロイド（リンデロン®-Vローション）外用を行った。

3週間後には疎毛，縮毛（カーリング・ウェービング），白髪は残存するも脱毛はしなくなり，櫛の通りもよくなった（Grade 1へ回復した）。併発していたざ瘡様皮疹，びまん性紅斑の消退により痛み・かゆみも軽快した（図3）。その後，原疾患に対する治療としてオシメルチニブの減量・再開を検討している。

図3 治療後，Grade 1（頭頂部）
疎毛，縮毛（カーリング・ウェービング），白髪は残存するも脱毛はしなくなり，櫛の通りもよくなった。併発していたざ瘡様皮疹，びまん性紅斑の消退により痛み・かゆみも軽快した。

ここがポイント

毛髪の異常は当初，患者本人も気づかないうちに進行することがあり，途中で気づいても心理的・社会的理由により，なかなか言い出せないまま悪化の一途をたどることも多い。

したがって，治療前の教育や情報提供だけでなく，治療中に繰り返し注意喚起や症状の発掘に務め，早期発見・早期介入に踏み切ることが肝要である。また，老若男女を問わずこの問題は生じ得ることも念頭に置くべきである。

（清原祥夫）

症例 2	診断名：睫毛の異常［多毛・長毛，縮毛（カーリング・ウェービング）］ 重症度評価：Grade 2，中等症 原因薬剤：パニツムマブ 支持療法：抜毛（眼科医による）。眼科医に依頼し，睫毛の一部を抜毛

〔概要〕 80代男性。横行結腸がんの術後再発・肝臓転移に対し，パニツムマブを投与した。投与開始2ヵ月後頃より睫毛に一部脱毛が生じた。脱毛の後，残存または再生した睫毛は多毛・長毛となり，かつ縮毛（カーリング・ウェービング）となった。チクチクとした痛みを訴えるようになり，角結膜炎を併発した（Grade 2）（図1）。

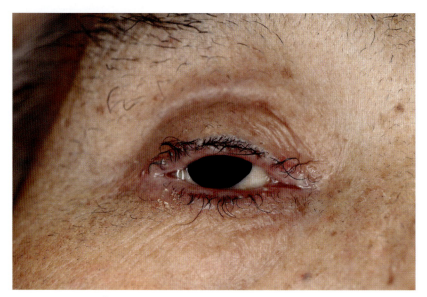

図1 パニツムマブによる睫毛の異常［多毛・長毛，縮毛（カーリング・ウェービング）］，Grade 2
チクチクとした痛みを訴えるようになり，角結膜炎を併発した（Grade 2）。

〔経過〕 パニツムマブは休薬せず続行している。角結膜炎を生じたので眼科医に依頼して長毛，縮毛（カーリング・ウェービング）となった睫毛の一部を抜毛した。速やかに軽快したが，定期的に眼科医を受診しながら経過観察している（図2）。

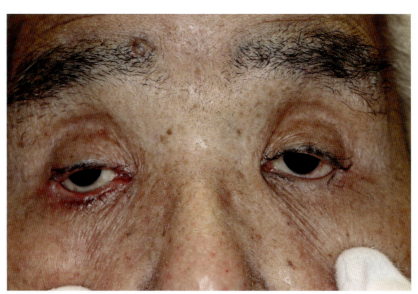

図2　睫毛の一部抜毛後
眼科医に依頼して睫毛の一部を抜毛した左眼の角結膜炎は速やかに軽快した（Grade 1）。未処置の右眼に比べて明らかに症状が改善している。

● ここがポイント

　多毛・長毛となった睫毛が縮毛（カーリング・ウェービング）となると，角結膜炎を併発することがある。角結膜炎を懸念したら直ちに抜毛などの処置を眼科医に依頼する。その後も眼科医の定期的な経過観察を依頼する。

〈清原祥夫〉

■第 1 章　分子標的薬

> 参考症例

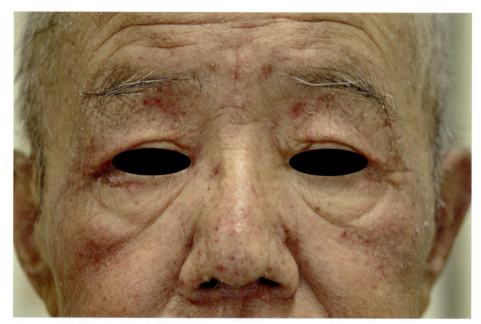

図 1　セツキシマブで生じた眉毛の長毛
両側の眉毛が伸長し，方向も不規則である．両眼瞼部には脂漏性皮膚炎様の皮疹，鼻梁・鼻翼にはざ瘡様皮疹を認める．

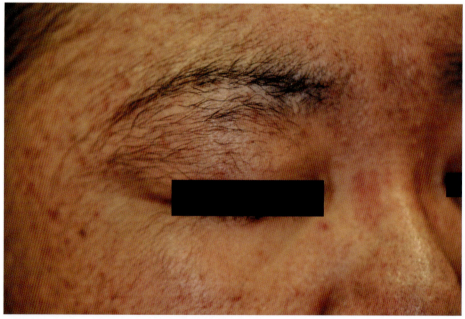

図 2　セツキシマブ投与中に生じた眉毛の変化
右眉毛が上眼瞼まで拡がり，密度が高い部位もある．毛幹の太さや走向に不規則な印象がある．

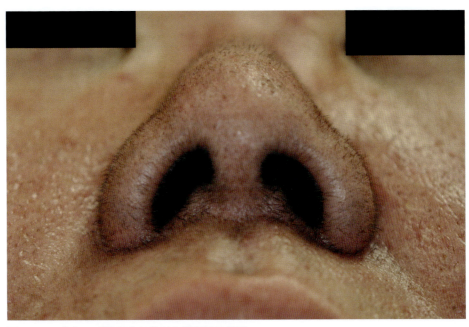

図3 セツキシマブ投与中に生じた異所性の発毛
鼻尖・鼻翼および外鼻孔に発毛があり,いわゆる「産毛」を呈する。

(平川聡史)

第1章 分子標的薬

2 マルチキナーゼ阻害薬

1 手足症候群

はじめに

　手足症候群はCTCAEでは手掌・足底発赤知覚不全症候群と明記されており，マルチキナーゼ阻害薬において発現率が高く，また重症度も高い副作用である．疼痛を伴いやすく，QOLの低下を招き，患者に与える負担が強いため休薬・減量を招き，relative dose intensityに影響を及ぼすことがある．

　症状は手掌や足の裏，指の関節等に起こることが多くフルオロウラシルやカペシタビン，シタラビンなどの殺細胞性抗がん薬と同様の部位で好発するが，臨床症状がやや異なる．殺細胞性抗がん薬の場合は発赤と知覚過敏，疼痛を伴い重症例は皮膚乾燥や皮膚亀裂などに進展することが多いが，マルチキナーゼ阻害薬の場合は水疱形成が起こりその後皮膚落屑，皮膚肥厚を伴う例が多い．また物理的刺激や圧力のかかる部位に好発する傾向があるため生活背景や就業状況などで症状が重症化しやすい傾向がある．

　また，レゴラフェニブおよびレンバチニブの国際共同第Ⅲ相試験によると日本人は手足症候群を発症しやすい傾向が示唆されており，がん薬物療法中は手足症候群に対するケアが重要である（表1）[1)2)]．

表1　レゴラフェニブおよびレンバチニブの国際共同第Ⅲ相試験による手足症候群発症の傾向

	全体集団		日本人	
	全Grade	Grade 3以上	全Grade	Grade 3以上
レゴラフェニブ	67.4%	22.0%	100%	25.0%
レンバチニブ	28.1%	4.0%	64.3%	11.9%

発現時期

　多くのマルチキナーゼ阻害薬は投与後1〜2週間に起こることが多い．一旦休薬すると速やかに改善する場合もある．症状が慢性化すると皮膚肥厚が顕著となり可動時の疼痛・違和感などQOLの低下を伴うことが多い．

重症度評価[3)]

　手足症候群の重症度を以下に示す．評価はCTCAEによって行われるが，CTCAEには手足症候群という項目は存在しない．手掌・足底発赤知覚不全症候群の項目に準じている（表2）．

表2 手掌・足底発赤知覚不全症候群の重症度評価

	Grade 1	Grade 2	Grade 3
手掌・足底発赤知覚不全症候群	疼痛を伴わない軽微な皮膚の変化または皮膚炎（例：紅斑，浮腫，角質増殖症）	疼痛を伴う皮膚の変化（例：角層剥離，水疱，出血，亀裂，浮腫，角質増殖症）；身の回り以外の日常生活動作の制限	疼痛を伴う高度の皮膚の変化（例：角層剥離，水疱，出血，亀裂，浮腫，角質増殖症）；身の回りの日常生活動作の制限

（有害事象共通用語規準 v5.0 日本語訳 JCOG 版より引用）

治療

予防について

以下に予防もしくは重篤化予防の留意点を示す。特に保湿と刺激除去に対して患者自身によるセルフケアを促し，医療者は副作用の早期発見・早期治療を心掛ける。主な指導方法はスキンケアのポイント（77 ページ参照）にて後述する。

また，マルチキナーゼ阻害薬の手足症候群に対しては尿素含有軟膏の予防的塗布の有用性が多く報告されている。ソラフェニブ投与患者に対して予防的に尿素含有軟膏を高用量（1 日あたり 2.9 g 以上）塗布する群と低用量（1 日あたり 2.9 g 以下）塗布する群とを比較した後方視的調査の報告によると relative dose intensity は高用量群 71.1％，低用量群 59.6％と有意に高く，薬剤のコンプライアンスも予防の重要な項目であることが示された[4]。

保湿：普段から保湿薬を用いて皮膚を保護し，乾燥や角化肥厚を防ぐ。
刺激除去：普段から手足への過剰な刺激を避ける。
角質処理：必要に応じ肥厚した角質を取り除く。

治療について

マルチキナーゼ阻害薬による皮膚障害は明確な作用機序が不明であり，治療法は確立していない。各マルチキナーゼ阻害薬や対象がん種を通して，次に示す対処方法を推奨する。

Grade 1
予防処置の徹底，保湿薬＋副腎皮質ステロイド外用薬（very strong～strongest class）の使用を検討。

Grade 2
副腎皮質ステロイド外用薬（very strong～strongest class）開始＋薬剤の中止を検討。

Grade 3
原病に対する薬剤を中止＋副腎皮質ステロイド外用薬（very strong～strongest class）。薬剤再開時は，一段階および必要に応じて二段階以上の減量を行い，患者の負担を軽減しつつ治療強度とのバランスを考慮して用量を至適化する。

まとめ

マルチキナーゼ阻害薬による手足症候群は治療中止の要因になり得る副作用である。特に日本人は症状出現率も高く，重症化しやすいため，患者から皮膚症状や日常生活の変化を聴取し，早期から対処することが必要である。

（田中将貴）

■ 第1章　分子標的薬

| 症例 1 | 診断名：手足症候群
重症度評価：Grade 2, 中等症
原因薬剤：ソラフェニブ
支持療法：Very strong class の副腎皮質ステロイド（マイザー®軟膏）外用，保湿薬（尿素含有軟膏）外用，サリチル酸ワセリン外用，創傷被覆材 |

〔概要〕60代女性。右甲状腺乳頭がん，多発リンパ節転移，肺転移（Stage Ⅳ）にてソラフェニブ 400 mg/日より投与開始した。投薬後より保湿薬（尿素含有軟膏）を外用していたが，内服開始5日後より手足症候群として自覚症状のない軽度の紅斑（Grade 1, 図1）が出現した。保湿薬（尿素含有軟膏）外用のみで悪化なく経過していたが，内服開始4カ月後の時期に，長時間歩行後の足底に有痛性の紅斑，水疱を認めた（図2）。Very strong class の副腎皮質ステロイド（マイザー®軟膏）を外用するも，軽快せずに皮膚科を受診した。

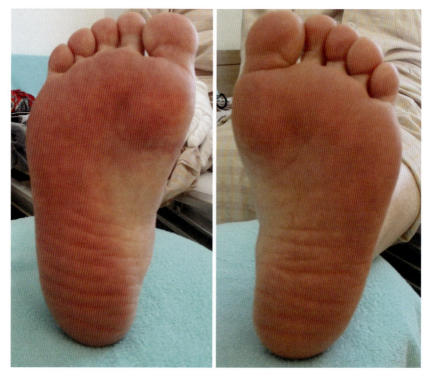

図1　ソラフェニブによる手足症候群，Grade 1
ソラフェニブの内服を開始して5日後，両足底部に潮紅が現れた。疼痛は伴わない。

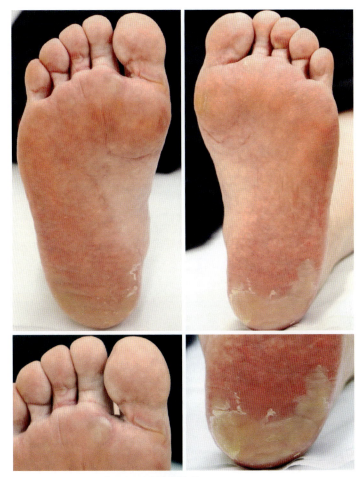

図2 ソラフェニブによる手足症候群, Grade 2
荷重部に紅斑を認め, 趾腹部, 関節部, 踵部では水疱形成も伴う.

〔経過〕紅斑部位は副腎皮質ステロイドの外用を継続, 踵の水疱部へクッション性のある創傷被覆材を貼付し歩行可能となったため, ソラフェニブは休薬せず継続とした. 創傷被覆材を1週間貼付したところ, 水疱部は上皮化し痂皮化した. その後は痂皮化した部位が角化し硬くなったため全体的に保湿薬(尿素含有軟膏)を外用後, 踵にはサリチル酸ワセリンを外用し, 手足の皮疹のコントロールは良好であった.

ここがポイント

手足症候群の予防として保湿薬(尿素含有軟膏)を外用するが, 水疱形成時は副腎皮質ステロイドの外用を行う. 手足症候群は内服開始から1カ月, 1クール目が好発時期であるが, 内服開始数カ月以降も出現することがあり注意が必要である. 副腎皮質ステロイド外用のみでコントロール不良の場合は, 創傷被覆材を併用することも有効である.

水疱軽快後の部位は角化して硬くなり, 難治で有痛性の胼胝となることが多い. 硬くなった部位へは適宜サリチル酸ワセリンを外用すると予防ができる.

〈西澤 綾〉

■第1章　分子標的薬

> **症例2**
>
> **診断名**：手足症候群
> **重症度評価**：Grade 3，重症
> **原因薬剤**：レゴラフェニブ
> **支持療法**：休薬，very strong class の副腎皮質ステロイド（フルメタ®軟膏など）外用，保湿薬（尿素含有軟膏）外用，保湿薬（ヘパリン類似物質クリーム，軟膏）外用，創傷被覆材，綿の手袋

〔概要〕40代女性。下行結腸がん術後。肺転移，肝転移に対し 4th line としてレゴラフェニブ 160 mg/日で投与開始。手足に保湿薬（尿素含有軟膏）を外用していたが，2週間後に手掌，足底，指趾に有痛性の紅斑が出現した。Very strong class の副腎皮質ステロイド（フルメタ®軟膏など）を外用開始したが，翌日には紅斑部に水疱が出現し，物が握れない状態となった（図1）。手足症候群 Grade 3 と診断し，レゴラフェニブは休薬となった。

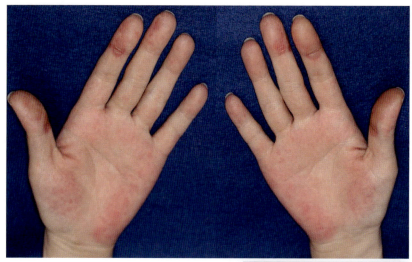

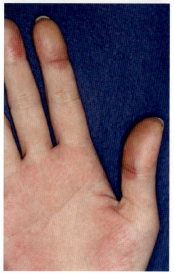

図1　レゴラフェニブによる手足症候群，Grade 3
レゴラフェニブ投与開始2週間後。指腹部の関節屈曲部，手掌に有痛性の紅斑を認め，手指関節部では水疱も伴う。疼痛のため物が握れない。

〔経過〕紅斑部は very strong class の副腎皮質ステロイド外用を行い，水疱形成部はクッション性のある創傷被覆材を貼付し，剥がれたら適宜貼り換えとした．休薬2週間後には，水疱内容はすべて吸収されており，水疱蓋は痂皮化，あるいは一部は破れて剥離していたがすべて上皮化していた（図2）．レゴラフェニブを二段階減量し 80 mg/日で投与を再開したところ，紅斑，水疱の新生は認めなかったが，指腹部等の水疱を形成していた部位の皮膚が薄く，ヒリヒリ感が持続した．そのため，保湿薬（ヘパリン類似物質クリーム，軟膏など）の外用を行い，綿の手袋を着用し保護を行った．

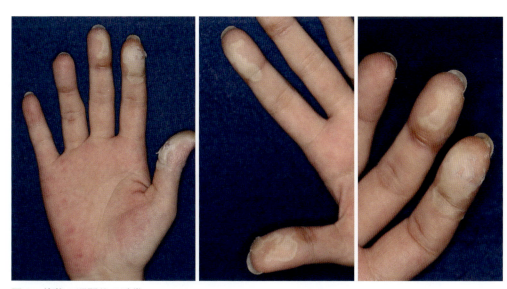

図2　休薬2週間後の手掌
手掌，指腹部の紅斑は改善し疼痛は認めない．指腹部，手指関節部の水疱内容は吸収されており，水疱蓋は痂皮化，あるいは一部破れていたが，すべて上皮化していた．

ここがポイント

マルチキナーゼ阻害薬では手足症候群の手の症状として，指腹部，手指関節部に限局した疼痛を伴う紅斑や水疱が出現し，Grade 3 になると手指の細かい動作，物をつかむなど日常生活動作が困難となる．手足症候群の皮膚症状に対しては副腎皮質ステロイド外用を行うが，Grade 3 の場合は休薬が必要となる．さらに，QOL 低下となる有痛部位や水疱形成部位にはクッション性のある創傷被覆材も併用することにより重症の皮疹であっても1，2週間程度の休薬にて症状は軽快することが多い．

水疱の軽快後は痂皮化し，剥がれたあとの皮膚は薄く，漸弱であり，ヒリヒリ感が持続することがある．ヘパリン類似物質などを外用して保湿し，バリア機能を保つことが重要である．

（西澤　綾）

症例 3	診断名：手足症候群 重症度評価：Grade 3，重症 原因薬剤：レゴラフェニブ 支持療法：Very strong class の副腎皮質ステロイド（マイザー®軟膏）外用，サリチル酸ワセリン外用，保湿薬（尿素含有クリーム）外用，創傷被覆材

〔概要〕50代男性。直腸がん術後。肺転移，肝転移に対し，4th line としてレゴラフェニブ 160 mg/日の投与を開始した。手足は発症予防として保湿薬（尿素含有クリーム）を外用していたが，投薬開始1週後に手足に有痛性の紅斑，水疱が出現した（Grade 2, 図1）。レゴラフェニブを 120 mg/日に減量し，very strong class の副腎皮質ステロイド（マイザー®軟膏）を紅斑部位に外用し，水疱部は創傷被覆材で保護した。しかし，3日後には水疱は融合し足底荷重部位全体に拡大し，疼痛著明であり歩行困難となった。手足症候群 Grade 3 と診断し（図2），レゴラフェニブは休薬となった。

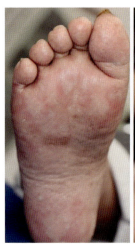 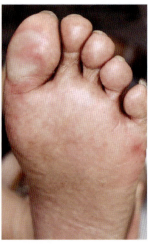

図1　レゴラフェニブによる手足症候群，Grade 2
投与開始1週間後。足底荷重部に有痛性の紅斑を認めるが，歩行は可能。

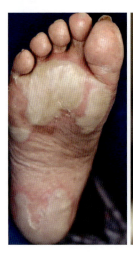 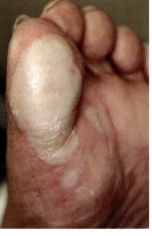

図2　レゴラフェニブによる手足症候群，Grade 3
手足症候群発現3日後。水疱は増大し融合傾向。著しい疼痛のため歩行困難となった。

〔経過〕休薬後も引き続き保湿薬（尿素含有クリーム）外用と，炎症のある赤い部位は very strong class の副腎皮質ステロイド（マイザー® 軟膏）外用，水疱部位に創傷被覆材を貼付し保護を行った．創傷被覆材は交換せずに貼付のままとし，1 週間後に確認したところ，水疱はすべて吸収され痂皮化していた（図 3）．レゴラフェニブをさらに減量し 80 mg/日で投与を再開し，紅斑や水疱の新生は認めなかったが，以前に紅斑や水疱を認めていた部位が過角化局面を形成した．足底全体的に保湿薬（尿素含有クリーム）を外用し，硬くなっている部位へはサリチル酸ワセリンを重層することにより，症状は緩和した．

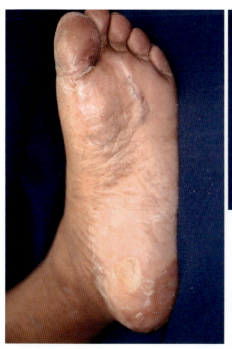

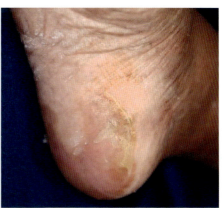

図 3　休薬 1 週間後
手掌，足底の紅斑は消退した．水疱形成部はすべて痂皮化，角化局面を形成し，落屑の付着を認める．

！ここがポイント

　Grade 2 出現後にレゴラフェニブを一段階減量し，手足症候群出現部位に副腎皮質ステロイド外用で対応後も，数日で急速に Grade 3 へ進行することがある．休薬により改善が見込め，手と同様に足も 1，2 週程度で比較的症状が緩和することが多い．

　休薬中は紅斑部に very strong class の副腎皮質ステロイド外用を行い，水疱部，有痛部位にはクッション性のある創傷被覆材を貼付し保護を行うと症状改善までの期間を短くできる可能性がある．

　足では水疱軽快後の皮膚が過角化局面を形成し，胼胝状，有痛性となることがある．硬くなった部位へは尿素含有軟膏やサリチル酸ワセリンなどを外用し，角化対策を行うことも有効である．

〔西澤　綾〕

■ 第1章　分子標的薬

| 症例 4 | 診断名：手足症候群，褥瘡
重症度評価：Grade 3，重症
原因薬剤：パゾパニブ
支持療法：休薬（パゾパニブ），創傷被覆材（ハイドロサイト®ジェントル銀など），strongest class の副腎皮質ステロイド（デルモベート®軟膏など）外用，セレコキシブ内服，社会資源の活用（訪問看護導入） |

〔概要〕50代男性。脳血管周皮腫，多発肝転移。原病に対して開頭腫瘍摘出術を行い，両下肢に麻痺を生じた。患者は車椅子に移乗して日常生活を過ごしている。術後10年以上経過し，多発肝転移を指摘された。がん薬物療法に関して，まず肝動脈化学塞栓術（TACE）を行い，その後パゾパニブ 800 mg/日内服で治療を継続した。しかし，血液毒性のため休薬し，主たる肝転移巣に対して放射線治療を行った。パゾパニブを再開したところ，臀部に皮疹・疼痛が現れたため支持医療科へ紹介された。初診時の臨床像を示す（1病日，図1）。荷重部に紅斑・鱗屑があり，中央部にはびらん・潰瘍を認め，疼痛を伴う。経過から臀部（荷重部）に生じた手足症候群 Grade 3 と診断し，褥瘡の重複を考えた。

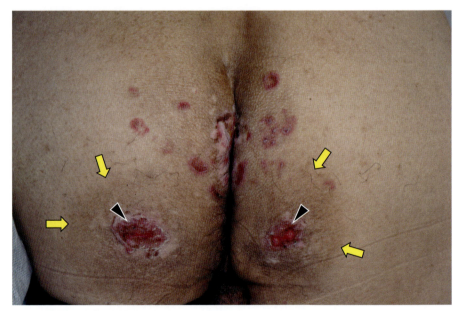

図1　パゾパニブによる手足症候群，Grade 3
臀部に大小の紅斑が散在，多発する。荷重部両側に色素沈着があり，friction melanosis を考えた（矢印）。その中央部に紅斑・鱗屑があり，びらん・潰瘍を伴う（矢頭）。手足症候群と褥瘡が重複している。

〔経過〕パゾパニブを休薬し，疼痛緩和の目的で臀部のびらん・潰瘍に創傷被覆材（ハイドロサイト®ジェントル銀）を貼付し（図2），セレコキシブ200 mg/日内服を開始した。散在する紅斑にはstrongest classの副腎皮質ステロイド（デルモベート®軟膏）を外用した。訪問看護を導入し，自宅で創傷のケアを行った。31病日，心窩部痛を主訴に患者が救急外来を受診した。悪心・嘔吐があり，血液が混ざっていたため緊急造影CT検査を行った（図3）。この結果，十二指腸穿孔と診断されたためセレコキシブを中止した。患者は即日入院し，外科的に治療された（開腹穿孔部閉鎖術・大網充填術）。術後，臀部のケアを行い，患者は50病日に退院した。55病日，外来受診時の臨床像を示す。パゾパニブ中止に伴い手足症候群は消失した（図4）。

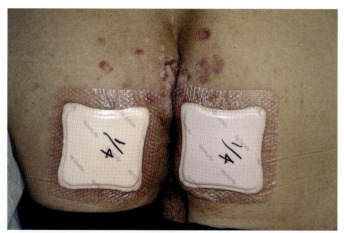

図2　疼痛を緩和する皮膚創傷処置
臀部のびらん・潰瘍に対して，疼痛緩和の目的でハイドロサイト®ジェントル銀を貼付し，セレコキシブ200 mg/日内服を開始した。

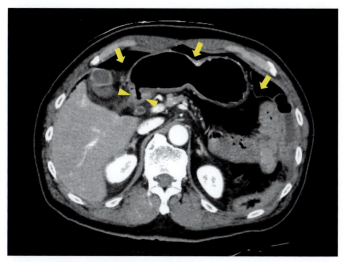

図3　31病日，緊急造影CT検査所見
腹壁直下にfree airを認める（矢印）。十二指腸の壁が肥厚し，airの突出を認め（矢頭），十二指腸穿孔と診断された。

■第1章　分子標的薬

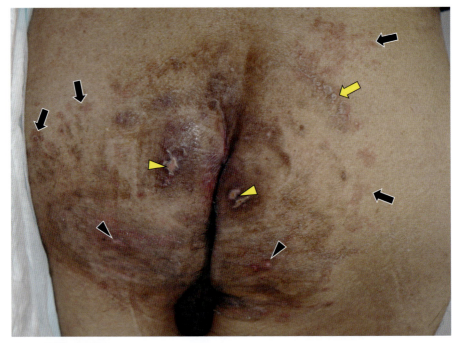

図4　経過，55病日
手足症候群によるびらん・潰瘍は軽快した（黒矢頭）。臀裂部にびらんがあり，荷重の変化による褥瘡を考えた（黄矢頭）。臀部辺縁には紅斑・褐色斑が散在・多発し（黒矢印），鱗屑を伴う部位もある（黄矢印）。直接鏡検で真菌陽性，臀部白癬と診断し，ケトコナゾールクリームを外用した。

ここがポイント

　パゾパニブ内服中，臀部に手足症候群が現れた。自験例では両下肢に麻痺があり，座位に伴う荷重のため褥瘡が重複した。パゾパニブの副作用に手足症候群（手掌・足底発赤知覚不全症候群），創傷治癒遅延が記載されている。

　セレコキシブ投与中，消化管穿孔を合併した。NSAIDsは，シクロオキシゲナーゼ阻害により胃・十二指腸の血流を低下させ，消化管潰瘍・穿孔を生じることがある。自験例では先行してパゾパニブを投与していた。パゾパニブは，抗血管新生作用がある一方，重大な副作用として消化管穿孔が記載されている。両薬剤を逐次的に投与した結果，十二指腸穿孔を生じた可能性がある。

　マルチキナーゼ阻害薬による手足症候群の場合，皮膚病変部の疼痛緩和を図るには創傷被覆材が有効かつ安全であり，NSAIDs内服薬を安易に投与することは控える。

（平川聡史）

✦ スキンケアのポイント

●手足症候群のケア

手足症候群に対するケアは基本的なスキンケア（保清，保湿，保護）を行うことであり，特に分子標的薬で生じる手足症候群は悪化要因とされている物理的刺激を予防的に除去することが重要となってくる。また悪化時には副腎皮質ステロイド外用薬や創傷被覆材の使用を検討する。

●指導のポイント

手足症候群は予防（保護と保湿）が重要である。患者は症状が出現していないときはケアの必要性を実感しにくい。治療開始前には，症状が出現すると日常生活動作（ADL）に支障をきたすため予防的ケアが重要であることなどを十分に説明し，治療の開始とともにセルフケアを実施してもらう。特に分子標的薬で生じる手足症候群は症状が急激に悪化するため予防ケア＝症状の悪化防止となることを念頭に置き，症状出現時には早期対処を心掛ける。

●具体的ケア

事前の白癬，胼胝，鶏眼の治療とケア

白癬は手足症候群が悪化した際に使用する副腎皮質ステロイド外用薬で悪化するため，リスク管理の観点より，可能であれば抗がん薬投与前に治療・ケアしておくことが望ましい。また胼胝や鶏眼も手足症候群が発現すると治療が困難になるため，事前の処置が望ましい。

物理的刺激の除去

日常的な長時間の歩行は避ける，革靴などの硬い靴や足先の狭い靴は避け，適度にフィットするクッション性のある靴やインソールを活用する等の工夫が必要である。手に関しても長時間の反復性刺激（包丁作業，鞄をもつ，つり革をもつ）は症状を誘発するため，患者自身がそれらを理解し日常生活において配慮をすることが重要である。

創傷被覆材による保護

物理的刺激の除去方法として創傷被覆材による保護に効果があるとの研究報告がある。これらの研究で使用されているハイドロコロイドドレッシングは創傷被覆材としての保護と疼痛緩和，保湿効果が期待される（図1）。また予防的に使用することで発現を押さえる効果があると推測される。また症状が悪化し疼痛が生じている際にも貼付することで疼痛緩和が図れる。創傷被覆材は皮膚の症状にあわせて貼り替える。

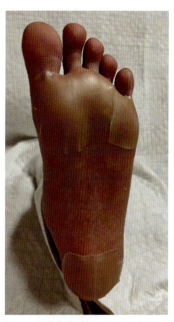

図1　創傷被覆材による足底の保護

（柳　朝子）

第1章 分子標的薬

2 マルチキナーゼ阻害薬

2 多形紅斑

はじめに

　一般に，多形滲出性紅斑（多形紅斑，erythema multiforme；EM）は，ウイルス感染症や薬剤（特にNSAIDs，抗菌薬）によって発症することが多い[1)～3)]。がん治療中，患者に抗菌薬や鎮痛薬を投与する機会は増えるため，がん薬物療法薬以外に原因があるケースを見逃してはならない。本アトラスでは，マルチキナーゼ阻害薬の項で多形紅斑を取り上げるが，がん薬物療法では分子標的薬のみならず，殺細胞性抗がん薬や免疫チェックポイント阻害薬でも多形紅斑型薬疹を生じることに留意してほしい。

　マルチキナーゼ阻害薬によって，治療中に多形紅斑型薬疹が出現しうる。頻度はいずれの薬剤でも5％以下と低く，多くの場合，一般的な治療で対処可能である。稀に，もっとも重症のスティーヴンス・ジョンソン症候群（Stevens-Johnson syndrome；SJS），中毒性表皮壊死症（toxic epidermal necrolysis；TEN）を発症することもあり注意を要する。SJS/TENの初期は，軽症～中等症の多形紅斑型薬疹と症状が類似しており，鑑別することは困難である[4)5)]。

重症度評価

　多形紅斑の重症度評価を表1に示す。評価はCTCAE v5.0に基づくが，日常診療では必ずしも面積や圧痛の有無で評価せず，そう痒や皮疹の性状を考慮しながら重症度評価を行う。一般に，マルチキナーゼ阻害薬および他剤に関して，皮疹・粘膜疹に差はない。各Gradeの典型的な臨床像を79ページに示す。

表1　多形紅斑の重症度評価

	Grade 1	Grade 2	Grade 3	Grade 4	Grade 5
多形紅斑	虹彩様皮疹が体表面積の<10％を占め，皮膚の圧痛を伴わない	虹彩様皮疹が体表面積の10-30％を占め，皮膚の圧痛を伴う	虹彩様皮疹が体表面積の>30％を占め，口腔内や陰部のびらんを伴う	虹彩様皮疹が体表面積の>30％を占め，水分バランスの異常または電解質異常を伴う；ICUや熱傷治療ユニットでの治療を要する	死亡

（有害事象共通用語規準v5.0 日本語訳JCOG版より引用）

　多形紅斑は重症度からEM minor（皮膚のみに限局），EM major（発熱などの全身症状や粘膜病変を有する）に分類される。EM minorは，ウイルス感染症に併発することがある一方，EM majorの主たる要因は薬剤であり，最重症型がSJS/TENである。多形紅斑を診療する際，初期にSJS/TENへ移行するかどうか判断することは困難であり，注意が必要である。また病勢も日々変化し得るため，重症度評価の決定には注意深い観察が要求される。皮疹部から皮膚生検を行い表皮に全層性壊死を認めれば，病理学的にSJS/TENと診断される。DLST（リンパ球幼弱化試験）は薬疹の場合には保険適用があり，原因薬剤を考えるうえで参考にはなるものの，確証はない。

背部に生じた多形紅斑

Grade 1（軽症）	Grade 2（中等症）	Grade 3（重症）

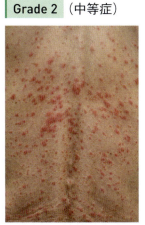

淡い紅斑が多発する。浸潤なく，そう痒を伴わない。

紅斑は鮮紅色で集簇・多発し，浸潤を伴う。患者はそう痒を訴えた。

鮮紅色〜紫紅色斑が多発・融合し紅皮症を呈する。そう痒を伴う。

（Grade 1〜3写真提供：聖隷浜松病院 平川聡史）

治療

多形紅斑の発現が疑われた場合，被疑薬のマルチキナーゼ阻害薬を中止し，皮膚科専門医への紹介受診が原則である。Grade 1〜2では副腎皮質ステロイド外用薬で治療を行い，Grade 3以上では積極的に副腎皮質ステロイド薬を全身投与する［経口プレドニゾロン（PSL）換算で0.5〜1.0 mg/kg/日，あるいはステロイドパルス療法］。さらに粘膜症状を伴う場合には，感染症対策や補液・眼科的管理を要することが多い[4]。現状，治療に関するエビデンスはないが，複数のシステマティックレビュー[6)7)]において，感染症が原因でない場合，PSLによる治療が行われていた。マルチキナーゼ阻害薬によって発症したEMがPSLによって回復した症例報告もある[8]。

まとめ

多形紅斑は評価が難しく，SJS/TENとの鑑別が重要である。重症化防止のため，皮疹が出現した場合には，可能な限り皮膚科へ紹介し[9]，さらに眼球充血など粘膜症状を伴う場合には早急に眼科へ紹介することが必要である。マルチキナーゼ阻害薬による多形紅斑を発症し，軽症〜中等症にとどまる場合でも，多くの症例では被疑薬の再開時，皮疹が再び発現する。したがって，再投与は原則禁忌である。特に，ソラフェニブ，レゴラフェニブには注意が必要であり，レゴラフェニブ投与により約18％がGrade 3の多形紅斑を発症したとの報告もある[10)11)]。マルチキナーゼ阻害薬による多形紅斑に関して，症状軽快後，原因薬剤を減量したり[12]，ステロイド併用下[13]で再開したりすることが試みられ，継続が可能であった例も報告されている。軽症例で，なおかつ有効な他の治療選択肢がない場合に限り，皮膚科専門医による注意深い観察と患者・家族への十分なインフォームド・コンセントのうえ，再投与について検討すべきである。

（飯村洋平）

> **症例 1**
>
> 診断名：重症多形滲出性紅斑
> 重症度評価：Grade 3，重症
> 原因薬剤：レゴラフェニブ
> 支持療法：薬剤中止（レゴラフェニブ），ステロイドパルス療法（メチルプレドニゾロン注射薬）1 g×3日間，人工涙液（ソフトサンティア®）点眼

〔概要〕70代男性。胃消化管間質腫瘍（GIST）再発，多発肝転移。免疫染色：c-kit 陽性，CD34 陽性，デスミン陰性，Ki-67 陽性率27%。既往歴：悪性リンパ腫（濾胞性リンパ腫）。原病に対して一次治療イマチニブ，二次治療スニチニブ内服を実施したが，病態進行のため三次治療レゴラフェニブ 160 mg/日内服を開始した。6週後，発熱（38℃台），皮疹・粘膜疹が出現したため支持医療科へ紹介された。初診時の臨床像を示す（1病日，図1，2）。皮膚にはそう痒を伴うが，Nikolsky 現象は陰性。下痢なし。そう痒のため睡眠障害を伴い，日常生活に支障をきたすため多形紅斑型薬疹 Grade 3 と診断した。皮膚生検を実施し，病理組織所見は苔癬型組織反応であり，表皮内に炎症細胞浸潤を散見するが，全層性壊死を認めなかった。

血液検査所見：WBC 3,080/μL，好中球 2,450/μL，Hb 14.2 g/dL，血小板 10.5万/μL，CRP 1.97 mg/dL，AST 28 U/L，ALT 30 U/L，LD 230 U/L，BUN 19 mg/dL，CRTN 0.92 mg/dL，eGFR 60 mL/min/1.73 m²

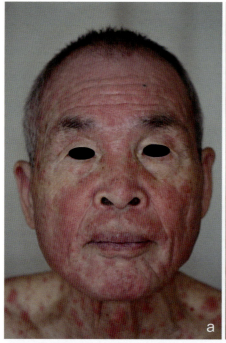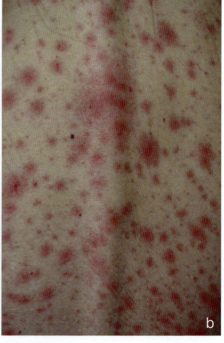

図1　レゴラフェニブによる重症多形滲出性紅斑，Grade 3
a. 顔面から前額部に浮腫性紅斑が拡がり癒合しているが，両眼囲では粗である。患者は顔面に浮腫を自覚した。
b. 背部には滲出性紅斑が多発・集簇し，正中部では癒合している。

 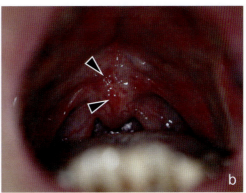

図2 粘膜所見，1病日
a. 眼瞼結膜に限局的な充血を認める（矢頭）。
b. 軟口蓋から咽頭に発赤を認める（矢頭）。

〔経過〕患者は入院し，眼科を受診した。左眼に軽度表層角膜炎があり，人工涙液（ソフトサンティア®）点眼で加療した。2病日からステロイドパルス療法（メチルプレドニゾロン注射薬）1g×3日間を開始した。睡眠障害に対してトラゾドン25 mg/日を処方した。3病日から治療効果が現れ，次第に皮疹・粘膜疹は軽快した。治療中，せん妄を生じなかった。その後，主科で原病に対する治療効果を評価したが，患者は高齢であり，レゴラフェニブ再開を希望しなかった。

ここがポイント

重症多形滲出性紅斑は，スティーヴンス・ジョンソン症候群/中毒性表皮壊死症へ移行することを懸念し，積極的に治療を行う。自験例ではCRP低値だが，ステロイドパルス療法を行った。

重症多形滲出性紅斑では必ず眼科医に相談し，眼合併症がないか診断する。もっとも重篤な後遺症は眼合併症（失明）であることに留意する。

重症多形滲出性紅斑の場合，原因薬剤を再投与することは控える。

（平川聡史）

🟢 スキンケアのポイント

● 多形紅斑のケア

近年,短時間で投与可能ながん薬物療法は外来で実施されることが主流となってきている。そのため治療開始時にはこれらの症状の早期発見・早期対処のための患者教育が重要となってくる。また皮疹が出現した場合には重篤化を防ぐため,看護師は皮膚・粘膜の観察とアセスメント,症状を画像で記録に残すことを心掛け,医師・薬剤師と情報共有を行うとともに必要時には皮膚・粘膜のケアを行う。

● 指導のポイント

マルチキナーゼ阻害薬の使用開始時には他の有害事象とともに,皮膚症状(皮疹)の観察をするように患者に伝える。また皮疹出現に伴い発熱する,眼瞼が充血する,口腔内が荒れている,排尿時痛があるなどの症状が出現した場合は直ちに医療機関に連絡をするように患者に伝える。

● 具体的ケア

皮膚のケア

皮疹に対しては副腎皮質ステロイド外用薬を塗布する。使用量は1 FTU(第2指の先端から第一関節まで乗る量約 0.5 g)で両手2枚分相当に,1日2回塗布する。皮疹が破綻し滲出液や疼痛が生じている場合は炎症性皮膚疾患治療薬(アズノール®)や白色ワセリンといった軟膏が処方されていれば病変部に塗布し,非固着性の創傷被覆材で保護する。

粘膜のケア

多形紅斑が重篤化すると皮膚病変にとどまらず,粘膜にも病変が出現する(図1)。特に眼は角膜に障害が残る可能性もあるため,直ちに医師に報告するとともに処方された副腎皮質ステロイド点眼薬や軟膏を確実に点眼すること。また口腔内はアズレン咳嗽液(アズノール®うがい液等)で保護するとともに,口腔内は清潔に保ち,二次的に口腔内カンジダが疑われ,口腔内抗菌薬ゲルが処方された場合は使用法を患者に指導する(図2)。

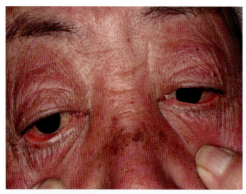

図1 眼瞼結膜充血

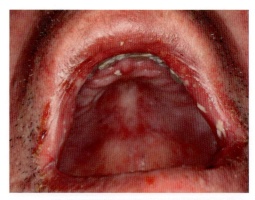

図2 口腔内の広範囲の発赤と血性痂皮を伴うびらん

(柳 朝子)

第1章 分子標的薬

3 その他の小分子性阻害薬

1 皮膚障害

はじめに

　FGFR阻害薬（フチバチニブ，ペミガチニブ），BRAF/MEK阻害薬（ダブラフェニブ，トラメチニブ，エンコラフェニブ，ビニメチニブ），CDK4/6阻害薬（パルボシクリブ，アベマシクリブ）によりさまざまな皮膚障害が発現する。FGFR阻害薬においては爪囲炎，脱毛，皮膚乾燥が主に発現し，BRAF/MEK阻害薬においては，ざ瘡様皮疹，そう痒感，爪囲炎が発現する。エンコラフェニブ/ビニメチニブ併用療法において，セツキシマブを併用する場合があり，EGFR阻害薬誘発性の皮膚障害に準じた副作用が発現する。エンコラフェニブ/ビニメチニブ/セツキシマブ併用療法（3剤併用療法）は，エンコラフェニブ/セツキシマブ併用療法と比較してざ瘡様皮疹，皮膚乾燥の発現頻度が多い傾向にある[1]がGrade 3以上の症状は数％と稀である。しかし，エンコラフェニブ/セツキシマブ併用療法は，3剤併用療法と比較して手足症候群の発現頻度が上がる傾向にあるため注意が必要である[2]。ダブラフェニブ/トラメチニブ併用療法においては，皮膚乾燥，皮疹が主に発現するがGrade 1，2が多く，Grade 3以上の症状は数％と比較的稀である[3]。CDK4/6阻害薬は，内分泌療法薬との併用で用いられ，特に脱毛の頻度が高く，次いで，皮疹，皮膚乾燥，手足症候群が発現し得る[4,5]。ホルモンレセプター陽性/HER2陰性転移性乳がんの患者における臨床試験において，内分泌単独療法（約10％）と比較して，CDK4/6阻害薬との併用においては，脱毛の頻度が20％以上に上昇するという報告がある[6]。重症例の発現は稀であるが，脱毛はGrade 1，2においても大きな精神的苦痛を伴うことが多いため，医療スタッフによる認識と説明が必要である。また，稀にスティーヴンス・ジョンソン症候群や中毒性表皮壊死症といった最重症の皮膚障害も発現し得る。加えて，皮膚有棘細胞がんの発生といった特殊な副作用も認められるため注意が必要となる。

重症度評価

　下記のような皮膚障害が現れることがある。下記のうち，主なものの重症度評価を表1に示す。重症度評価はCTCAE v5.0に基づく。

①ざ瘡様皮疹
②結節性紅斑様皮疹
③播種状紅斑丘疹
　（斑状丘疹状皮疹）
④多形紅斑
⑤皮膚乾燥
⑥そう痒症
⑦過角化（掌蹠角化症）
⑧毛孔性角化症
⑨稗粒腫
⑩疣贅様皮疹
⑪ケラトアカントーマ
⑫日光角化症
⑬有棘細胞がん
⑭光線過敏症
⑮脱毛

表1 重症度評価

	Grade 1	Grade 2	Grade 3	Grade 4	Grade 5
ざ瘡様皮疹	体表面積の<10%を占める紅色丘疹および/または膿疱で、そう痒や圧痛の有無は問わない	体表面積の10-30%を占める紅色丘疹および/または膿疱で、そう痒や圧痛の有無は問わない；社会心理学的な影響を伴う；身の回り以外の日常生活動作の制限；体表面積の>30%を占める紅色丘疹および/または膿疱で、軽度の症状の有無は問わない	体表面積の>30%を占める紅色丘疹および/または膿疱で、中等度または高度の症状を伴う；身の回りの日常生活動作の制限；経口抗菌薬を要する局所の重複感染	生命を脅かす；紅色丘疹および/または膿疱が体表のどの程度の面積を占めるかによらず、そう痒や圧痛の有無も問わないが、抗菌薬の静脈内投与を要する広範囲の局所の二次感染を伴う	死亡
斑状丘疹状皮疹	症状の有無は問わない（例：そう痒，熱感，ひきつれ），体表面積の<10%を占める斑状疹/丘疹	症状の有無は問わない（例：そう痒，熱感，ひきつれ），体表面積の10-30%を占める斑状疹/丘疹；身の回り以外の日常生活動作の制限；軽度の症状の有無は問わない，体表面積の>30%を占める皮疹	中等度または高度の症状を伴う，体表面積の>30%を占める斑状疹/丘疹；身の回りの日常生活動作の制限	—	—
多形紅斑	虹彩様皮疹が体表面積の<10%を占め，皮膚の圧痛を伴わない	虹彩様皮疹が体表面積の10-30%を占め，皮膚の圧痛を伴う	虹彩様皮疹が体表面積の>30%を占め，口腔内や陰部のびらんを伴う	虹彩様皮疹が体表面積の>30%を占め，水分バランスの異常または電解質異常を伴う；ICUや熱傷治療ユニットでの治療を要する	死亡
皮膚乾燥	体表面積の<10%を占め，紅斑やそう痒は伴わない	体表面積の10-30%を占め，紅斑またはそう痒を伴う；身の回り以外の日常生活動作の制限	体表面積の>30%を占め，そう痒を伴う；身の回りの日常生活動作の制限	—	—
そう痒症	軽度または限局性；局所的治療を要する	広範囲かつ間欠性；搔破による皮膚の変化（例：浮腫，丘疹形成，擦過，苔蘚化，滲出/痂皮）；内服治療を要する；身の回り以外の日常生活動作の制限	広範囲かつ常時；身の回りの日常生活動作や睡眠の制限；副腎皮質ステロイドの全身投与または免疫抑制療法を要する	—	—
光線過敏症	疼痛を伴わない紅斑が体表面積の<10%を占める	体表面積の10-30%を占める圧痛を伴う紅斑	体表面積の>30%を占める落屑を伴う紅斑；光線過敏症；経口副腎皮質ステロイドを要する；疼痛コントロールを要する（例：麻薬性薬剤，NSAIDs）	生命を脅かす；緊急処置を要する	死亡

（有害事象共通用語規準 v5.0 日本語訳 JCOG 版より引用）

治療

　各皮膚障害とその Grade に応じて治療を行う。皮疹，皮膚乾燥に対して，明確なエビデンスはないが保湿を予防的に行うとよい。また，EGFR 阻害薬を併用する場合は特異的な副作用に応じた対策を行う。有棘細胞がんの発生がみられた場合は，外科的切除を行う。その他，ケラトアカントーマなどの皮膚腫瘍が発生した場合も外科的切除を考慮する。脱毛に関する確立された治療方法はないが，薬剤終了後に自然回復する。治療的介入に先立って薬剤投与による脱毛が予想される場合には，あらかじめ患者に説明し，心理的サポートを行う必要がある。

まとめ

　BRAF 阻害薬単独や，MEK 阻害薬との併用療法による皮膚障害は，保湿薬や副腎皮質ステロイド外用薬の投与，薬剤の休薬により改善するものが多い。しかし，予防/治療に関して確立されたエビデンスはなく，有効性を示した報告も非常に少ない。Grade 3 の重篤な皮膚障害に対しては，原病に対する治療薬を休み，副腎皮質ステロイドの全身投与を必要とする場合がある。また，有棘細胞がんなどの皮膚腫瘍が発生した場合には，外科的切除による治療を行う。

〈飯村洋平〉

> **症例 1**
>
> **診断名**：皮膚乾燥，下痢
> **重症度評価**：〔皮膚乾燥〕Grade 2，中等症 〔下痢〕Grade 3，重症
> **原因薬剤**：アベマシクリブ
> **支持療法**：休薬・一段階減量（アベマシクリブ），トコフェロール・ビタミンA油（ユベラ®軟膏）外用，デノスマブ（120 mg／body）4週ごと，沈降炭酸カルシウム・コレカルシフェロール・炭酸マグネシウム配合錠2錠分1内服

〔概要〕60代女性。乳がん再発，多発骨転移。原病に対して一次治療フルベストラント＋アベマシクリブを開始した［フルベストラント 500 mg/body 筋注（day 1, 15, 以降4週ごと），アベマシクリブ 300 mg 分2（休薬期間なし）］。アベマシクリブによる下痢を自覚していたが，3年3カ月後に下痢が増悪した。日常生活に支障をきたすため Grade 3 と判断した。皮膚には手掌部を始め乾燥が現れたため，支持医療科へ紹介された。

血液検査所見：WBC 2,980/μL，好中球 1,150/μL，Hb 10.8 g/dL，血小板 15.7万/μL

〔経過〕主科でアベマシクリブを2週間休薬し，一段階減量した（200 mg/日）。初診時の臨床像を示す（図1）。そう痒を伴わなかったため，手掌部にはトコフェロール・ビタミンA油（ユベラ®軟膏）を外用した。皮疹は消退し，アベマシクリブ再開後も皮疹は再燃しなかった（図2）。

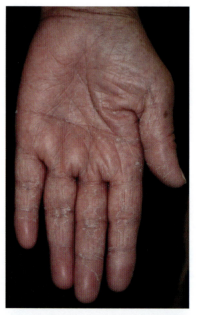

図1　アベマシクリブによる皮膚乾燥，Grade 2
手掌および手指指腹部に鱗屑を伴う。明らかな炎症所見を認めないが，患者は乾燥を訴えた。

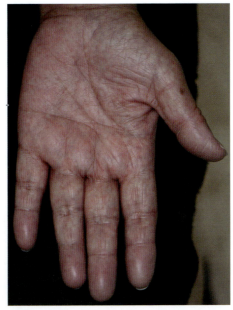

図2 経過，3カ月後
手掌および手指には明らかな乾燥を認めない。アベマシクリブを一段階減量して再開し，皮疹は再燃しなかった。

ここがポイント

　アベマシクリブは，CDK4/6阻害薬のひとつであり，副作用として下痢や皮膚毒性が現れやすい。皮膚症状は，主に乾燥や皮脂欠乏性湿疹であり，軽症にとどまることが多い。

　自験例では，アベマシクリブ休薬に伴い皮膚症状が消退したため，原因薬剤をアベマシクリブと考えた。また，皮膚への副作用は用量依存的であり，減量に伴い皮膚症状は消失した。

　掌蹠の乾燥に対して，トコフェロール・ビタミンA油（ユベラ®軟膏）は有用である。

（平川聡史）

■第1章　分子標的薬

> | 症例 2 | 診断名：爪障害
> | | 重症度評価：Grade 2
> | | 原因薬剤：FGFR 阻害薬
> | | 支持療法：保湿，洗浄，抗菌薬外用

〔概要〕50代男性。進行胆道がんに対する FGFR 阻害薬投与 21 日目から爪の赤色変化を認めた。色調変化以外の自覚症状がないため治療を継続したところ色調は暗赤色に変わり，滲出液を伴うようになった（図1）。

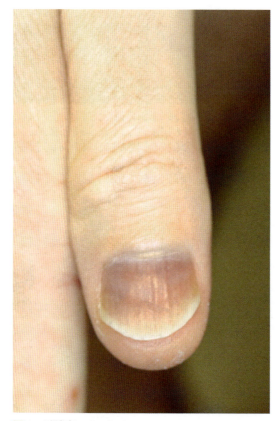

図1　爪障害，Grade 2

〔経過〕保湿を日常的に行っていたが爪の変色は赤色から暗赤色に変化し，さらに滲出液を伴うようになったために爪障害の程度は Grade 2 と診断し，丁寧な洗浄と抗菌薬の外用を加えた。その結果滲出液の減少がみられた。

ここがポイント

今回の爪障害は爪床の炎症に伴うものと考えられる。爪囲炎には副作用としての Grading が存在するが，爪床の炎症を評価する項目は見当たらない。このため局所治療が必要となった点で Grade 2 と評価した。現在の CTCAE による爪関連の有害事象(副作用)の評価方法には限界を感じている。

（山﨑直也）

| 症例 3 | 診断名：爪障害，手足症候群
重症度評価：〔爪障害〕Grade 1〜2，軽症〜中等症，〔手足症候群〕Grade 2，中等症
原因薬剤：ペミガチニブ
支持療法：保湿，保護，副腎皮質ステロイド外用 |

〔概要〕60代男性。切除不能肝内胆管がんに対してペミガチニブ投与およそ7カ月後，両手両足の複数の爪甲剥離および爪破壊が出現した（図1）。また手掌足底に発赤があり，荷重部に軽度の角化を伴う（図2）。

図1 ペミガチニブによる爪障害（爪脱落を伴う），Grade 1〜2

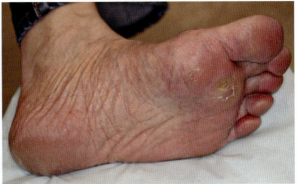

図2 ペミガチニブによる手足症候群，Grade 2

〔経過〕爪：保湿，痛みを伴う場合は very strong class 以上の副腎皮質ステロイド（アンテベート®軟膏およびデルモベート®軟膏）を外用したが，爪破壊が進み，爪破壊・脱落が生じた。ただし疼痛は軽度であった。

手掌足底：サリチル酸ワセリン軟膏＋strongest class の副腎皮質ステロイド（デルモベート®軟膏）で症状をコントロールした。

ここがポイント

FGFR2 融合遺伝子陽性の治癒切除不能な胆道がんに対する FGFR 阻害薬が複数開発されており，治療経過が長くなるに従い皮膚障害，特に手足症候群および爪障害が報告されている。

爪障害は爪変化，爪甲脱落症，爪甲剥離症，爪ジストロフィー，爪破壊，爪の障害，爪線状隆起，爪肥厚等さまざまな形で記載がみられる。

（山﨑直也）

> **症例 4**
> 診断名:手足症候群,播種状紅斑丘疹型薬疹
> 重症度評価:Grade 2,中等症
> 原因薬剤:ダブラフェニブ,トラメチニブ
> 支持療法:休薬(ダブラフェニブ,トラメチニブ)

〔概要〕70代男性。右肺上葉腺がん再発,胸膜播種,多発肺転移。遺伝子診断:*BRAF*遺伝子V600E変異陽性。原病に対してダブラフェニブ,トラメチニブ内服で加療開始した(ダブラフェニブ 300 mg/日,トラメチニブ 2 mg/日)。発熱・関節痛・皮疹を伴うため休薬・減量を行い,再開した。以後,導入から8カ月間にわたり慎重に用量調整を行い,三段階減量した。ダブラフェニブ 150 mg/日,トラメチニブ 1.5 mg/日を内服中,患者は両手掌部および四肢・体幹部に皮疹を自覚した(図1,2)。四肢・体幹部の皮疹はそう痒を伴った。Nikolsky現象陰性。明らかな粘膜症状なし。下痢なし。浮腫性紅斑に対して皮膚生検を行い,病理組織所見はinterface dermatitisであり,表皮には全層性の壊死を認めなかった。鑑別診断に多形紅斑型薬疹を挙げたが,臨床および病理組織所見から播種状紅斑丘疹型薬疹,Grade 2と判断した。

血液検査所見:WBC 3,080/μL,好中球 2,450/μL,Hb 14.2 g/dL,血小板 10.5万/μL,CRP 1.97 mg/dL,AST 28 U/L,ALT 25 U/L,LD 225 U/L,BUN 19 mg/dL,CRTN 0.92 mg/dL,eGFR 60 mL/min/1.73 m^2

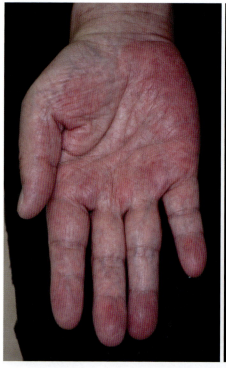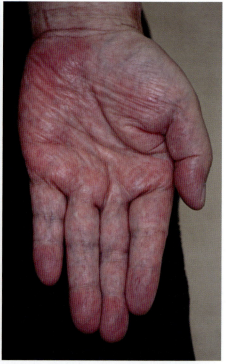

図1 ダブラフェニブおよびトラメチニブによる手足症候群,播種状紅斑丘疹型薬疹,Grade 2
紅斑が対称性に拡がり,指腹部で色調は強い。

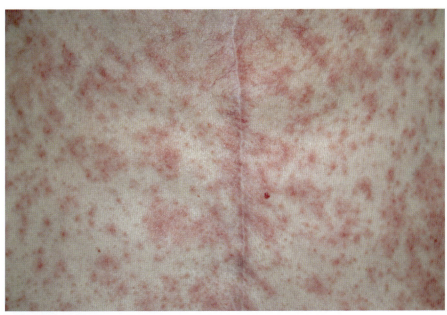

図2 前胸部の所見
浮腫性紅斑および丘疹が多発・集簇する。

〔経過〕ダブラフェニブおよびトラメチニブを中止した。副腎皮質ステロイド（プレドニゾロン）15 mg/日を内服，strongest class の副腎皮質ステロイド（デルモベート®軟膏）外用を開始した。次第に皮疹・粘膜疹は消退した。主科で治療効果を判定し，新たに肝転移を認めたため病態進行と判断し，現治療を終了した。

ここがポイント

自験例では8カ月間にわたりダブラフェニブおよびトラメチニブの用量調整に取り組んだ。皮疹再燃時，用量調整の効果により発熱など全身症状は現れなかったため，通院で支持療法を行った。

ダブラフェニブおよびトラメチニブを減量する一方，抗腫瘍効果は6カ月にわたり維持された。皮膚症状を始め副作用なく患者は過ごし，慎重に用量調整することにより一定の効果が得られた。

（平川聡史）

■ 第1章　分子標的薬

| 症例 5 | 診断名：脱毛症
重症度評価：Grade 1，軽症
原因薬剤：ベムラフェニブ
支持療法：介入せず |

〔概要〕40代女性。左手掌原発悪性黒色腫の肺転移，肝転移，リンパ節転移に対してベムラフェニブによる治療を開始したところ，およそ1カ月後，頭髪に脱毛が出現した（図1）。

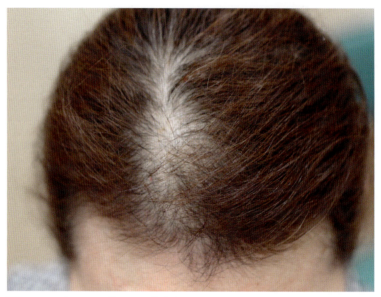

図1　ベムラフェニブによる脱毛症，Grade 1
全頭にわたる軽度な脱毛。特に，前頭部から頭頂部にかけて疎毛が目立つ。この症例では睫毛にも脱毛がみられた。

〔経過〕ベムラフェニブは転移巣に対し効果があり，3年間にわたり内服を継続している。この間，脱毛に対する対応は特に行っていないが，前頭部から頭頂部にかけて疎毛が目立つのみであり，明らかな脱毛の進行は認めていない。

!ここがポイント

ベムラフェニブ内服によってしばしば脱毛がみられるが，細胞傷害性の抗がん薬で起こるような全脱毛になることはほとんどない。

（山﨑直也）

症例 6	診断名：多形紅斑（EM Major） 重症度評価：Grade 3，重症 原因薬剤：ベムラフェニブ 支持療法：投薬中止，ステロイドミニパルス療法

〔概要〕60代男性。足底悪性黒色腫の術後。多発リンパ節転移，肺転移に対し，免疫チェックポイント阻害薬による治療を行うも転移巣増大，脳転移出現を認めたため，ベムラフェニブによる治療に変更した。治療開始から10日目に倦怠感，39℃の発熱とともに全身に紅斑が出現し，癒合・拡大してきた（図1）。

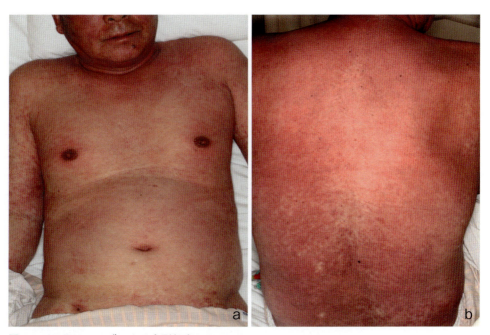

図1　ベムラフェニブによる多形紅斑，Grade 3
a. 顔面，体幹部，上肢に熱感を伴う滲出性紅斑を認める。
b. 背部の紅斑は癒合し，紅皮症を呈する。

〔経過〕入院のうえ，ベムラフェニブの内服は中止し，副腎皮質ステロイド（メチルプレドニゾロン）125 mgを3日間点滴投与した。以後，副腎皮質ステロイド（プレドニゾロン）50 mg/日内服から皮疹の改善に伴い漸減し，皮疹は色素沈着を残すのみとなり，治療開始から20日後に軽快し退院となった。

ここがポイント

BRAF阻害薬による重篤な皮疹として多形紅斑を認めることがある。全身症状や粘膜症状の強い皮膚粘膜眼症候群（スティーヴンス・ジョンソン症候群），中毒性表皮壊死症に移行し，予後不良となることもあり，注意が必要である。

（髙橋　聡）

■第1章 分子標的薬

> **症例 7**
>
> **診断名**：多形紅斑型薬疹，手足症候群
> **重症度評価**：Grade 3，重症
> **原因薬剤**：イマチニブ
> **支持療法**：二段階減量，strongest class の副腎皮質ステロイド（デルモベート®軟膏など）外用，抗アレルギー薬（ザイザル®など 5 mg/日）内服，創傷被覆材（ハイドロサイト®ジェントル銀など）

〔概要〕60代女性。胃消化管間質腫瘍（GIST）再発，多発肝転移。免疫染色：c-kit 陽性，CD34陰性，CK AE1/AE3 陰性。原病に対して一次治療イマチニブ 400 mg/日を開始した。3 週後，患者は下肢に皮疹を自覚した。皮膚症状は次第に体幹部・上肢へ拡大し，そう痒を伴うため支持医療科へ紹介された。初診時の臨床像を示す（1 病日，図1）。当科で多形紅斑型薬疹 Grade 3 と診断し，主科でイマチニブを休薬した。

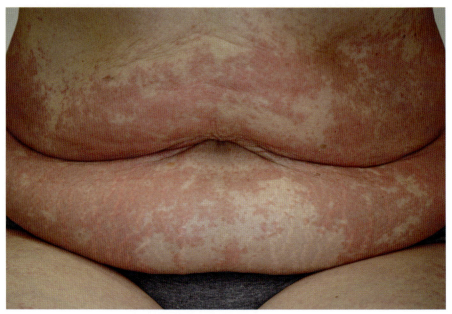

図1　イマチニブによる多形紅斑型薬疹，Grade 3
浮腫性紅斑が多発し，地図状に癒合している。

〔経過〕Strongest classの副腎皮質ステロイド（デルモベート®軟膏）外用，抗アレルギー薬（ザイザル®など5 mg/日）内服で治療を開始した。画像検査で治療効果を評価し，部分奏効（PR）と判断した。患者は治療継続を希望したため，一段階減量して8病日からイマチニブを再開した（300 mg/日）。15病日，患者は四肢に浮腫を自覚し，手掌および足底部に紅斑が出現した（図2）。イマチニブ内服を継続したところ，36病日には足底部に過角化が現れ，43病日，足底部に亀裂と疼痛を生じた（図3）。歩行困難なため手足症候群Grade 3と評価し，イマチニブを2週間休薬した。57病日，イマチニブを二段階減量し，200 mg/日で再開した。71病日の臨床像を示す（図4）。紅斑・過角化は残存するが，亀裂・疼痛が消失し，歩行できるためGrade 1と判断した。以後，イマチニブ200 mg/日を2年間継続し，多発肝転移の縮小を保ちつつ治療効果を維持している。

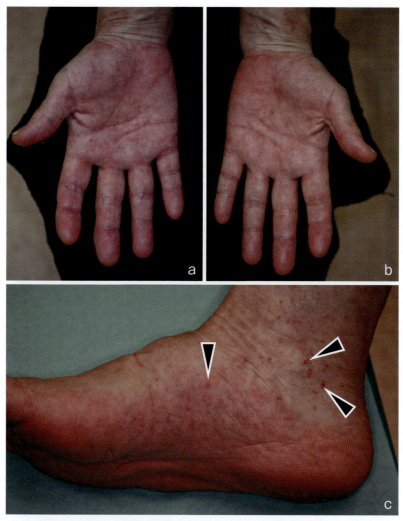

図2　経過，15病日，掌蹠の所見
a, b. 両手掌および手指に紅斑を認める。
c. 足底部にも紅斑が拡がり，足底弓蓋（土踏まず）から足関節内果部に点状紫斑を認める（うっ血を示唆する）。

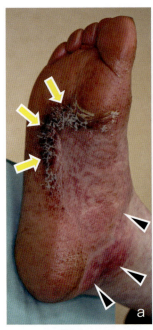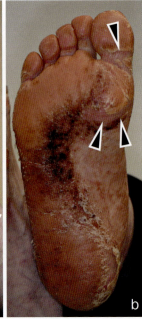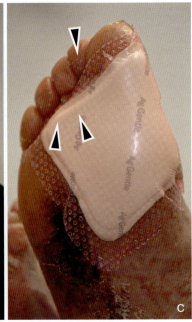

図3 右足底部の経時的変化
a. 36病日。足関節内果（矢頭）から足底弓蓋に紫斑および浮腫を認める。足底弓蓋辺縁には黒褐色局面があり，過角化を伴う（矢印）。黒褐色の要因は皮下出血であり，イマチニブによる血管障害を示唆する。
b. 43病日。過角化が拡大し，母趾球およびMP関節部で角層が剥離したため，亀裂・疼痛を伴う（矢頭）。イマチニブによる手足症候群 Grade 3 と診断した。
c. 疼痛緩和の目的で母趾球部に創傷被覆材（ハイドロサイト®ジェントル銀）を貼付した。その後，荷重に伴う疼痛が軽減し，歩行しやすくなった。

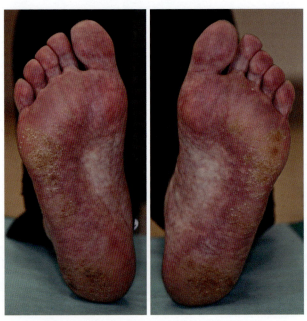

図4 経過，71病日
足底部に紅斑・過角化は残存するが，亀裂・疼痛は消失した。手足症候群 Grade 1 であり，イマチニブ継続可能と判断した。

> **ここがポイント**

イマチニブは，Bcr-Abl チロシンキナーゼ阻害薬であり，KIT（CD117）陽性 GIST は適応症のひとつである。

イマチニブは，副作用のうち比較的浮腫の頻度が高く，皮膚には炎症および過角化を誘導しやすい。添付文書には乾癬悪化が記載されており，自験例では足底部に炎症・過角化を生じ，亀裂・疼痛を伴ったため歩行困難になった。

再発例ではイマチニブの用量調整を行い，長期にわたり使用できるよう患者・多職種で慎重に検討することが望ましい。自験例ではイマチニブを二段階減量し，2 年以上にわたり一次治療として継続している。

（平川聡史）

■第1章　分子標的薬

| 症例 8 | 診断名：爪障害
重症度評価：Grade 2, 中等症
原因薬剤：イマチニブ
支持療法：ネイルケアクリーム（Premium Rich Nail® など）外用 |

〔概要〕50 代男性。胃消化管間質腫瘍（GIST）術後。免疫染色：c-kit 陽性，CD34 陽性，デスミン陰性，Ki67 陽性率 7%。原病に対して腹腔鏡下胃部分切除を実施した。術後薬物療法でイマチニブ 400 mg/日内服を開始した。その後，5 カ月頃から手の爪甲に変化を自覚したため支持医療科へ紹介された。初診時の臨床像を示す（図1）。爪障害 Grade 2 と診断した。

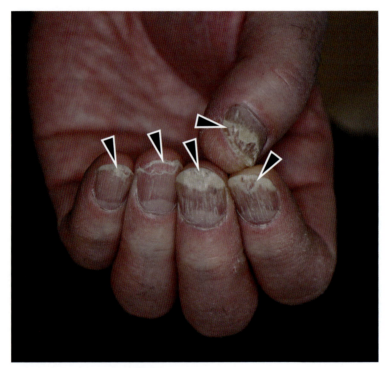

図1　イマチニブによる爪障害，Grade 2
爪甲に線条があり，縦走する。爪甲は末梢部で脆く欠け，爪床から剥離しており，爪甲の過角化を示唆する（矢頭）。

〔経過〕ネイルケアクリーム外用を3カ月間実施した。その後，過角化や爪甲剥離が軽減した（図2）。GIST高リスク群であり，イマチニブ400 mg/日を継続中である。

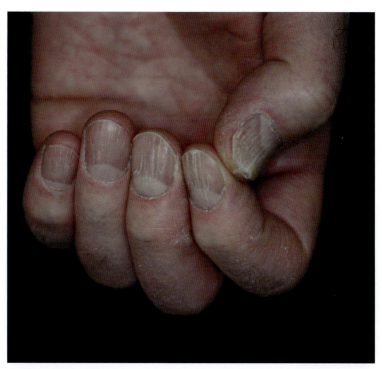

図2　ケア3カ月後
ネイルケアクリームを外用後，爪甲剥離が消失し，過角化による爪の脆さや線条が軽減した。

ここがポイント

イマチニブによる副作用は，皮膚や付属器に過角化を生じる場合がある。自験例では，手指に爪甲剥離や線条・過角化が現れた。

爪甲にネイルケアクリーム（Premium Rich Nail® など）を外用すると，補修・保湿作用により爪甲剥離や過角化を軽減する可能性がある。

（平川聡史）

■ 第1章　分子標的薬

> **症例 9**
> 診断名：尋常性疣贅，カンジダ性口内炎
> 重症度評価：Grade 2，中等症
> 原因薬剤：ルキソリチニブ
> 支持療法：アムホテリシンB（ハリゾンシロップ）

〔概要〕60代女性。骨髄増殖性腫瘍。真性多血症と診断され，20年来ヒドロキシカルバミドを内服していた。その後，ルキソリチニブ 50 mg/日を服用した。初診時，手指に過角化を伴う結節を認め（図1），舌および頬粘膜に白苔が付着していた（図2a, 3a）。手指の結節は尋常性疣贅と診断した。また，頬粘膜の白苔から採取した検体をKOH直接鏡検し，菌糸および胞子を認めたため，カンジダ性口内炎と診断した。

血液検査所見（初診時）：WBC 15,000/μL，好中球 11,250/μL，リンパ球 1,515/μL，Hb 10.0 g/dL，血小板 12.9万/μL

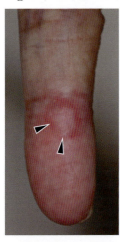

図1　ルキソリチニブによる尋常性疣贅，Grade 2
手指指腹部に淡紅色の結節があり，類円形である。表面は粗造でピンク〜白色を帯びる。尋常性疣贅と診断した。

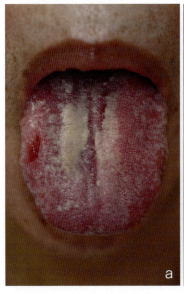
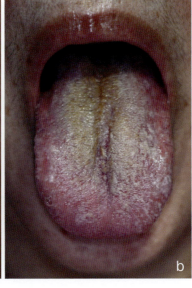

図2　舌表面の所見
a. 初診時。白苔が付着し，白〜乳白色を呈する。舌表面には咬傷のため出血あり。
b. 口腔ケア3週後。ハリゾンシロップでケアを行い，白苔は軽減した。

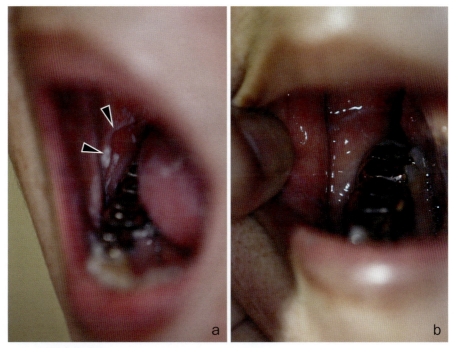

図3　頰粘膜の所見
a．白苔が付着する（矢頭）。検体を採取し，KOH直接鏡検でカンジダ性口内炎と診断した。
b．口腔ケア3週後。白苔は消失し，臨床的に治癒した。

〔経過〕口腔内はアムホテリシンB（ハリゾンシロップ）で1日3～4回ゆすぎ，口腔ケアを行った。3週後の所見を示す（図2b，3b）。舌，頰粘膜とも白苔は軽減し，臨床的にカンジダ性口内炎は軽快した。

!ここがポイント

ルキソリチニブは，Janusキナーゼ（JAK）1およびJAK2に選択性を示すJAK阻害薬であり，骨髄増殖性腫瘍の経口治療のために開発されたピロロピリミジン誘導体（一リン酸塩）である。注意すべき副作用として感染症および重症化，下痢，帯状疱疹などがある。

尋常性疣贅は，ヒトパピローマウイルスによる皮膚感染症のひとつであり，免疫不全により罹患しやすい。自験例では，ルキソリチニブによる免疫抑制で尋常性疣贅が現れた可能性がある。

カンジダ性口内炎は，免疫不全状態で発症しやすい合併症のひとつである。KOH直接鏡検で診断でき，適切な口腔ケアで治療できるため，免疫抑制作用がある薬剤を投与する際には，多職種で患者の口腔内を観察するよう心掛ける。

（平川聡史）

スキンケアのポイント

●脱毛のケア

脱毛は通常は一過性であり，薬物療法終了3～6カ月後には毛髪の再発毛がみられるが，以前のような状況に戻るのには時間を要し，QOLにも大きく影響を及ぼす。また，毛髪だけでなく眉毛や睫毛も脱毛し，汗やゴミが目に入りやすくなるなど，日常生活にも影響を及ぼすだけでなく，外見の変化も起こす。治療開始後，脱毛が出現する1～3週間の間に以下のように備え，治療終了後もケアを実施する。

脱毛に備えること

脱毛が出現しやすい薬剤を把握し，患者が開始する薬物療法における脱毛の出現頻度と治療予定期間を把握するようにする。そのうえで，次のようなことを準備するかを相談する。長髪の場合は，短くしておくと，脱毛が出現した際の脱毛量が少なくなり，洗髪した際にも絡まりにくくなる。しかし，好みや希望もあるため，患者が対処できるように情報提供する。脱毛前の髪型や顔の写真を撮っておくこともウィッグを作成する際や眉毛の脱毛があった際のメイクの参考になる。脱毛が出現し始めると寝具や衣服にも多くの毛髪がついたり絡まったりして，掃除や洗濯に手間がかかることがあるため，あらかじめ備えておくのもよい。

脱毛中の洗髪

脱毛が出現し始めると，洗髪をすることが怖くなり，避けようとする患者がいるが，感染予防のためにも頭皮や毛髪の清潔を保つことが重要である。シャンプー剤と脱毛に関連するエビデンスはないため，洗髪で使用するシャンプーは，特に違和感などがなければ，以前より使用していたシャンプーを使用してよい。そして，洗髪前には軽くブラシで脱毛した毛髪を取り除き，頭皮と毛髪をぬるま湯でまんべんなく濡らす。シャンプーはそのまま使用するよりもよく泡立ててから，泡を毛髪に乗せるようにして軽くマッサージをして洗う。シャワーで流しながら十分にすすぎ，リンスやトリートメントは毛髪になじませるようにする。完全に脱毛した場合も，少量のシャンプーを泡立てて同様に優しく丁寧に洗うようにする。洗髪後は，頭皮をごしごしとこすらずにタオルで押さえるように水分を吸収し，ドライヤーは弱めの温風で乾かす。

ウィッグ

ウィッグは素材や製法などさまざまなタイプがあり，値段も数千円～数万円とかなり幅広いため，患者の好みやニーズにあわせて選択する。必ずしも高価なものがよいとは限らないため，被り心地やスタイル，手入れ方法やメンテナンスなどを考慮して検討するとよい。また，治療開始から脱毛まで時間があること，地域によるが，ウィッグの助成制度もあるため，慌てて購入しなくてもよいことを説明する。また，頭全体に被るウィッグ以外にも，前髪や後ろ髪だけのつけ毛や部分ウィッグ，部分ウィッグつきの帽子などもあり，患者の好みやニーズを把握して情報提供する。

メイク

眉毛は顔のなかでも表情を表す重要なパーツであり，脱毛することで顔の印象が変わるため，眉ずみで眉毛を描くことで自然な表情になる。脱毛前に撮っておいた写真を参考に，眉毛が脱毛する前に描く練習をしておくとよい。また，睫毛の脱毛により，目にゴミが入りやすくなるため，眼鏡やサングラスを使用することで保護するだけでなく，他人の目線を眼鏡に向けることができる。その他，つけ睫毛の使用やアイラインを引くことで目元の印象を変えることができる。

●指導のポイント

脱毛は，通常一過性であることが多く，あらかじめ備えていてもいざ脱毛が起こることで，患者が受ける衝撃や不安は大きく，苦痛を伴う。脱毛による外見の変化は，不安などの心理的苦痛だけでなく，外出しづらいなど社会的な活動にも影響を及ぼすため，ウィッグなどの情報提供やスキンケア指導と同時に心理的サポートも提供することが重要である。

（市川智里）

引用文献

1 EGFR阻害薬

1. ざ瘡様皮疹

1) メルクバイオファーマ株式会社. アービタックス® 適正使用ガイド.
2) Lacouture ME, Mitchell EP, Piperdi B, et al. Skin toxicity evaluation protocol with panitumumab(STEPP), a Phase Ⅱ, open-label, randomized trial evaluating the impact of a pre-Emptive Skin treatment regimen on skin toxicities and quality of life in patients with metastatic colorectal cancer. J Clin Oncol. 2010；28(8)：1351-7.
3) 山本有紀, 清原祥夫, 仁科智裕, 他. EGFR阻害薬・マルチキナーゼ阻害薬に起因する皮膚障害の治療手引き（2020年改訂版）皮膚科・腫瘍内科有志コンセンサス会議からの提案. Prog Med. 2020；40(12)：1315-29.

2. 皮膚乾燥

1) Lacouture ME, Anadkat MJ, Bensadoun RJ, et al. Clinical practice guidelines for the prevention and treatment of EGFR inhibitor-associated dermatologic toxicities. Support Care Cancer. 2011；19(8)：1079-95.
2) Albanell J, Rojo F, Averbuch S, et al. Pharmacodynamic studies of the epidermal growth factor receptor inhibitor ZD1839 in skin from cancer patients：histopathologic and molecular consequences of receptor inhibition. J Clin Oncol. 2002；20(1)：110-24.
3) Takamori K, Yoshiike T, Hase T. Elongation mechanism of nerve fibers into the epidermis in asteatosis. J Dermatol Sci. 1998；16(S1)：S64.
4) Osio A, Mateus C, Soria JC, et al. Cutaneous side-effects in patients on long-term treatment with epidermal growth factor receptor inhibitors. Br J Dermatol. 2009；161(3)：515-21.
5) Clabbers JMK, Boers-Doets CB, Gelderblom H, et al. Xerosis and pruritus as major EGFRI-associated adverse events. Support Care Cancer. 2016；24(2)：513-21.
6) 日本臨床腫瘍研究グループ. Common Terminology Criteria for Adverse Events (CTCAE) version5.0（有害事象共通用語規準v5.0日本語訳JCOG版）. 2022.
7) 平川聡史, 清原祥夫, 山﨑直也. 問診・重症度評価. 薬事. 2019；61(8)：1373-9.
8) Tominaga M, Takamori K. An update on peripheral mechanisms and treatments of itch. Biol Pharm Bull. 2013；36(8)：1241-7.
9) Lodén M. The clinical benefit of moisturizers. J Eur Acad Dermatol Venereol. 2005；19(6)：672-88.
10) 日本がんサポーティブケア学会編. BQ20 分子標的治療に伴う皮膚乾燥（乾皮症）に対して保湿薬の外用は勧められるか. がん治療におけるアピアランスケアガイドライン2021年版. 金原出版；2021. p72-3.
11) 日本がんサポーティブケア学会編. BQ21 分子標的治療に伴う皮膚乾燥（乾皮症）に対して副腎皮質ステロイド外用薬は勧められるか. がん治療におけるアピアランスケアガイドライン2021年版. 金原出版；2021. p74-5.
12) 日本がんサポーティブケア学会編. BQ22 分子標的治療に伴う皮膚乾燥（乾皮症）に伴う瘙痒に対して抗ヒスタミン薬の内服は勧められるか. がん治療におけるアピアランスケアガイドライン2021年版. 金原出版；2021. p76-7.

3. 血管障害, びらん・潰瘍

1) Boeck S, Wollenberg A, Heinemann V. Leukocytoclastic vasculitis during treatment with the oral EGFR tyrosine kinase inhibitor erlotinib. Ann Oncol. 2007；18(9)：1582-3.
2) Su BA, Shen WL, Chang ST, et al. Successful rechallenge with reduced dose of erlotinib in a patient with lung adenocarcinoma who developed erlotinib-associated leukocytoclastic vasculitis：A case report. Oncol Lett. 2012；3(6)：1280-2.
3) Uchimiya H, Higashi Y, Kawai K, et al. Purpuric drug eruption with leukocytoclastic vasculitis due to gefitinib. J Dermatol. 2010；37(6)：562-4.
4) D'Epiro S, Salvi M, Luzi A, et al. Drug cutaneous side effect：focus on skin ulceration. Clin Ter. 2014；165(4)：e323-9.
5) Sagara R, Kitami A, Nakada T, et al. Adverse reactions to gefitinib (Iressa)：revealing sycosis-and pyoderma gangrenosum-like lesions. Int J Dermatol. 2006；45(8)：1002-3.
6) Fernández-Guarino M, Aldanondo I, González-García C, et al. Gefitinib-induced perforating dermatosis. Actas Dermosifiliogr. 2006；97(3)：208-11.
7) 坪井賢治, 川瀬義久, 大河内治, 他. Cetuximabによる皮膚潰瘍に対して休薬・減量により治療継続可能で

あった直腸癌肺転移の1例. 癌と化療. 2011；38（9）：1549-52.
8) 平川聡史, 藤山幹子, 小田富美子. 皮膚科の専門医による診断が必要な皮膚障害. 四国がんセンター化学療法委員会皮膚障害アトラス作成ワーキンググループ編著. 分子標的薬を中心とした皮膚障害 診断と治療の手引き. メディカルレビュー社；2014. p39-47.
9) 野里恭子, 森島祐子, 古田淳一, 他. ゲフィチニブによる薬疹との鑑別に苦慮したHenoch-Schoenlein紫斑病の1例. 日呼吸会誌. 2010；48（7）：529-34.
10) 高橋洋子, 海老規之, 山口 央, 他. エルロチニブによる薬剤性皮膚血管炎の1例. 日呼吸会誌. 2011；49（9）：663-6.
11) 弓場達也, 永田一洋, 塩津伸介, 他. Erlotinib投与後に発症したヘノッホ・シェーンライン紫斑病の1例. 日呼吸会誌. 2010；48（1）：81-5.
12) Amitay-Laish I, David M, Stemmer SM. Staphylococcus coagulase-positive skin inflammation associated with epidermal growth factor receptor-targeted therapy：an early and a late phase of papulopustular eruptions. Oncologist. 2010；15（9）：1002-8.

4. 爪囲炎
1) Kiyohara Y, Yamazaki N, Kishi A. Erlotinib-related skin toxicities：treatment strategies in patients with metastatic non-small cell lung cancer. J Am Acad Dermatol. 2013；69（3）：463-72.
2) Lacouture ME, Anadkat MJ, Bensadoun RJ, et al. Clinical practice guidelines for the prevention and treatment of EGFR inhibitor-associated dermatologic toxicities. Support Care Cancer. 2011；19（8）：1079-95.
3) Lacouture ME, Sibaud V, Gerber PA, et al. Prevention and management of dermatological toxicities related to anticancer agents：ESMO Clinical Practice Guidelines. Ann Oncol. 2021；32（2）：157-70.
4) Osio A, Mateus C, Soria JC, et al. Cutaneous side-effects in patients on long-term treatment with epidermal growth factor receptor inhibitors. Br J Dermatol. 2009；161（3）：515-21.
5) Lacouture ME, Mitchell EP, Piperdi B, et al. Skin toxicity evaluation protocol with panitumumab(STEPP), a phaseⅡ, open-label, randomized trial evaluating the impact of a pre-Emptive Skin treatment regimen on skin toxicities and quality of life in patients with metastatic colorectal cancer. J Clin Oncol. 2010；28（8）：1351-7.
6) Kobayashi Y, Komatsu Y, Yuki S, et al. Randomized controlled trial on the skin toxicity of panitumumab in Japanese patients with metastatic colorectal cancer：HGCSG1001 study：J-STEPP. Future Oncol. 2015；11（4）：617-27.
7) Goto H, Yoshikawa S, Mori K, et al. Effective treatments for paronychia caused by oncology pharmacotherapy. J Dermatol. 2016；43（6）：670-3.
8) Hachisuka J, Yunotani S, Shidahara S, et al. Effect of adapalene on cetuximab-induced painful periungual inflammation. J Am Acad Dermatol. 2011；64（2）：e20-1.
9) 平川聡史, 青島正浩. 爪囲炎・爪および毛の変化. 四国がんセンター化学療法委員会皮膚障害アトラス作成ワーキンググループ編著. 分子標的薬を中心とした皮膚障害 診断と治療の手引き. メディカルレビュー社；2014. p24-31.
10) 平川聡史, 森ひろみ. 皮膚障害の評価方法を教えてください. 四国がんセンター化学療法委員会皮膚障害アトラス作成ワーキンググループ編著. 分子標的薬を中心とした皮膚障害 診断と治療の手引き. メディカルレビュー社；2014. p65-74.

5. 毛髪・睫毛異常
1) アストラゼネカ株式会社. タグリッソ®添付文書.
2) メルクバイオファーマ株式会社. アービタックス®添付文書.
3) メルクバイオファーマ株式会社. アービタックス®適正使用ガイド.
4) 日本臨床腫瘍研究グループ. Common Terminology Criteria for Adverse Events（CTCAE）version5.0（有害事象共通用語規準v5.0 日本語訳JCOG版）. 2022.

2 マルチキナーゼ阻害薬

1. 手足症候群
1) バイエル薬品株式会社．スチバーガ®適正使用ガイド．
2) エーザイ株式会社．レンビマ®適正使用ガイド．
3) 日本臨床腫瘍研究グループ．Common Terminology Criteria for Adverse Events（CTCAE）version5.0（有害事象共通用語規準 v5.0 日本語訳 JCOG 版）．2022．
4) 小林美沙樹，小田中みのり，鈴木真也，他．ソラフェニブによる手足症候群に対する尿素配合軟膏の予防投与の有効性．医療薬．2015；41（1）：18-23．

2. 多形紅斑
1) Patel R, Mohan A, Omar N, et al. Drug-induced Erythema Multiforme Major in an Elderly Female. J Community Hosp Intern Med Perspect. 2022；12（3）：71-4.
2) Sánchez-González MJ, Barbarroja-Escudero J, Antolín-Amérigo D, et al. Erythema Multiforme Induced by Tramadol：An Allergy Assessment. J Investig Allergol Clin Immunol. 2020；30（4）：290-1.
3) Paillaud E, Galvin A, Doublet S, et al. Health literacy and the use of digital tools in older patients with cancer and their younger counterparts：A multicenter, nationwide study. Patient Educ Couns. 2025；130（Jan）：108420.
4) Trayes KP, Love G, Studdiford JS. Erythema Multiforme：Recognition and Management. Am Fam Physician. 2019；100（2）：82-8.
5) Grünwald P, Mockenhaupt M, Panzer R, et al. Erythema multiforme, Stevens-Johnson syndrome/toxic epidermal necrolysis-diagnosis and treatment. J Dtsch Dermatol Ges. 2020；18（6）：547-53.
6) de Risi-Pugliese T, Sbidian E, Ingen-Housz-Oro S, et al. Interventions for erythema multiforme：a systematic review. J Eur Acad Dermatol Venereol. 2019；33（5）：842-9.
7) Zoghaib S, Kechichian E, Souaid K, et al. Triggers, clinical manifestations, and management of pediatric erythema multiforme：A systematic review. J Am Acad Dermatol. 2019；81（3）：813-22.
8) Azhar AF, Saporito RC, Jamerson J. Erythema multiforme after treatment with sorafenib. Proc（Bayl Univ Med Cent）. 2021；34（3）：380-1.
9) 白藤宜紀，仁科智裕，小暮友毅，他．マルチキナーゼ阻害薬に起因する皮膚障害の治療手引き 皮膚科・腫瘍内科有志コンセンサス会議からの提案．臨医薬．2016；32（12）：951-8．
10) Kubota Y, Fujita KI, Takahashi T, et al. Higher Systemic Exposure to Unbound Active Metabolites of Regorafenib Is Associated With Short Progression-Free Survival in Colorectal Cancer Patients. Clin Pharmacol Ther. 2020；108（3）：586-95.
11) Fujita KI, Matsumoto N, Murase R, et al. Associations of HLA-C*01：02 and HLA-B*46：01 with regorafenib-induced erythema multiforme in Japanese patients with metastatic colorectal cancer. Clin Transl Sci. 2023；16（10）：1741-7.
12) 鈴木亜希，陳 慧芝，内田敬久，他．分子標的薬ソラフェニブによる多形紅斑型薬疹．皮病診療．2014；36（5）：445-8．
13) 塩谷 淳，西村貴士，西田淳史，他．ソラフェニブによる多形紅斑に対し，ステロイド併用下の再投与が有効であった切除不能肝細胞癌の2症例．日消誌．2014；111（7）：1424-32．

3 その他の小分子性阻害薬

1. 皮膚障害
1) Kopetz S, Grothey A, Yaeger R, et al. Encorafenib, Binimetinib, and Cetuximab in BRAF V600E-Mutated Colorectal Cancer. N Engl J Med. 2019；381（17）：1632-43.
2) Tabernero J, Grothey A, Van Cutsem E, et al. Encorafenib Plus Cetuximab as a New Standard of Care for Previously Treated BRAF V600E-Mutant Metastatic Colorectal Cancer：Updated Survival Results and Subgroup Analyses from the BEACON Study. J Clin Oncol. 2021；39（4）：273-84.
3) Planchard D, Smit EF, Groen HJM, et al. Dabrafenib plus trametinib in patients with previously untreated BRAFV600E-mutant metastatic non-small-cell lung cancer：an open-label, phase 2 trial. Lancet Oncol. 2017；18（10）：1307-16.
4) Finn RS, Martin M, Rugo HS, et al. Palbociclib and Letrozole in Advanced Breast Cancer. N Engl J Med. 2016；375（20）：1925-36.
5) Goetz MP, Toi M, Campone M, et al. MONARCH 3：Abemaciclib As Initial Therapy for Advanced Breast

Cancer. J Clin Oncol. 2017 ; 35（32）: 3638-46.
6) Eiger D, Wagner M, Pondé NF, et al. The impact of cyclin-dependent kinase 4 and 6 inhibitors(CDK4/6i) on the incidence of alopecia in patients with metastatic breast cancer（BC）. Acta Oncol. 2020 ; 59（6）: 723-5.

第2章 殺細胞性抗がん薬

1 代謝拮抗薬，アントラサイクリン系，微小管阻害薬

1 皮膚障害

第2章 殺細胞性抗がん薬

1 代謝拮抗薬，アントラサイクリン系，微小管阻害薬

1 皮膚障害

はじめに

殺細胞性抗がん薬のなかで，代謝拮抗薬，アントラサイクリン系，微小管阻害薬は皮膚障害を誘発しやすい薬剤が含まれる。特に，代謝拮抗薬では，カペシタビンによる手足症候群，S-1による皮疹，ゲムシタビンによる薬疹がみられ，アントラサイクリン系では，血管外漏出，微小管阻害薬では薬疹，アナフィラキシー，爪囲炎がみられる。

代謝拮抗薬（フッ化ピリミジン）誘発性手足症候群

概要

カペシタビンを始め代謝拮抗薬（フッ化ピリミジン）による手足症候群は日本を含む東アジアにて発症頻度が高く，全Gradeで約70％の発症頻度である[1〜3]。日常生活に影響の出るGrade 2以上の症状でも約30％の患者でみられる。ほとんどは，投与開始後3カ月程度までに発症し[4]，重症化すると症状が遷延するケースが多い。現在，確立された予防方法はなく，刺激からの回避や，保湿を中心とした方法が推奨されており[5]，薬物治療としての予防は発展途上である。近年，ジクロフェナクゲルの予防効果[6]がRCTによって示された（保険適用外）。カペシタビン導入患者に対しては，皮膚ストレスの回避，保湿の慣行などの予防方法について説明することが必要である。

重症度評価

手足症候群の重症度を表1，2に示す。評価はCTCAE v5.0またはBlumらの分類[7]に基づく。臨床試験においては，CTCAEが用いられることが多いが，日常臨床においては臨床領域，機能領域ともに評価が可能であるBlumらの分類が用いられることもある。

表1 手足症候群の重症度評価（CTCAE v 5.0）

	Grade 1	Grade 2	Grade 3
手掌・足底発赤知覚不全症候群	疼痛を伴わない軽微な皮膚の変化または皮膚炎（例：紅斑，浮腫，角質増殖症）	疼痛を伴う皮膚の変化（例：角層剥離，水疱，出血，亀裂，浮腫，角質増殖症）；身の回り以外の日常生活動作の制限	疼痛を伴う高度の皮膚の変化（例：角層剥離，水疱，出血，亀裂，浮腫，角質増殖症）；身の回りの日常生活動作の制限

（有害事象共通用語規準 v5.0 日本語訳 JCOG 版より引用）

表2 手足症候群の重症度評価（Blumらの分類）

		臨床領域	機能領域
手	1	しびれ，皮膚知覚過敏，ヒリヒリ・チクチク感，無痛性腫脹，無痛性紅斑，色素沈着，爪の変形	日常生活に制限を受けることのない症状
	2	腫脹を伴う有痛性紅斑，爪甲の高度な変形・脱落	日常生活に制限を受ける症状
	3	湿性痂皮・落屑，水疱，潰瘍，強い痛み	日常生活を遂行できない症状
		臨床領域	機能領域
足	1	しびれ，皮膚知覚過敏，ヒリヒリ・チクチク感，無痛性腫脹，無痛性紅斑，色素沈着，爪の変形	日常生活に制限を受けることのない症状
	2	腫脹を伴う有痛性紅斑，爪甲の高度な変形・脱落	日常生活に制限を受ける症状
	3	湿性痂皮・落屑，水疱，潰瘍，強い痛み	日常生活を遂行できない症状

治療

Grade 2以上の症状は疼痛を伴い，患者の日常生活動作（ADL）に影響を与える。薬物治療としてはvery strong class以上の副腎皮質ステロイド外用薬が推奨される[5]（表3）。

表3 ESMOガイドラインの推奨

Grade（CTCAE v.5.0）	介入
Grade 0（予防）	予防行動，スキンケア ・手足への刺激を避ける ・化学的ストレスを避ける ・化学療法開始前の手足症候群発症要因の治療
Grade 1, 2	・化学療法は減量せずに重症度の変化を観察 ・高力価副腎皮質ステロイド*外用薬の使用 ・2週間後の再評価
Grade 3	・Grade 1以下になるまで化学療法中止 ・高力価副腎皮質ステロイド*を使用しながら化学療法継続 ・2週間後の再評価

*本邦の場合，very strong classが多く含まれる

（文献5）より一部抜粋）

回復までは2週間以上を要する場合が多く，症状の遷延により治療強度を大きく落とすケースも散見される。発症早期における適切な介入が重要な皮膚障害である。

タキサン系および代謝拮抗薬（フッ化ピリミジン）による爪囲炎

概要

タキサン系抗がん薬によって，爪の変化，色素沈着，剥離，爪甲下出血，爪甲下膿瘍などの障害を生じる（122, 124ページ参照）。発現頻度は30～40％程度[8)9)]であり，多くは蓄積性で，投与回数が増すにつれて重症化する傾向がある。タキサン系抗がん薬では，爪甲の変化や色素沈着，剥離などを生じた後，爪甲下にときに血性を混じる滲出液，あるいは血腫を形成する。爪囲炎を合併したり，感染により爪甲下に膿が貯留したり，悪臭を伴ったりすることもある。また，フッ化ピリミジン系抗がん薬で爪囲炎を生じる場合がある（図1）。爪甲剥離や爪甲下出血，膿瘍，爪囲炎などによる疼痛によって，患者のQOLが低下する。爪囲炎が原因となる抗

がん薬の休薬はしばしば見受けられ，治療強度に影響を与える。タキサン系誘発爪囲炎に関する予防/治療のエビデンスは限られており，確立された方法はない。しかし，慣例的な薬物療法として very strong class 以上の副腎皮質ステロイド外用薬，肉芽処置や爪甲の部分切除などの外科的処置が実施される（図1）。

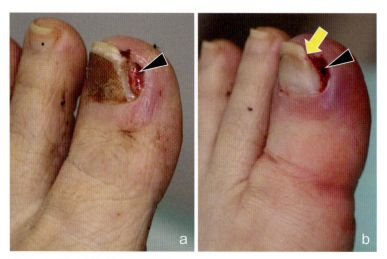

図1　カペシタビンによる爪囲炎，Grade 3
70代女性。トリプルネガティブ乳がんに対する術後薬物療法でカペシタビン7サイクルを実施した。
a. 第1趾に爪囲炎が現れ，肉芽を併発した（矢頭）。疼痛を伴い，歩行障害を生じたため Grade 3 と診断した。
b. 外科的に肉芽を切除し（矢頭），ストレスポイントの爪甲を一部切除した（矢印）。局所麻酔薬を注射したため，第1趾は腫脹している。カペシタビンを休薬し，皮膚症状が Grade 1 へ回復した後，カペシタビンを一段階減量して8サイクル目を実施した。

（写真提供：聖隷浜松病院　平川聡史）

重症度評価

爪障害と，それにより生じ得る皮膚疼痛の重症度を表4に示す。評価はCTCAE v5.0に基づく。

表4　爪障害と皮膚疼痛の重症度評価

CTCAE v5.0 Term 日本語	Grade			注釈
	1	2	3	
爪変色	症状がない；臨床所見または検査所見のみ	―	―	爪の変色
爪脱落	症状のない爪の剥離または爪の脱落	爪の剥離または爪の脱落による症状；身の回り以外の日常生活動作の制限	―	爪のすべてまたは一部の脱落
爪線状隆起	症状がない；臨床所見または検査所見のみ；治療を要さない	―	―	垂直方向または水平方向の爪の隆起
皮膚疼痛	軽度の疼痛	中等度の疼痛；身の回り以外の日常生活動作の制限	高度の疼痛；身の回りの日常生活動作の制限	皮膚の著しく不快な感覚

（有害事象共通用語規準 v5.0 日本語訳 JCOG 版より引用）

治療（表5）

　Grade 1の症状であれば，通常，治療は要さないが，症例に応じて副腎皮質ステロイド外用薬や抗菌薬を用いることがある。爪囲炎は外観以上に患者の苦痛が大きいことに留意すべきである。Grade 2以上への進行を抑制するため，手に関しては水仕事や洗剤類を扱う際には，綿手袋にゴム手袋を重ねるなど，足に関してはサイズに余裕のある靴を使用するなどの予防策を行う。爪甲下血腫形成により痛みを伴う場合（Grade 2以上）には，very strong class以上の副腎皮質ステロイド外用薬を用いる，外科的処置としてドレナージを行うことなどもある。痛みが非常に強い場合（Grade 3以上）には，爪甲の部分切除や部分抜爪を要することがある。膿瘍を形成している場合には，洗浄・ドレナージに加え細菌培養を行い，薬剤感受性に基づいて，抗菌薬の外用や内服を要する。副腎皮質ステロイド外用薬が用いられるほか[5)10)]，前述のように膿瘍を形成している場合には細菌培養を行い，起因菌および薬剤感受性に基づいて適切な抗菌薬を投与する必要がある[9)]。また，薬剤投与時にフローズングローブや氷水による手足の冷却を行うことが爪毒性の予防，治療に有用であることも報告[11)]されているが，その運用方法についてはさらなる検討が必要である[12)]。

表5　ESMOガイドラインの推奨

Grade（CTCAE v.5.0）	介入
Grade 0（予防）	スキンケア ・サイズに余裕のある靴の着用 ・水仕事の際には手袋を着用する ・爪を短く切りすぎない ・摩擦，過度の圧迫を避ける
Grade 1	・化学療法は減量せずに重症度の変化を観察 ・抗菌薬，副腎皮質ステロイド外用薬の塗布 ・2週間後の再評価
Grade 2	・化学療法は減量せずに重症度の変化を観察：感染が疑われる場合は，細菌/ウイルス/真菌の培養を行う ・抗菌薬，副腎皮質ステロイド外用薬の塗布 ・抗菌薬の内服 ・2週間後の再評価
Grade 3以上	・Grade 1以下になるまで化学療法中止：感染が疑われる場合は，細菌/ウイルス/真菌の培養を行う ・抗菌薬，副腎皮質ステロイド外用薬の塗布 ・抗菌薬の内服 ・部分的抜爪を考慮する ・2週間後の再評価：改善しない場合，化学療法の中止を検討

（文献5）より一部抜粋）

まとめ

　患者の生活背景を含めたさまざまな因子によって，外用薬の使用アドヒアランスが低下している場合もあり，単独職種では十分なケアが行えない場合が多く，多職種連携チームアプローチを行っていくとよい。

（飯村洋平）

■第2章 殺細胞性抗がん薬

> **症例1**
> **診断名**：手足症候群，口唇・口内炎，下痢，発熱性好中球減少症
> **重症度評価**：〔手足症候群，口唇・口内炎，下痢〕Grade 2，中等症，〔発熱性好中球減少症〕Grade 3，重症
> **原因薬剤**：フルオロウラシル
> **支持療法**：一段階減量，very strong class の副腎皮質ステロイド（アンテベート®軟膏など）外用，炎症性皮膚疾患治療薬（アズノール®軟膏など）外用，含嗽用ハチアズレ®顆粒，ビフィズス菌製剤（ビオフェルミン®など）内服

〔**概要**〕40代女性。絨毛がん，多発肺転移。既往歴：前置胎盤，子宮全摘。がん薬物療法を導入したが，病態進行のため，三次治療 FA 療法（フルオロウラシル 1,500 mg/body day 1〜5，アクチノマイシン D 0.5 mg/body day 1〜5 3週ごと）を開始した。2サイクル7日目（1病日），口唇部にびらん・疼痛が現れ（図1），下痢を併発した。6病日，発熱性好中球減少症を発症したため，食止め・広域抗菌薬静脈投与・高カロリー輸液を開始した。15病日，手指に滲出性の紅斑・びらんが現れた（図2）。灼熱感を伴い，手足症候群と診断した（Grade 2）。足底部に皮疹は現れなかった。

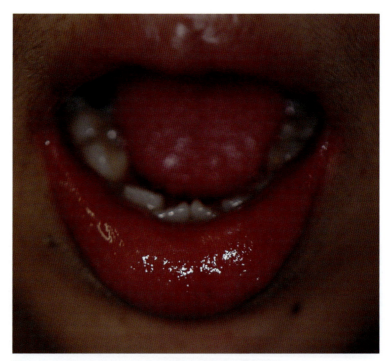

図1 フルオロウラシルによる口唇・口内炎，Grade 2
下口唇（赤唇）全体がびらんをなし，瑞々しい印象を与える。患者は疼痛を訴えた。

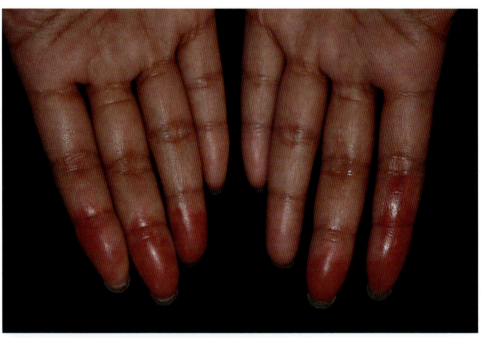

図2　フルオロウラシルによる手足症候群，Grade 2
両第2〜4指の指腹部に滲出性の紅斑を認め，びらんを呈する。

〔経過〕病状が回復したため，フルオロウラシルを一段階減量し（80％へ減量），17病日から3サイクル目を開始した。その後，口唇・口内炎は軽減し，手足症候群は再燃することなく消失した。

ここがポイント

フルオロウラシルは，手足症候群とともに口唇・口内炎を生じることがある。口唇・口内炎に下痢を伴う場合には消化管粘膜障害を示唆し，患者は発熱性好中球減少症を発症する場合がある。

自験例ではペグフィルグラスチムを投与していたが，Grade 4の好中球減少をきたし，発熱性好中球減少症を発症した。このため，フルオロウラシルを一段階減量した。

がん薬物療法の治療強度を維持するにはリスクと患者の忍容性を考慮し，口唇・口内炎を生じたタイミングで予防的に抗菌薬を投与するほうがよい場合もあると考えた。

（平川聡史）

| 症例 2 | 診断名：手足症候群，口内炎
重症度評価：〔手足症候群〕Grade 3，重症，〔口内炎〕Grade 2，中等症
原因薬剤：カペシタビン
支持療法：一段階減量，創傷被覆材（デュオアクティブ® ET など），strongest class の副腎皮質ステロイド（デルモベート® 軟膏など）外用，保湿薬（ヘパリン類似物質油性クリームなど）外用 |

〔概要〕60 代女性。乳がん初発。体表面積 1.45 m^2。乳がん Stage ⅡA（トリプルネガティブ）と診断され，術前薬物療法・手術を実施した。治療効果の判定では病理学的完全奏効を得られなかったため，術後薬物療法［カペシタビン 1,250 mg/m^2×2 回/日（day 1～14）3 週ごと］×8 サイクルを開始した（保険適用外）。カペシタビン 3,600 mg/日のまま 2 サイクル終了し，掌蹠の皮疹，疼痛を生じたため支持医療科へ紹介された。初診時の臨床像を示す（1 病日，図 1，2）。患者は掌蹠に疼痛 NRS 8 を訴え，日常生活に支障をきたしていた。このため，カペシタビンによる手足症候群 Grade 3 と診断した。患者は口内炎を併発していた。

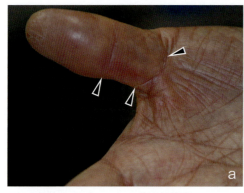 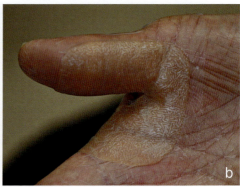

図 1　カペシタビンによる手足症候群，Grade 3
a. 関節屈曲部に発赤・腫脹があり，強い疼痛を伴う（NRS 8）。
b. 疼痛緩和の目的で，皺襞を覆うよう第 1 指間にドレッシングを行った。その後，直ちに疼痛は軽減した（NRS 4）。デュオアクティブ® ET の後，カテリープラス™ロールを貼付した。

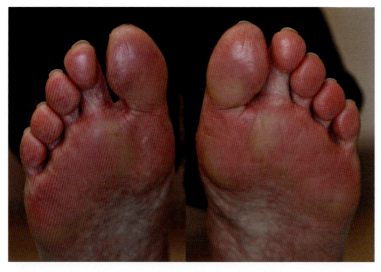

図 2　初診時，両足底部の所見
趾腹および母趾球部を始め発赤・腫脹を認める。患者は歩行困難を訴えたため，手足症候群 Grade 3 と診断した。

〔経過〕カペシタビン3サイクル目を延期し，手足症候群に対するケアを開始した．疼痛を緩和する目的で第1指間に創傷被覆材を貼布した（図1b）．それ以外の患部に炎症を軽減する目的で strongest class の副腎皮質ステロイド（デルモベート®軟膏）を外用し，保湿のため保湿薬（ヘパリン類似物質油性クリーム）外用を追加してセルフケアを継続した．さらに症状日誌を患者に書いてもらい，皮膚症状の変化や日常生活への影響を patient-reported outcome に基づいて評価した．15病日，なお疼痛と歩行困難を訴えたため，患者に靴下を脱いでもらい診察した（図3）．この結果，第1趾MP関節の皺襞に沿って亀裂を認めた．デュオアクティブ® ET を貼付してドレッシングを行い，18病日に観察すると上皮化しており，疼痛も消失した．手足症候群は Grade 1 以下へ回復したと判断し，22病日からカペシタビンを一段階減量し，3,000 mg/日で3サイクル目を開始した．

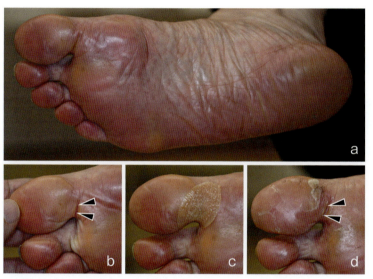

図3 経過
a. 15病日．右足底部を示す．初診時（1病日）に比べると腫脹は軽減し，一見すると亀裂を認めない．
b. 15病日．第1趾MP関節部を注意深く観察すると線状の亀裂があり，患者は強い疼痛を訴えた（NRS 8）．
c. 15病日．MP関節部に対してデュオアクティブ® ET を貼付した．患者は「疼痛が緩和した（NRS 4）．貼付前とは明らかに異なる」と表出した．
d. 18病日．亀裂部は上皮化し始め，疼痛は消失した．周囲の皮膚は，過角化のため剥離し始めた．

ここがポイント

手足症候群に伴う疼痛は，掌蹠の皺襞に沿って生じ，手指の第1指間に起きやすい．経過に伴い，掌蹠は乾燥・過角化を伴い，亀裂を起こしやすくなるので留意する．疼痛を緩和するには，創傷被覆材によるドレッシングが有用である．

患者に症状日誌を書いてもらうと評価に役立つ．診察日は皮膚症状が回復しているため，日常生活で患者がつらいことに気づかないことがある．カペシタビンを始め薬剤内服中，手足症候群が悪化しやすいので，必要に応じて薬局薬剤師が電話訪問・重症度評価を行い，トレーシングレポートを通して主治医へ処方提案することは，患者の QOL を守るうえで重要である．

自験例では口内炎を併発した．口内炎を生じると栄養量が不足しやすい．栄養量の過不足を知る一番簡便な指標は体重測定である．カペシタビンを始め内服薬を処方する場合でも，医療施設は患者の体重測定を習慣化し，患者の食に意識をもつ必要がある．

（平川聡史・鈴村里佳）

> **症例 3**
>
> 診断名：手足症候群，爪白癬
> 重症度評価：〔手足症候群〕Grade 3，重症
> 原因薬剤：カペシタビン
> 支持療法：一段階減量。創傷被覆材（デュオアクティブ®ETなど），strongest class の副腎皮質ステロイド（デルモベート®軟膏など）外用，保湿薬（ヘパリン類似物質軟膏など），セレコキシブ 200 mg/日内服，スプリント

〔概要〕60代女性。乳がん，多発骨転移および病的骨折（C7～Th2）。体表面積 1.26 m²。既往歴：特記事項なし。30代に初発した乳がんが再発し，骨転移・病的骨折のため頸胸椎後方除圧固定術を施行した。骨関連事象として右手指に屈曲拘縮あり。がん薬物療法を開始したが，病態進行のため二次治療カペシタビンを開始した（A法：1,800 mg 3投1休）。導入後，手指の乾燥を自覚し，次第に手指の皮膚症状が悪化した。4サイクル終了時の所見を示す（1病日，図1）。患者は「水に触れると亀裂に痛みがある（NRS 5）」と表出したため，手足症候群 Grade 3 と診断し，カペシタビンを休薬した。

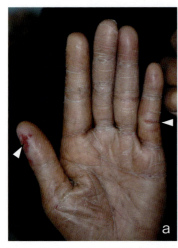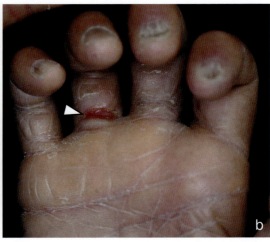

図1　カペシタビンによる手足症候群，Grade 3
a. 左手掌。手指および手掌の皺襞に沿って乾燥が目立つ。第1指および第5指に亀裂がある（矢頭）。
b. 右手の掌側。第4指の MP 関節皺襞に沿って亀裂がある（矢頭）。屈曲や水仕事に伴い疼痛を自覚する（NRS 5）。PIP 関節に屈曲拘縮，指屈筋の短縮がある。

〔経過〕炎症を軽減する目的で手掌・手指に strongest class の副腎皮質ステロイド（デルモベート®軟膏）を外用し，亀裂部には疼痛緩和の目的で創傷被覆材（デュオアクティブ®ET）を貼付した。治療開始後，保湿薬（ヘパリン類似物質軟膏）を追加し，セルフケアを継続した。29病日，皮疹は改善し，手足症候群は Grade 1 以下と判断したため，カペシタビンを一段階減量して再開した（1,200 mg/日 3投1休）。その後，両手指の皮膚症状は再燃することなく，亀裂・疼痛ともに消退した（44病日，図2）。一方，患者は右手指の拘縮・疼痛を訴え，リハビリテーションを希望した。78病日，作業療法士が手指の機能を評価し，右手指 PIP 関節に強い屈曲拘縮を認めた。このため，右手指の伸展を目標に夜間用スプリントを作成した。その後，右手指の伸展が改善し，手指の関節可動域が拡がった（図3）。関節痛を緩和するため，セレコキシブ 200 mg/日を併用した。

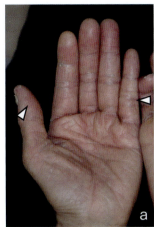
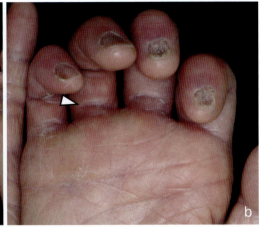

図2　経過，44病日，カペシタビン一段階減量後
a. 左手掌。乾燥は消失し，亀裂も上皮化した（矢頭）。初診時に比べて色素沈着が軽減，手掌の色調が回復し，苔癬化も消失した。
b. 右手の掌側。第4指の亀裂が上皮化し，皮膚の疼痛が消失した。

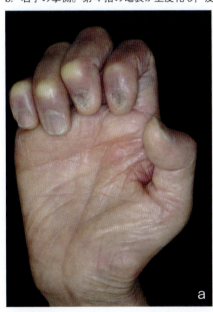

図3　経過，132病日
a. 作業療法により，右手指は伸展を始め屈曲でも関節可動域が拡がった。
b. 第1指と第2指が接するようになり，患者は物を掴むことができるようになった（矢頭）。

ここがポイント

　手足症候群の疼痛は，患者の日常活動・動作や運動意欲を低下させる。自験例では手足症候群が改善したため患者の気持ちが前向きになり，リハビリテーションを希望した。作業療法士が介入し，スプリント装着により手指の機能が回復した。

　一般に再発治療では，積極的がん治療が病態進行まで継続される。このため，患者が意欲を保ち，医療者と目標をともにすることは重要である。自験例では患者が希望を表出し，作業療法士が目標を達成するために医療を通して支援した。がん治療に伴う副作用を軽減することは，患者がwell-beingを回復するうえで極めて重要である。

（平川聡史）

症例 4	診断名：固定薬疹 重症度評価：Grade 2，中等症 被疑薬：テガフール・ギメラシル・オテラシルカリウム（ティーエスワン®） 支持療法：Strongest class の副腎皮質ステロイド（デルモベート® 軟膏など）外用

〔概要〕40代男性。膵臓がん。初発。膵臓がんと診断され，術前薬物療法・手術を実施した。術後薬物療法（テガフール・ギメラシル・オテラシルカリウム 120 mg/日，4週服薬2週休薬）を開始したところ，次第にそう痒を伴う皮疹が現れた。その後10カ月間，皮膚病変は著変なく経過し，患者は色素沈着を訴えた（図1）。鑑別診断に薬疹，類乾癬，悪性リンパ腫などを挙げ皮膚生検を行った（図2）。病理診断は苔癬型組織反応であり，臨床像とあわせ薬疹と診断した。

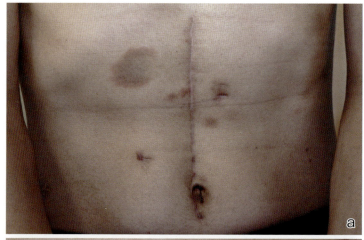

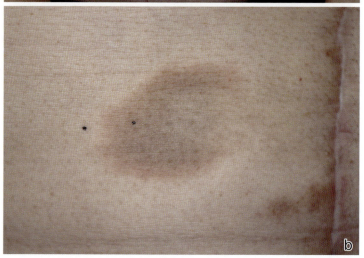

図1 ティーエスワン® による固定薬疹，Grade 2
a. 斑状の褐色斑が散在する。
b. 褐色斑の中央部はやや退色し辺縁は淡い潮紅を帯びる。マークは生検部位を示す。

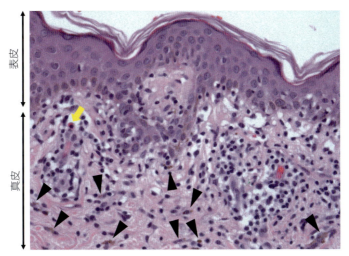

図2 病理組織所見（HE 染色）
表皮〜真皮境界部（interface）を示す。標本は，典型的な苔癬型組織反応である。表皮内に少数の単核球が浸潤し，基底層にメラニンが沈着しているが，表皮角化細胞に変性壊死を認めない。病変の主座は表皮基底層〜真皮浅層にあり，空胞変性と単核球を主体とする炎症細胞浸潤がある（interface dermatitis）。真皮内にメラニンの貪食像が散見され（矢頭），血管周囲には好酸球を認める（矢印）。典型的な薬疹の組織像である。

〔経過〕Strongest class の副腎皮質ステロイド（デルモベート® 軟膏など）を外用し，治療を開始した。皮膚症状は変化することなく経過し，術後2年で原病が再発した。テガフール・ギメラシル・オテラシルカリウムを中止した後，皮疹は消退した。

ここがポイント

慢性に経過する色素沈着の本態は，表皮のみならず真皮に滴落したメラニンである。

苔癬型組織反応は，薬疹でもっともよくみられる病理組織所見である。真皮に由来する炎症細胞が，表皮に対して免疫反応を起こしていることが示唆される。

テガフールはフルオロウラシルのプロドラッグであり，ピリミジン拮抗薬のひとつである。自験例は，臨床像からテガフール・ギメラシル・オテラシルカリウムによる薬疹（固定薬疹型）と考えた。

（平川聡史）

| 症例 5 | **診断名**：播種状紅斑丘疹型薬疹
重症度評価：Grade 2，中等症
被疑薬：パクリタキセル，カルボプラチン
支持療法：Strongest class の副腎皮質ステロイド（デルモベート® 軟膏など）外用，副腎皮質ステロイド（プレドニゾロン）15 mg/日内服 |

〔**概要**〕60 代男性。肺がん，縦隔リンパ節転移 Stage ⅢB。既往歴：2 型糖尿病。肺がん根治目的で同時化学放射線治療を計画した（パクリタキセル 40 mg/m², カルボプラチン AUC 2 毎週×6 サイクル，放射線総量 60 Gy, 30 回分割照射）。2 サイクル 9 日目，四肢に紅色丘疹および浮腫性紅斑が出現した（1 病日，図 1）。そう痒を伴う。4 病日，下腿部の病変部を生検した（図 2a）。HE 標本で苔癬型組織反応および真皮に単核球浸潤を認めたため，播種状紅斑丘疹型薬疹 Grade 2 と診断した。

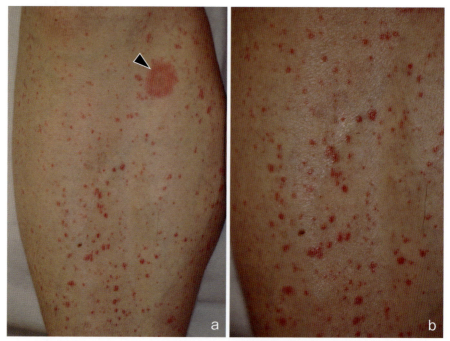

図1 パクリタキセルおよびカルボプラチンによる播種状紅斑丘疹型薬疹，Grade 2
a. 紅色丘疹が散在・多発し，やや大型の浮腫性紅斑もみられる（矢頭）。
b. 紅色丘疹は浸潤を伴うが，必ずしも毛包とは一致しない。ざ瘡（様皮疹）とは分布が異なる。

〔経過〕Strongest class の副腎皮質ステロイド（デルモベート®軟膏など）外用で治療を開始したが，皮疹は軽減しなかった。がん薬物療法を予定どおり実施しつつ，5 サイクル開始時（15 病日）副腎皮質ステロイド（プレドニゾロン）15 mg/日内服を 3 日間併用した。この結果，21 病日に皮疹は軽快した（図 2b）。6 サイクル目，同様に支持療法を行い，皮疹の再燃なく同時化学放射線治療を終了した。その後，維持療法デュルバルマブへ移行した。

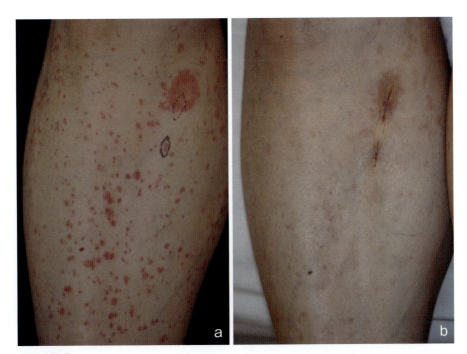

図 2　経過
a. 4 病日。右下腿部の浮腫性紅斑および紅色丘疹を生検した（マーキング部）。
b. 21 病日。紅斑，丘疹は消退し，淡い色素沈着が残存する。

ここがポイント

パクリタキセルは溶媒としてポリオキシエチレンヒマシ油および無水エタノールを使用する。このため，初回投与時にアナフィラキシーショックを起こしたり，経過中薬疹を生じたり，アレルギーを生じやすい。自験例では 1 サイクル目に薬剤に感作され，2 サイクル目からアレルギー反応が惹起されたと考えた。

殺細胞性抗がん薬による蓄積毒性のため，次第に外用療法では薬疹を軽減できなくなった。このため，自験例では 5 サイクルから副腎皮質ステロイド（プレドニゾロン）を併用し，薬疹を治療した。

自験例では 2 型糖尿病があり，感染症を始め副腎皮質ステロイド薬による副作用に留意した。

（平川聡史）

症例 6	診断名：爪障害（爪の先端の剝離，爪甲下出血，爪甲剝離） 重症度評価：Grade 2，中等症 原因薬剤：パクリタキセル，セツキシマブ 支持療法：なし

〔概要〕60代男性。下咽頭がん，肝転移，多発リンパ節転移。一次治療FP＋ペムブロリズマブ療法を6サイクル，二次治療weeklyパクリタキセル＋セツキシマブを19サイクル，5カ月にわたって実施した。三次治療テガフール・ギメラシル・オテラシルカリウム（ティーエスワン®）導入時，患者は「最近，爪の先が二枚爪になる」と訴え，爪部に疼痛を自覚した（1病日，図1）。

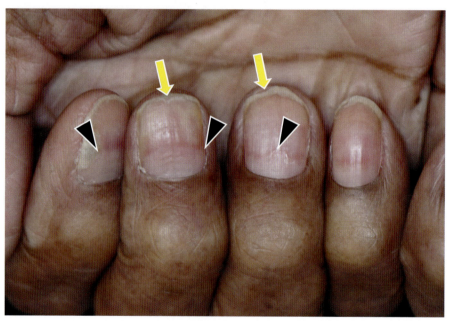

図1 パクリタキセルおよびセツキシマブによる爪障害，Grade 2
1病日。爪半月が延長し，境界部では毛細血管拡張を認める（矢頭）。右第3指，第4指の爪の尖端が欠け，いわゆる「二枚爪」を呈する（矢印）。

〔経過〕パクリタキセルおよびセツキシマブによる爪障害と考えた。15病日，右第3指に爪甲下出血が現れた（図2a 矢頭）。右第4指の爪甲は白色を帯び，爪床から剝離したことが示唆された（図2a 矢印）。31病日，右第3指の爪甲が剝離した（図2b 矢頭）。右第4指では，15病日と同様に爪甲が白色を帯びる。

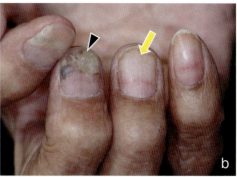

図2 経過
a. 15病日。右第3指に爪甲下出血（矢頭），第4指に爪甲剝離が現れた（矢印）。
b. 31病日。右第3指に爪甲剝離を認めた（矢頭）。第4指の爪甲剝離は継続した（矢印）。

ここがポイント

EGFR阻害薬および抗EGFR中和抗体により爪甲は菲薄化し，爪の先が割れやすくなる。
パクリタキセルを始め微小管阻害薬は，爪甲下出血や爪甲剝離を生じやすい。

自験例では爪部に疼痛を伴い，自覚症状が現れているためGrade 2と判断した。患者の主観的評価（patient-reported outcome など）は，重症度評価を行ううえで重要な情報である。

爪障害は緩徐に現れやすい。自験例では，爪障害の要因はパクリタキセルおよびセツキシマブだが，自覚的および他覚的所見は次治療に移るタイミングで現れ，三次治療中に進行した。

（平川聡史）

| 症例 7 | 診断名：爪障害（Beau線条，色素沈着，爪甲肥厚，ひょう疽），末梢神経障害
重症度評価：Grade 2，中等症
原因薬剤：ドセタキセル
支持療法：穿刺排膿，セファレキシン1,000 mg/日内服，ロキソプロフェン60 mg頓用 |

〔概要〕50代女性。進行腹膜がん。初回腫瘍減量術，術後DC療法を6サイクル実施した（ドセタキセル75 mg/m^2＋カルボプラチン AUC 6 3週ごと）。2サイクル目からベバシズマブを併用し，次第に爪の変化を自覚した（図1a，1病日）。DC療法＋ベバシズマブ終了後，爪の変化は持続した（図1b，42病日）。ドセタキセルによる末梢神経障害も併発し，手指に残存した。原病に対する治療は，維持療法ニラパリブを導入した。

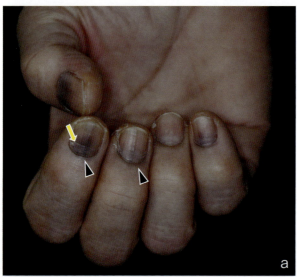

図1 ドセタキセルによる爪障害，Grade 2
a. DC療法＋ベバシズマブ4サイクル後の右手の所見。爪甲の基部にBeau線条を認め（矢印），爪甲および後爪郭に色素沈着を伴う（矢頭）。
b. DC療法＋ベバシズマブ6サイクル後の右手の所見。Beau線条は爪甲に複数現れ（矢印），色素沈着は縦走し，びまん性に広がる（矢頭）。

〔経過〕156病日（5カ月後），爪障害は爪甲の末梢主体に残存した（図2a, b）。左第4指に細菌性爪囲炎（ひょう疽）を併発し，患者は疼痛を訴えた（図2b, 3）。他指に比較して，患指のしびれが悪化した。セファレキシンとともにロキソプロフェンを併用し，内服薬で治療した。波動を触れたタイミングで穿刺排膿し，疼痛は軽減した。一般細菌培養で Streptococcus intermedius を検出した。ニラパリブは休薬せず継続した。

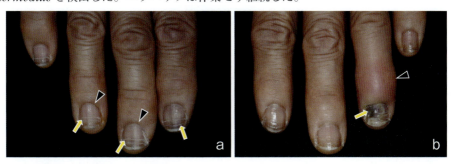

図2　経過，156病日（5カ月後）
a. 右手。Beau線条は残存するが，爪甲の末梢部に移行した（矢印）。爪甲および後爪郭の色素沈着は，かなり消失した（矢頭）。
b. 左手。第4指に発赤・腫脹が現れた（矢頭）。熱感あり，爪甲下出血を伴う（矢印）。

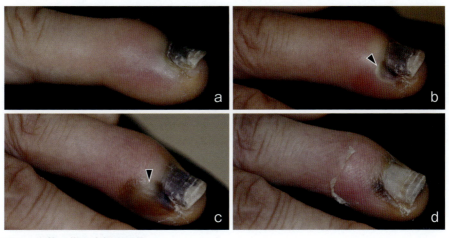

図3　左第4指正中側の所見
爪甲は肥厚し，Beau線条が残存する。
a. 156病日。発赤・腫脹あり。
b. 159病日。側爪郭に褐色の膿疱（壊死組織）が現れた（矢頭）。辺縁は乳白色を帯びるため，排膿を促した。
c. 163病日。膿疱が拡大した（矢頭）。このため穿刺排膿し，疼痛は軽減した。
d. 発赤・腫脹は消退し，痂皮・壊死組織は脱落した。

ここがポイント

ひょう疽は，爪部の細菌感染症である。爪甲が肥厚し，爪床から剥離すると，爪床や爪囲で細菌感染症を生じることがある。患者に疼痛を伴うため，処置に難渋することもあるが，積極的に排膿し，細菌培養の結果を踏まえて抗菌薬による治療を行う。

自験例ではドセタキセルに伴う末梢神経障害が局所の炎症とともに悪化することが示唆された。

（平川聡史）

> **症例 8**
> 診断名：手足症候群，化学療法誘発性末梢神経障害
> 重症度評価：〔手足症候群〕Grade 3，重症
> 原因薬剤：ドセタキセル
> 支持療法：一段階減量。創傷被覆材（ハイドロサイト®ジェントル銀など），strongest classの副腎皮質ステロイド（デルモベート®軟膏など）外用

〔概要〕50代女性。遺伝性乳がん卵巣がん症候群。既往歴：乳がん。パクリタキセル投与歴あり，化学療法誘発性末梢神経障害（CIPN）残存。卵巣がん術後薬物療法でDC療法を開始した（ドセタキセル75 mg/m², カルボプラチンAUC 6 3週ごと×6サイクル）。1サイクル後，CIPNが増悪し，3サイクル8日目（1病日），両足底および足趾趾腹部に紅斑・浮腫が現れた（図1a）。歩行すると踵部に強い疼痛を自覚し，歩行困難になり，日常生活に支障をきたした（図1b）。このため，ドセタキセルによる手足症候群Grade 3と診断した。また，足底部全体にしびれ・疼痛が現れたため，CIPN Grade 3と診断した。

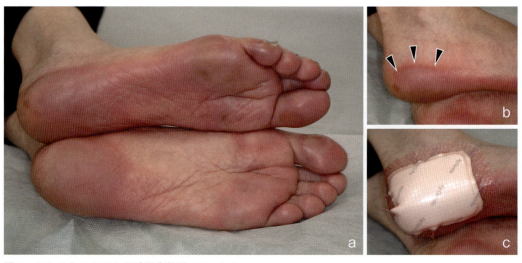

図1　ドセタキセルによる手足症候群，Grade 3
a. 両足底部〜足趾趾腹部に紅斑・浮腫を認めた。
b. 歩行時，右踵部の紅斑・浮腫は強い疼痛を伴った（矢頭）。手足症候群Grade 3と診断した。
c. 疼痛を緩和するため，創傷被覆材を貼付した。

〔経過〕踵部の疼痛を軽減するため，創傷被覆材を貼付した（図1c）。貼付後，荷重に伴う疼痛は軽減した。他の部位には strongest class の副腎皮質ステロイド（デルモベート®軟膏）を外用し，治療を開始した。14病日，炎症所見は軽減し，手足症候群 Grade 1 と判断した（図2a）。しかし，足底部全体に疼痛を生じ，CIPN が残存するためドセタキセルを一段階減量し（80%へ減量），4サイクル目を実施した。2週後（28病日），足底部の角層が剥離したが，踵部に皮疹・疼痛は再燃しなかった（図2b）。一方，CIPN は増悪し，日常生活に支障をきたしたため Grade 3 と判断した。このため術後薬物療法を4サイクルで終了した。

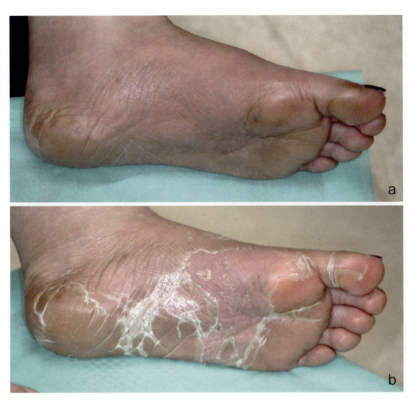

図2　経過
a. 14病日（4サイクル実施日）。炎症所見は軽減し，足趾・母趾球および踵部に表皮の硬化を伴う。手足症候群 Grade 1 と診断した。
b. 4サイクル15日目（28病日）。足底部の角質は広範に剥離した。一方，踵部に症状は再燃せず，歩行できた。このため手足症候群 Grade 2 と判断した。

❗ここがポイント

ドセタキセルによる手足症候群は CIPN を合併することがあり，歩行障害を始め日常生活に支障をきたしやすい。本症例ではパクリタキセルによる CIPN が残存する患者にドセタキセルを投与した。術後薬物療法の原則は，治療強度を維持することだが，自験例では CIPN が悪化したため相対治療強度を下げて（一段階減量を行って）治療を継続した。しかし，患者が忍容できないレベルまで CIPN が悪化したため，4サイクルで治療を終了した。

（平川聡史）

症例 9	診断名：薬剤性浮腫 重症度評価：Grade 3，重症 原因薬剤：ドセタキセル 支持療法：休薬。創傷処置。ロキソプロフェン 120 mg/日内服

〔概要〕50代女性。HER2陽性乳がん。初発。T2N0M0 Stage ⅡA。既往歴：特記事項なし。術前薬物療法でAC療法（ドキソルビシン 60 mg/m^2，シクロホスファミド 600 mg/m^2 3週ごと×4サイクル）を行い，その後ドセタキセル＋抗HER2抗体を開始した（ドセタキセル 75 mg/m^2，トラスツズマブ 8 mg/kg，ペルツズマブ 840 mg/body 3週ごと×4サイクル）。2サイクル目，両下腿部に浮腫が出現した（1病日）。3サイクル目，浮腫が増悪して皮疹が現れ，下腿部広範に疼痛を伴った（図1，2）。ドセタキセルによる薬剤性浮腫 Grade 3と診断した。

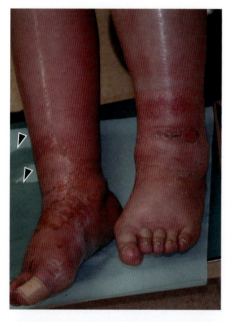

図1 ドセタキセルによる薬剤性浮腫，Grade 3
浮腫が目立ち，皮膚は紅色を帯び，滲出液を伴う。このため敷布は濡れている（矢頭）。明らかな感染徴候はみられない。

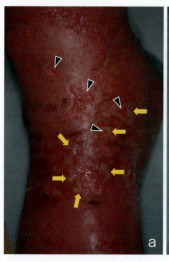 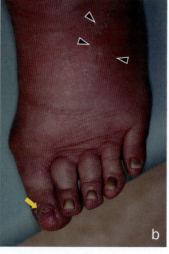

図2 足関節〜足背部の所見
a. 右足関節部に，皮膚潰瘍が虫喰い状に散在する（矢頭）。その辺縁に水疱が網状〜島状に多発し，水疱蓋が乳白色に浸軟している（矢印）。
b. 左足背部に水疱・表皮剥離を認める（矢頭）。足趾背面にも浮腫が目立ち，第1趾の爪甲は剥離している（矢印）。

〔経過〕創傷処置を行った。具体的には創面に白色ワセリンを外用，ガーゼで被覆した後，サンドガーゼで両下腿部を覆い，弾性包帯で保護した（図3）。しかし，両下腿部の皮疹・浮腫が軽減しないため，4サイクル目はドセタキセルを中止，トラスツズマブ＋ペルツズマブを投与した。5サイクル目，トラスツズマブ＋ペルツズマブを投与した後，手術を実施した（患側乳房全摘術＋センチネルリンパ節生検）。

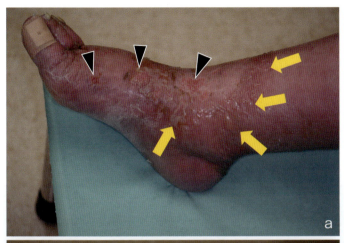

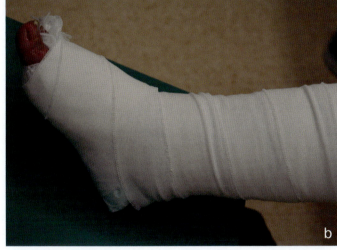

図3　右足関節部の創傷処置
a. 皮膚には炎症所見が目立ち，潰瘍（矢頭）と水疱（矢印）が多発している。
b. 白色ワセリン外用後，サンドガーゼで創部を覆い，滲出液を吸収した。その後，疼痛を生じない程度に弾性包帯で保護した。

!ここがポイント

　ドセタキセルを始めタキサン系薬剤は，他剤に比べて局所浮腫を生じやすい。浮腫は炎症を伴い，疼痛や滲出液を伴う場合がある。

　下腿部に生じた浮腫により患者は歩行に苦痛を感じ，日常生活に支障をきたしやすい。多くの場合，原因薬剤を中止したうえで対症療法を行う。

　鑑別診断は，蜂窩織炎など細菌感染症が挙げられる。一般に，感染症は片側性に浮腫・炎症症状が現れ，薬剤性は両側性に生じることが多い。自験例は薬剤性浮腫と判断し，抗菌薬を使用せず治療した。

（平川聡史）

症例 10	診断名：薬剤性ループス 重症度評価：Grade 2，中等症 原因薬剤：ドセタキセル 支持療法：一段階減量。Medium class の副腎皮質ステロイド（リドメックス®軟膏など）外用

〔概要〕70代女性。腹膜がん，がん性腹膜炎。既往歴：脳卒中，下肢深部静脈血栓症。一次治療 DC 療法（ドセタキセル 75 mg/m², カルボプラチン AUC 5 それぞれ 80％へ減量，3 週ごと）を開始した。2 サイクル後，両頬部に紅斑が現れた（1 病日，図 1a）。皮疹は耳介部にも認め（図 1b），そう痒を伴う。皮膚生検を行い，病理組織所見で苔癬型組織反応，蛍光抗体直接法で基底膜部に IgG 線状沈着を認めた。血液検査所見：抗 SS-A/Ro 抗体 643 U/mL。このため薬剤性ループスと診断した。

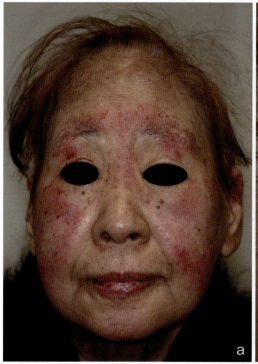 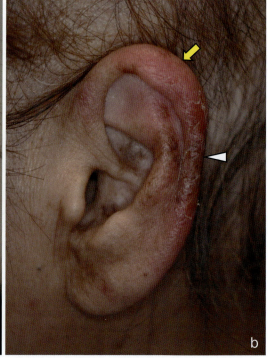

図1 ドセタキセルによる薬剤性ループス，Grade 2
a. 両頬部～眉間および眉毛・上眼瞼部に紅斑～紫紅色斑を認める。鼻根部に紅斑があり，鼻尖部には病的変化なし。赤唇には色素沈着が散在する。
b. 左耳介。耳介結節を始め紅斑があり（矢印），耳輪中央部では色素沈着および鱗屑を伴い，やや萎縮を認める（矢頭）。

〔経過〕Medium class の副腎皮質ステロイド（リドメックス®軟膏など）を外用し，治療を開始した．さらにドセタキセルを一段階減量し（65%へ減量），3サイクル目を実施した．その後，皮膚症状は再燃しなかったため DC 療法を継続し（図2），6サイクル終了後，維持療法（ニラパリブ）を開始した．

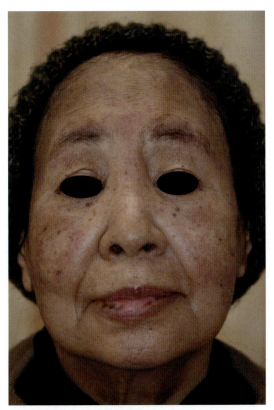

図2　経過，4サイクル時
紅斑は軽減し，両頬部や眉間部に軽度色素沈着が残存する．

ここがポイント

タキサン系抗がん薬は，薬剤性ループスを生じることがある．薬剤性ループスでは，抗 SS-A/Ro 抗体が検出されることが多い．原因薬剤を減量しつつ，原病に対するがん薬物療法を支援した．

（平川聡史）

◆ スキンケアのポイント

● 殺細胞性抗がん薬による爪障害のケア

　殺細胞性抗がん薬による爪障害は，タキサン系（パクリタキセル，ドセタキセル，アルブミン懸濁型パクリタキセル）誘発爪囲炎が代表とされる。爪の症状は爪の凸凹や色素沈着などの整容に関わる変化と，剥離や爪甲下陥入症，爪甲下出血，爪甲下膿瘍などの指先の運動機能に影響する症状に大きく分類される。抗がん薬によって薄く脆くなった爪は，乾燥すると亀裂や割れが生じやすいため，洗浄後に保湿薬を塗布して乾燥を防ぐなどの基本的スキンケアを遵守することが必要である。特に，手指や爪の表面，その周囲に保湿薬をこまめに塗ることで，爪の水分含有量を保つようにするなど，日常生活のなかにスキンケアを取り入れながら継続していけるよう支援が必要である。また，タキサン系抗がん薬によって爪肥厚を認めた爪が細菌感染を起こすと細菌性爪囲炎（ひょう疽）を起こす場合もあり，保清や保湿などの基本的なスキンケアを遵守することと，外見の変化を生じるためアピアランスを考慮したスキンケアが重要となる。

予防的スキンケア

保清	・よく泡立てた洗浄剤で指先をやさしく洗う ・爪と皮膚の間や爪先など爪の内側まで洗う ・足指は特に皮脂や汚れが残りやすいため，指1本1本を丁寧に洗う ・熱い湯での足湯は避ける
保湿	・指先や爪が乾燥していると薄爪や変形し凸凹した箇所に亀裂が入り，その部位より剥離や脱落が発生するため，乾燥予防を徹底する ・手洗い後や入浴後，ハンドクリームや爪オイル（アルコール非含有）を塗布し乾燥させない ・爪オイル塗布時は爪の根元部分をやさしくマッサージしてもよい ・保湿薬の塗布後は木綿手袋を使用する
保護	・指先を締め付けない薄手の手袋やネットなどで保護する ・炊事の際にはネットをはめ，その上からゴム手袋を使用する 　ただし，爪の浮きやグラつきを認める際は爪の補強をし，手袋などの使用を控えることもある ・指先の負担になる動作は避ける ・足のサイズにあった柔らかい靴を選ぶ ・靴下は締め付けないもので，木綿の厚手のものを選ぶ 　爪の浮きやグラつきのあるときは，靴下の爪先を丸めておき爪先に負荷を掛けないように履くよう工夫する ・もろくなった爪はマニキュアを塗布し保護・補強をする 　はじめにベースコートを塗り，その上からマニキュアを塗布，仕上げにトップコートを塗布する ・マニキュアの選択は，胡粉ネイル・レストキュア®・ビオウォーターネイル® などを勧める 　これらは有機溶剤（シンナー）を含んでいない製品であることと，アセトンを含有する除光液を使用せずに消毒用アルコールを用いて落とせるため，爪への刺激が少なく済む利点がある ・爪の横溝（Beau 線条）がある場合や色素沈着をカモフラージュしたい場合は，ネイルチップやネイルシールを活用してもよい
その他	・ドセタキセルは指先の末端冷却法を利用することで重度の爪障害の予防が可能である ・色素沈着があるときのマニキュアの色は，暗めの色や肌色に近い色を選択することを勧める ・就業などで手足指を酷使する動作を日常的に行うかをあらかじめ確認する

●**指導のポイント**

　軽症時は，痛みや目立った症状はないが爪の浮きや変形，爪割れ，亀裂を起こす。抗がん薬投与を重ねることで変色や変形，肥厚，爪先の剥離を起こし，徐々に先端の亀裂や脱落が顕著となる中等症へと至る。ときに，ズキズキとした拍動痛を伴うこともあり，指先を使う動作への支障が出現するようにもなる。重症化すると，爪甲下に出血や滲出液を伴う爪甲下血腫や，血腫（血豆），排膿などの感染を引き起こすことがあるため出現する症状にあわせたセルフケアの方法と生活指導を提供する必要がある。またタキサン系抗がん薬は，化学療法誘発性末梢神経障害（CIPN）が高頻発の薬剤であり，CIPNによる手足のしびれや知覚障害が加わることで爪障害の感覚変化が判別しにくいこともあるため十分な観察を行い，適切なスキンケア指導が提供できるよう注意する。日常生活行動においては，爪の浮きがあると指先に力を入れる動作が困難になり，欠けた爪に衣服が引っかかるなどの不自由さが目立つようになる。爪の脱落や完全剥離が生じると，指を使う動作すべてに支障が出るため多様な生活様式の変更が必要となってくる。そのため，可能な限り予防的ケアを遵守し二次感染を引き起こさないケアが重要となる。

爪障害の治療スキンケア

Grade 1 軽症	・がん薬物療法は減量せず重症度の変化を経時的に観察する ・定期的（2週間後）に爪症状の再評価をする ・抗菌薬，副腎皮質ステロイド外用薬の塗布 ・保清（洗浄）や保湿などの予防的スキンケアを継続する
Grade 2 中等症	・がん薬物療法は減量せず重症度の変化を経時的に観察する 　感染が疑われる場合は，細菌・ウイルス・真菌培養を行う ・抗菌薬，副腎皮質ステロイド外用薬の塗布 ・定期的（2週間後）に爪症状の再評価をする ・皮膚科専門医による専門的治療を検討する 　・爪甲下血腫：針入下の血腫除去や排膿，抗菌薬の内服や外用薬塗布 　・細菌性爪囲炎：抗菌薬の内服
Grade 3 重症	・強度の疼痛を伴うため，Grade 1になるまでがん薬物療法を休薬する 　感染が疑われる場合は，細菌・ウイルス・真菌培養を行う ・抗菌薬，副腎皮質ステロイド外用薬の塗布 ・抗菌薬の内服を検討 ・皮膚科専門医による専門的治療を検討する 　・部分的抜爪を考慮する ・定期的（2週間後）に爪症状の再評価をする 　症状が改善しない場合は，がん薬物療法の休薬を検討する

（中村千里）

■ 引用文献

1 代謝拮抗薬，アントラサイクリン系，微小管阻害薬

1. 皮膚障害

1) Zhang RX, Wu XJ, Wan DS, et al. Celecoxib can prevent capecitabine-related hand-foot syndrome in stage Ⅱ and Ⅲ colorectal cancer patients : result of a single-center, prospective randomized phase Ⅲ trial. Ann Oncol. 2012 ; 23（5）: 1348-53.
2) Watanabe K, Ishibe A, Watanabe J, et al. The effect of TJ-28（Eppikajutsuto）on the prevention of hand-foot syndrome using Capecitabine for colorectal cancer : The Yokohama Clinical Oncology Group Study（YCOG1102）. Indian J Gastroenterol. 2020 ; 39（2）: 204-10.
3) Masuda N, Lee SJ, Ohtani S, et al. Adjuvant Capecitabine for Breast Cancer after Preoperative Chemotherapy. N Engl J Med. 2017 ; 376（22）: 2147-59.
4) Danno K, Hata T, Tamai K, et al. Interim analysis of a phase Ⅱ trial evaluating the safety and efficacy of capecitabine plus oxaliplatin（XELOX）as adjuvant therapy in Japanese patients with operated stageⅢ colon cancer. Cancer Chemother Pharmacol. 2017 ; 80（4）: 777-85.
5) Lacouture ME, Sibaud V, Gerber PA, et al. Prevention and management of dermatological toxicities related to anticancer agents : ESMO Clinical Practice Guidelines. Ann Oncol. 2021 ; 32（2）: 157-70.
6) Santhosh A, Sharma A, Bakhshi S, et al. Topical Diclofenac for Prevention of Capecitabine-Associated Hand-Foot Syndrome : A Double-Blind Randomized Controlled Trial. J Clin Oncol. 2024 ; 42（15）: 1821-9.
7) Blum JL, Jones SE, Buzdar AU, et al. Multicenter phase Ⅱ study of capecitabine in paclitaxel-refractory metastatic breast cancer. J Clin Oncol. 1999 ; 17（2）: 485-93.
8) Capriotti K, Capriotti JA, Lessin S, et al. The risk of nail changes with taxane chemotherapy : a systematic review of the literature and meta-analysis. Br J Dermatol. 2015 ; 173（3）: 842-5.
9) Minisini AM, Tosti A, Sobrero AF, et al. Taxane-induced nail changes : incidence, clinical presentation and outcome. Ann Oncol. 2003 ; 14（2）: 333-7.
10) 中村哲史, 梶田 哲, 高木章好, 他. ドセタキセルによる二次的爪障害. 皮膚臨床. 2006 ; 48（2）: 179-83.
11) Scotté F, Banu E, Medioni J, et al. Matched case-control phase 2 study to evaluate the use of a frozen sock to prevent docetaxel-induced onycholysis and cutaneous toxicity of the foot. Cancer. 2008 ; 112（7）: 1625-31.
12) Huang KL, Lin KY, Huang TW, et al. Prophylactic management for taxane-induced nail toxicity : A systematic review and meta-analysis. Eur J Cancer Care（Engl）. 2019 ; 28（5）: e13118.

第3章 ホルモン療法薬

1 皮膚の生理的および病的変化

第3章 ホルモン療法薬

1 皮膚の生理的および病的変化

はじめに

　がん治療において，ホルモン療法は乳がんや前立腺がんなどで行われる．主な薬剤を表1に示す．従来，ホルモン療法における皮膚障害の重篤度は比較的低く，臨床的に問題となり得るケースは少ない．しかし，性ホルモンが抑制されるため，皮膚の保湿低下，しわの増加，脱毛や爪の変形などの皮膚付属器に変化が現れ，患者に苦痛を伴う場合がある（図1, 2）．この皮膚所見は生理的変化に基づくものであり，いわゆる「肌の老化」を示唆する．一方，各薬剤は薬疹を生じることがある．薬剤ごとに頻度は異なるものの，添付文書に"発疹/皮疹"と記載される場合には病的所見を示すことが多い（表1）．このため皮膚症状に気づいた場合には生理的変化によるものなのか，病的変化（薬疹）なのかを区別し，患者に説明することが望ましい．

皮膚障害

　ホルモン療法として前立腺がんに使用される抗アンドロゲン薬は，以前より治療の中心的存在として使用されている薬剤である（表1）．近年，経口抗アンドロゲン薬の選択肢のひとつとしてアパルタミド（アーリーダ®）が上市された．アパルタミドは，薬疹の頻度が高いため注意が必要である（表1）．日本人を含む3つの臨床試験（ARN-509-003, ARN-509-001, PCR1019試験）において実薬群の23.8%に皮疹が発生した．特に日本人においては発現が多く，all Gradeで55.9%，Grade 3以上は14.7%と報告されている[1]．また初回投与開始より2カ月以内の発現が6割以上と比較的早期に発現する[2]．アパルタミドによる皮疹は多様であり，もっとも多い

表1 ホルモン療法の主な薬剤

一般名	商品名	がんに関する適応症	頻度と報告事項		
			5%以上	5%未満	頻度不明
タモキシフェン	ノルバデックス®	乳がん		発疹，発汗，脱毛	皮膚血管炎，皮膚エリテマトーデス，晩発性皮膚ポルフィリン症，放射線照射リコール反応
アナストロゾール	アリミデックス®	閉経後乳がん			脱毛，発疹，皮膚血管炎，IgA血管炎
レトロゾール	フェマーラ®	閉経後乳がん		そう痒症，発疹，多汗，湿疹，脱毛症	冷汗，局所性表皮剥奪，皮膚乾燥，蕁麻疹
エキセメスタン	アロマシン®	閉経後乳がん		発疹，脱毛（症），爪の変化	蕁麻疹，そう痒症
リュープロレリン	リュープリン®	閉経前乳がん，前立腺がん		ざ瘡，皮膚乾燥，脱毛，多毛，爪の異常	
アビラテロン	ザイティガ®	前立腺がん			皮疹
アパルタミド	アーリーダ®	前立腺がん	皮疹（18.2%），そう痒症	脱毛症	
エンザルタミド	イクスタンジ®	前立腺がん		皮膚乾燥，発疹，多汗症	そう痒症，寝汗，脱毛症，紅斑，斑状丘疹状皮疹
ダロルタミド	ニュベクオ®	前立腺がん		発疹	

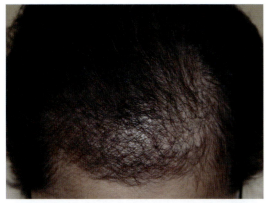

図1 タモキシフェン（ノルバデックス®）投与中に生じた脱毛

乳がん術後薬物療法。タモキシフェン内服中，毛髪密度は前頭部で比較的粗である。術前薬物療法でパクリタキセルを投与したため，再生した毛髪は縮毛を呈する。

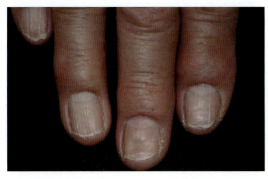

図2 レトロゾール（フェマーラ®）投与中に生じた爪障害

乳がん再発。レトロゾール内服中。手指の爪甲に線条が現れた。線条は縦走し，爪の先端は欠けており，「二枚爪」を呈する。爪甲には所々に陥凹を認める。添付文書に記載はないが，レトロゾールによる爪の変化を考えた。爪および爪囲の変化はカンジダ症を始め真菌感染症の場合もあり，必要に応じて鏡検を行う。

（図1，2写真提供：聖隷浜松病院 平川聡史）

病型は斑状丘疹状皮疹である。アパルタミドによる薬疹/皮疹が斑状丘疹状皮疹として報告される要因には，がん治療の副作用報告にCTCAE v5.0が用いられることが挙げられる。実際に，斑状丘疹状皮疹として報告される事例は，いわゆる播種状紅斑丘疹型薬疹のみならず湿疹型や光線過敏型薬疹など多様な臨床像を含む可能性がある。さらに病理組織所見に基づいて，皮膚科領域からアパルタミドによる苔癬型薬疹が報告された[3]。アパルタミドの皮膚症状は多様であるとともに，発症時期も比較的早期から遅発性に至る場合があり，注意を要する[3]。

アーリーダ®（アパルタミド）のインタビューフォームには重度の皮膚障害が記載され，国内市販後にスティーヴンス・ジョンソン症候群や中毒性表皮壊死症あるいは薬剤性過敏症症候群（頻度不明）による死亡例が報告されていることからも，重症化を防ぐために皮疹の初期症状を把握し適切に対応することが大切である[4]。薬剤性過敏症症候群の主たる症状は，発熱（38℃以上），急速に拡大する紅斑，2週間以上の遷延，肝機能異常，血液学的異常（好酸球増多など），リンパ節腫脹，HHV-6再活性化などである[5]。

重症度評価[6]

ホルモン療法で生じる可能性がある薬疹のCTCAE v5.0に基づく重症度評価は右記に示す（斑状丘疹状皮疹：84ページ，スティーヴンス・ジョンソン症候群：143ページ，中毒性表皮壊死症：143ページ）。薬剤性過敏症症候群はCTCAE v5.0に記載されていないが，アパルタミドを投与する際には臨床症状に注意し，有症状の場合にはGrade 3以上を想定して評価する必要がある。

アーリーダ®適正使用ガイド[1]よりアーリーダ®関連皮疹対策検討委員会から下記の重症度

分類が推奨されている。

> **軽症**

以下のすべてを満たす。
・体表面積に占める皮疹の割合が10％未満（CTCAE Grade 1）。
・注意を要する所見に該当がない。
・皮疹の形態が多形紅斑ではない（必要に応じ皮膚科医に相談する）。

> **中等症**

以下のすべてを満たす。
・体表面積に占める皮疹の割合が10％以上30％未満（CTCAE Grade 2）（ただし，皮疹の形態が多形紅斑の場合は，体表面積に占める皮疹の割合が10％未満も含める）。
・注意を要する所見に該当がない。

> **重症**

以下のいずれかを満たす。
・注意を要する所見に1つでも該当する。
・体表面積に占める皮疹の割合が30％以上（CTCAEでGrade 3以上）。

注意を要する症状

・38℃以上の発熱
・発疹部の疼痛
・急速な皮疹面積の拡大
・表皮剥離（水疱，びらん）
・粘膜疹［眼の充血，めやに（眼分泌物），まぶたの腫れ，目が開けづらい，口唇や陰部のびらん，咽頭痛，排尿時痛］

治療

　一般的な薬疹に対する処置として，副腎皮質ステロイド製剤，抗ヒスタミン薬，抗アレルギー薬等を実施する。

まとめ

　ホルモン療法中，患者から毛髪や爪に関する相談を受けたときには，ホルモン抑制による皮膚機能の低下（生理的変化）なのか，皮膚障害に関連する病的変化なのかを鑑別し，医療者から患者に説明することが望ましい。対処に至らなくとも，皮膚および付属器が変化する要因を患者が理解することにより，不安が軽減されるためである。
　経口抗アンドロゲン薬のアパルタミドについては，他の抗アンドロゲン製剤と異なり皮膚障害について注意が必要である。また重篤化する症例も散見されることより，患者には皮疹の自己モニタリングの実施をお願いすることや，発症した場合は発現日時や症状などについて問診するとともに，衣服で隠れている部分も皮疹の有無を確認し，重症度の判断とともに早期の対応が必要とされる。

（松井礼子）

> **症例 1**
>
> **診断名**：光毒性皮膚炎（薬剤性光線過敏症）
> **重症度評価**：Grade 2，中等症
> **原因薬剤**：ダロルタミド
> **支持療法**：遮光。Very strong class の副腎皮質ステロイド（アンテベート®軟膏など）外用

〔概要〕50 代男性。進行前立腺がん，膀胱浸潤，多発骨転移。DP 療法［ドセタキセル＋副腎皮質ステロイド（プレドニゾロン）］にダロルタミド 1,200 mg/日を内服した。半袖で外出すると両上肢伸側〜手背部に紅斑と浮腫が現れ，そう痒を自覚した（図 1）。露光部に限局して皮疹が現れたため，光毒性皮膚炎（薬剤性光線過敏症）と診断した。

〔経過〕遮光し，very strong class の副腎皮質ステロイド（アンテベート®軟膏）を外用した。ダロルタミドを継続したが，日光に曝露されなければ皮疹は誘発されることなく，次第に消退した（図 2）。

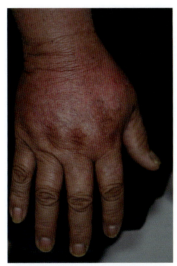

図 1 ダロルタミドによる光毒性皮膚炎（薬剤性光線過敏症），日光曝露後，Grade 2
右手関節〜手背部に紅斑と浮腫を認め，いわゆる日焼けに似た症状がみられる。

図 2 遮光 1 カ月後
紅斑・浮腫が消退し，そう痒も消失した。爪甲にはドセタキセルによる爪障害が現れ，Beau 線条がみられる（矢頭）。

❗ここがポイント

　光毒性皮膚炎は，一定量の薬剤と日光により発生する光線過敏症である。皮膚症状は日焼けと似ているが特定の薬剤を使用し，日光に曝露されたときにのみ出現する特徴がある。そう痒を伴う紅斑と丘疹が露光部に現れ，反復して露光すると浮腫を伴い，小水疱や鱗屑などもみられる。ダロルタミドおよびその代謝物ケト-ダロルタミドは，290〜320 nm の光を吸収することが報告されている。自験例ではダロルタミドによる光毒性が現れたため，遮光により原病に対する治療を継続した。

（平川聡史・吉川周佐）

■ 第3章　ホルモン療法薬

■ **引用文献**

1. 皮膚の生理的および病的変化
 1）ヤンセンファーマ株式会社．アーリーダ® 適正使用ガイド．
 2）Uemura H, Koroki Y, Iwaki Y, et al. Skin rash following Administration of Apalutamide in Japanese patients with Advanced Prostate Cancer：an integrated analysis of the phase 3 SPARTAN and TITAN studies and a phase 1 open-label study. BMC Urol. 2020；20（1）：139.
 3）藤山幹子．アパルタミドによる苔癬型薬疹の2例．日皮会誌．2020；130（7）：1653-7.
 4）ヤンセンファーマ株式会社．アーリーダ® 医薬品インタビューフォーム．
 5）水川良子，濱　菜摘，新原寛之，他．薬剤性過敏症症候群診療ガイドライン 2023．日皮会誌．2024；134（3）：559-80.
 6）日本臨床腫瘍研究グループ．Common Terminology Criteria for Adverse Events（CTCAE）version5.0（有害事象共通用語規準 v5.0 日本語訳 JCOG 版）．2022.

第4章 免疫チェックポイント阻害薬

1 皮膚障害

第4章 免疫チェックポイント阻害薬

1 皮膚障害

はじめに

免疫チェックポイント阻害薬（immune checkpoint inhibitor；ICI）による有害事象は免疫関連有害事象（immune-related adverse events；irAE）とよばれ，従来の殺細胞性抗がん薬や分子標的薬と異なり，症状や発現時期を予測することが難しい。皮膚障害はirAEのなかでももっとも起こりやすく，また症状は多岐にわたる。

皮膚症状の種類と発現頻度および発現時期について

ニボルマブは，本邦で初めて承認されたICIである。この添付文書によると，皮膚障害で重度なものは中毒性表皮壊死症（toxic epidermal necrolysis；TEN），皮膚粘膜眼症候群（スティーヴンス・ジョンソン症候群），類天疱瘡，多形紅斑等であり，また，その他の皮膚および皮下組織障害として発疹，そう痒症，丘疹性皮疹，皮膚乾燥，紅斑，ざ瘡様皮疹，湿疹，脱毛症，乾癬，白斑などの症状が報告されている[1]。

ICIを複数使用する治療法では単独療法と比較し，皮膚障害の発現頻度や重症度は上昇することが報告されている[2]。また，皮膚症状は比較的早期から起こりやすく，投与後まもなく現れる場合もある。さらに，ICI投与終了後にirAEと思われる症状が出現した報告もあることから，治療終了後も定期的なモニタリングが必要な症状と考える。さらに，イピリムマブ＋ニボルマブを始めICIを併用する場合には2〜4サイクル実施するが，皮膚に関するirAEの発現率が高いことが報告されている[3]。ICI単剤あるいは併用時，皮膚症状の発現時期を示す（表1）[3〜6]。

昨今では，ICIと殺細胞性抗がん薬を併用する治療法なども登場しており，単独療法と比較し，併用療法では皮膚障害の発現頻度は上昇することが報告されている。以下に主なICIの単独投与と他剤併用療法における皮膚障害の発現頻度（表2）を示す[3〜6]。

表1 免疫関連有害事象のうち皮膚症状の発現時期について

	ニボルマブ	ペムブロリズマブ	ニボルマブ＋イピリムマブ（n=159）	
発現時期：中央値（下限値〜上限値）	42（3〜360）日	132（2〜679）日	1〜12週以内	12週超
			32（20.1）	0

表2 皮膚関連の有害事象発現頻度について

	ニボルマブ単独 n=11,453	ニボルマブ ＋他剤併用 n=3,606	ニボルマブ ＋イピリムマブ n=159	ペムブロリズマブ 単独 n=1,955	ペムブロリズマブ ＋他剤併用 n=396
中毒性表皮壊死症[*1]	4（0.1％未満）	報告なし	報告なし	2（0.1％）	3（0.7％）
皮膚粘膜眼症候群	24（0.2％）	7（0.1％）	報告なし	8（0.4％）	5（1.2％）
多形紅斑	44（0.3％）	1（0.1％未満）	1（0.6％）	7（0.3％）	1（0.3％）
類天疱瘡	31（0.2％）	64（1.7％）	報告なし	1（0.1％未満）	3（0.7％）
湿疹[*2]	36（0.3％）	報告なし	1（0.6％）	8（0.4％）	データ記載なし
発疹または皮疹[*3]	450（3.9％）	34（0.9％）	20（12.5％）	132（6.7％）	データ記載なし
乾癬	31（0.2％）	1（0.1％未満）	報告なし	1（0.1％未満）	データ記載なし
白斑	15（1.3％）	報告なし	報告なし	2（0.1％）	データ記載なし

[*1]「中毒性表皮壊死融解症」を「中毒性表皮壊死症」と示した
[*2]「貨幣状湿疹」，「脂漏性湿疹」，「湿疹」など類似した湿疹の報告をまとめて表記
[*3]「ざ瘡様皮疹」，「丘疹性皮疹」など類似した皮疹もしくは発疹の報告をまとめて表記

重症度評価

主な皮膚障害の重症度評価を以下に示す[7]。irAEも従来の副作用と同様にCTCAEで示される。また，類天疱瘡を疑う場合は直接蛍光抗体法やBP180等の表皮基底膜部抗原の測定を行う必要がある。

	Grade 1	Grade 2	Grade 3	Grade 4	Grade 5
中毒性表皮壊死症[*]	ー	ー	ー	表皮壊死が体表面積の≧30％を占め，症状を伴う（例：紅斑，紫斑，表皮の剥離）	死亡
スティーヴンス・ジョンソン症候群	ー	ー	体表面積の＜10％を占める表皮壊死による症状（例：紅斑，紫斑，表皮剥離，粘膜剥離）	体表面積の10-30％を占める表皮壊死による症状（例：紅斑，紫斑，表皮剥離，粘膜剥離）	死亡
多形紅斑	虹彩様皮疹が体表面積の＜10％を占め，皮膚の圧痛を伴わない	虹彩様皮疹が体表面積の10-30％を占め，皮膚の圧痛を伴う	虹彩様皮疹が体表面積の＞30％を占め，口腔内や陰部のびらんを伴う	虹彩様皮疹が体表面積の＞30％を占め，水分バランスの異常または電解質異常を伴う；ICUや熱傷治療ユニットでの治療を要する	死亡
皮膚および皮下組織障害	症状がない，または軽度の症状；臨床所見または検査所見のみ；治療を要さない	中等症；最小限/局所的/非侵襲的治療を要する；年齢相応の身の回り以外の日常生活動作の制限	重症または医学的に重大であるが，ただちに生命を脅かすものではない；入院または入院期間の延長を要する；身の回りの日常生活動作の制限	生命を脅かす；緊急処置を要する	死亡

[*]「中毒性表皮壊死融解症」を「中毒性表皮壊死症」と示した

（有害事象共通用語規準 v5.0 日本語訳 JCOG 版より引用）

治療

以下に各薬剤の適正使用ガイドで参考として挙げられている対処法アルゴリズムの例を示す[8]。

副腎皮質ステロイド使用で効果が不十分な場合は，免疫グロブリン静注療法や血漿交換療法の併用を考慮することが推奨されている（図1）。

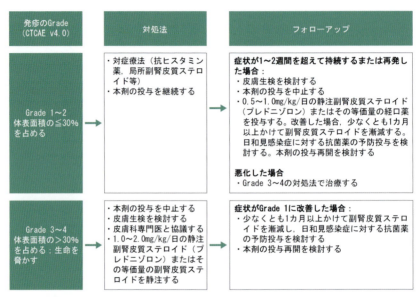

図1 皮膚 irAE 対策のアルゴリズム

まとめ

ICI による皮膚障害の発現頻度は比較的高いものの，また重度なものは起こりにくい。症状は多岐にわたり，いつ重篤な皮膚障害が現れるかわからないため定期的なモニタリングが必要である。このため，軽症な場合でも薬剤師を始め多職種で評価したり，皮膚科医に相談して適切な対処を心掛ける。

（田中将貴）

> **症例 1**
>
> **診断名**：皮膚障害（湿疹・皮膚炎）
> **重症度評価**：Grade 2，中等症
> **原因薬剤**：ニボルマブ，イピリムマブ
> **支持療法**：Strongest class の副腎皮質ステロイド（デルモベート®軟膏）外用，抗アレルギー薬（アレグラ®，ビラノア®）内服

〔概要〕60代女性。右肺下葉腺がん，右肺上葉扁平上皮がんに対してニボルマブ，イピリムマブの投与を開始。開始から5日後，体幹四肢にそう痒を伴う紅斑が出現した（図1）。薬疹を引き起こしうる他の使用薬剤はなかった。

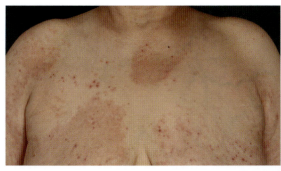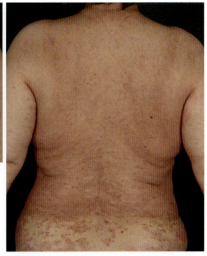

図1　ニボルマブ，イピリムマブによる皮膚障害（湿疹・皮膚炎），Grade 2
体幹四肢にそう痒を伴う不整形紅斑が散在し，粘膜疹や標的様紅斑（target lesion）はみられなかった。

〔経過〕Strongest class の副腎皮質ステロイド（デルモベート®軟膏）の外用，抗アレルギー薬の内服（アレグラ®，ビラノア®）により，皮疹は軽快した。

ここがポイント

斑状丘疹状皮疹や湿疹型の皮膚免疫関連有害事象は一般的にみられるものであり，体幹や四肢に生じ，そう痒を伴う丘疹や紅斑を特徴とする。Grade 1，2が多く，副腎皮質ステロイドの外用や抗アレルギー薬の内服といった対症療法のみで改善することが多い。

（結城明彦）

> **症例 2**
>
> 診断名：皮膚障害（湿疹・皮膚炎）
> 重症度評価：Grade 2，中等症
> 原因薬剤：アテゾリズマブ
> 支持療法：Very strong class の副腎皮質ステロイド（アンテベート®軟膏）外用，抗アレルギー薬（アレグラ®）内服

〔概要〕50代男性。右肺非小細胞肺がんの術後再発に対してアテゾリズマブを3週ごと計63コース投与していた。体幹四肢にそう痒を伴う丘疹や紅斑が出現した（図1）。薬疹を引き起こしうる他の使用薬剤はなかった。

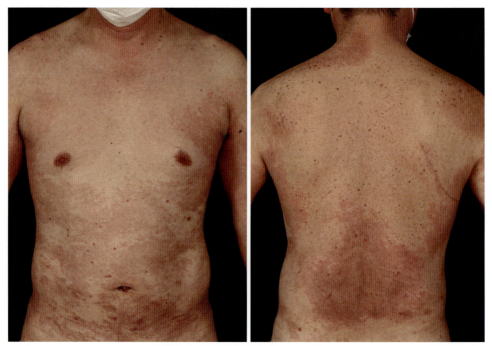

図1 アテゾリズマブによる皮膚障害（湿疹・皮膚炎），Grade 2
体幹四肢にそう痒を伴う不整形の紅斑や丘疹が散在し，粘膜疹や標的様紅斑（target lesion）はみられなかった。

〔経過〕Very strong class の副腎皮質ステロイド（アンテベート®軟膏）の外用，抗アレルギー薬（アレグラ®）の内服を行い，2週で治癒した。アテゾリズマブは当科受診前に治療科の判断で中止されていたが，他部位に原病の再発病変を認めたため再開はされずレジメン変更となった。

ここがポイント

皮膚免疫関連有害事象（irAE）の管理法については National Comprehensive Cancer Network（NCCN）ガイドライン，米国臨床腫瘍学会（ASCO）ガイドライン，本邦がん免疫療法ガイドラインなどに記載がある。体表面積の 30% 未満である Grade 1, 2（CTCAE v5.0）の場合，免疫チェックポイント阻害薬（ICI）を継続しながら副腎皮質ステロイド外用や抗アレルギー薬の投与を行い，改善がみられない場合は副腎皮質ステロイド全身投与（プレドニゾロン 0.5〜1.0 mg/kg/日）を考慮する。体表面積の 30% 以上に及ぶ Grade 3, 4 の場合，ICI の投与を中止し，副腎皮質ステロイド全身投与（プレドニゾロン 0.5〜2.0 mg/kg/日）の使用が推奨される。症状が Grade 1 以下に改善するまで治療した後，4〜6 週かけて漸減する[9]。

ICI による皮膚障害の発症時期は，抗 CTLA-4 抗体で中央値 2〜3 週，抗 PD-1 抗体で中央値 5 週と，他の irAE に比べやや早い傾向にある[10]。抗 PD-1 抗体/抗 CTLA-4 抗体併用時にはその発症時期はさらに早まる。しかし，薬剤中止後を含め薬剤開始後のどの時期にも起こり得るとされており発症時期はさまざまであることに留意する[10〜12]。

早期認識と診断が重要であり，初期症状として一般的である紅斑，そう痒が現れた場合，迅速に皮膚科専門医の診察を受けることが推奨される。

（結城明彦）

第4章　免疫チェックポイント阻害薬

症例3

診断名：皮膚障害（乾癬様皮疹）
重症度評価：Grade 2，中等症
原因薬剤：ニボルマブ
支持療法：Very strong class の副腎皮質ステロイド（アンテベート® 軟膏），ビタミン D_3 製剤（オキサロール® 軟膏）外用，エトレチナート（チガソン®）内服

〔概要〕70代男性。非小細胞肺がんの肺内転移，副腎転移に対しニボルマブを3年半（計60コース）投与後に薬剤性間質性肺障害を併発し投与を終了した。その5カ月後，体幹四肢に鱗屑を付す境界明瞭な紅斑が多発した（図1）。皮膚生検では顆粒層の消失や表皮肥厚などの病理組織所見を認めた（図2）。

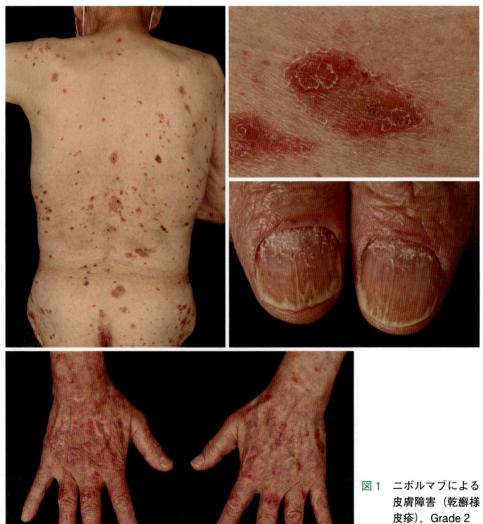

図1　ニボルマブによる皮膚障害（乾癬様皮疹），Grade 2
体幹四肢，手背に鱗屑を伴う境界明瞭な紅斑が多発し，爪甲の一部に粗造化がみられた。

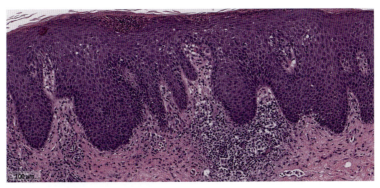

図2 病理組織所見（背部の皮疹より）
表皮では錯角化，乾癬様の表皮肥厚，顆粒層の減少・消失，Munro 微小膿瘍を認め，真皮ではリンパ球を主体とする細胞浸潤を認める。

〔経過〕Very strong class の副腎皮質ステロイド（アンテベート®軟膏），ビタミン D_3 製剤（オキサロール®軟膏）の外用を開始したが十分に効果が得られず，エトレチナート（チガソン®）20 mg/日の内服を追加したところ改善が得られた。

ここがポイント

免疫チェックポイント阻害薬（ICI）投与後の乾癬様皮疹は，薬剤開始後はどの時期にでも起こり得る。一般的には投与開始から数日〜数カ月以内に発症することが多いが，一方で中止後も生じ得る[10)11)]。既往に乾癬がある場合，悪化することもある。

乾癬は銀白色の落屑を付す紅斑が多発する慢性炎症性皮膚疾患であり，ICI 投与後に乾癬が誘発される場合がある。ICI は Th1/Th17 細胞の活性とインターロイキン（IL）-17 の分泌を増強し，表皮細胞の増殖が促進され乾癬の皮疹を誘導する[13)]。病理組織学的には錯角化，顆粒層の消失，表皮肥厚がみられるが通常の尋常性乾癬の病理組織所見と比し非典型的な所見を呈する場合がある。

National Comprehensive Cancer Network（NCCN）ガイドライン ver.1 2024 に則れば，軽症（体表面積 10％未満）であれば ICI を継続し，副腎皮質ステロイド外用薬やビタミン D_3 製剤を外用する[9)]。中等症（体表面積 10〜30％あるいは高力価の副腎皮質ステロイド外用薬不応例）では ICI を中止し，上記の外用薬を用いるほかアプレミラスト（オテズラ®）の内服やナローバンド UVB による紫外線療法なども選択肢となる。重症（体表面積 30％以上）では上記に加え，シクロスポリンやメトトレキサート，生物学的製剤も選択肢に加わるとされる。

（結城明彦）

第4章 免疫チェックポイント阻害薬

症例 4

診断名：皮膚障害（扁平苔癬）
重症度評価：Grade 1，軽症
原因薬剤：ニボルマブ
支持療法：Very strong class の副腎皮質ステロイド（アンテベート®軟膏）外用，medium class の副腎皮質ステロイド（デキサルチン®口腔用軟膏）外用

〔概要〕80代女性。切除不能の胃がんに対しニボルマブを5コース投与後，左手背，右腓腹部に紅斑を，左頬粘膜に白色びらんを自覚した（図1）。右腓腹部の紅斑からの皮膚生検では苔癬様反応の病理組織所見であった。

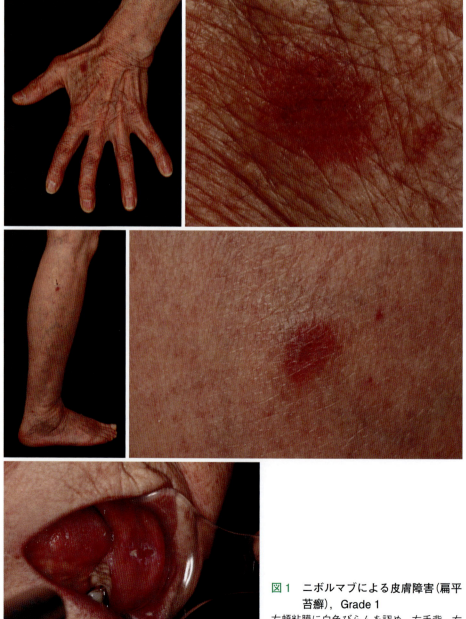

図1 ニボルマブによる皮膚障害（扁平苔癬），Grade 1
左頬粘膜に白色びらんを認め，左手背，右腓腹部には紅斑を認めた。

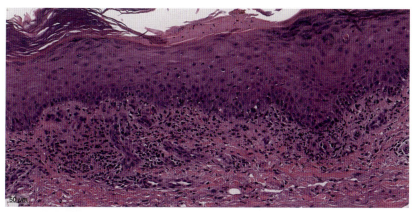

図2 病理組織所見
表皮の個細胞壊死，真皮浅層の帯状のリンパ球浸潤を認めた。

〔経過〕ニボルマブの投与は継続した。Very strong class の副腎皮質ステロイド（アンテベート® 軟膏）外用，medium class の副腎皮質ステロイド（デキサルチン® 口腔用軟膏）外用とし，上下肢，頬粘膜病変のコントロールが得られた。

ここがポイント

扁平苔癬は臨床的に体幹四肢に紫紅色調の紅斑が生じ，口腔内病変ではレース状，白色の粘膜疹を呈する。悪性黒色腫に対し抗PD-1抗体を使用した患者のうち17％で扁平苔癬様の皮疹を認めたとの報告がある[14]。副腎皮質ステロイド外用のみで治癒する例が多いが，改善がない例も存在し，その際は副腎皮質ステロイド内服も考慮する。National Comprehensive Cancer Network（NCCN）ガイドラインなどにも管理法が記載されている[9]。

（結城明彦）

症例 5	診断名：皮膚障害（水疱性類天疱瘡） 重症度評価：Grade 2，中等症 原因薬剤：ペムブロリズマブ 支持療法：副腎皮質ステロイド（プレドニン®）内服，very strong class の副腎皮質ステロイド（アンテベート®軟膏）外用

〔概要〕60代女性。肺がん Stage IV に対しパクリタキセル，カルボプラチン，ペムブロリズマブを投与していたところ，体幹四肢にそう痒を伴う紅斑，水疱が多発した（図1）。糖尿病薬の使用はなかった。皮膚生検で表皮下水疱を認め好酸球の浸潤は軽度であった（図2）。蛍光抗体直接法は施設理由により未施行，かつ抗 BP180 抗体価は正常値であったが，特徴的な臨床像と薬歴からペムブロリズマブによる水疱性類天疱瘡（bullous pemphigoid；BP）と診断した。

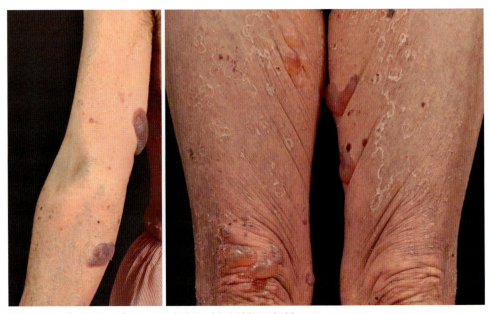

図1　ペムブロリズマブによる皮膚障害（水疱性類天疱瘡），Grade 2
体幹四肢に紅皮症を呈し，紅斑，緊満性水疱が多発していた。

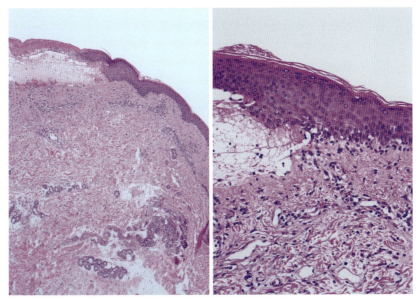

図2 病理組織所見
表皮下水疱を認め好酸球の浸潤は少数であった（蛍光抗体法は施設理由により未施行）。

〔経過〕ペムブロリズマブを中止し，副腎皮質ステロイド（プレドニン®）30 mg/日の内服を開始した。皮疹は速やかに消退し，漸減後も再燃なくプレドニン®開始後2カ月で内服終了とした。

> **! ここがポイント**
> BPは表皮基底膜部抗原［ヘミデスモソーム構成蛋白であるBP180（COL17）とBP230］に対する自己抗体（IgG）により表皮下水疱を生じる自己免疫性水疱症である。臨床的には，略全身の皮膚に多発する浮腫性紅斑と緊満性水疱を特徴とする。

〈結城明彦〉

> **症例 6**
>
> **診断名**：皮膚障害（水疱性類天疱瘡）
> **重症度評価**：Grade 1，軽症
> **原因薬剤**：ニボルマブ
> **支持療法**：ドキシサイクリン内服，very strong class の副腎皮質ステロイド（マイザー®軟膏）外用

〔概要〕70代男性。腎がんの多発転移 Stage IV に対し，ニボルマブ・イピリムマブを4回投与後，ニボルマブ単剤投与を継続していた。投与開始から1年後，四肢に紅斑，水疱が出現した（図1）。皮膚生検で表皮下水疱を認め，蛍光抗体直接法で表皮基底膜部に IgG の線状沈着を認めた（図2）。血液学的には抗デスモグレイン1抗体，抗デスモグレイン3抗体は陰性，抗 BP180 抗体価は正常値であったが，抗 BP230 抗体価が17と軽度増加していた。ニボルマブによる水疱性類天疱瘡（BP）と診断した。

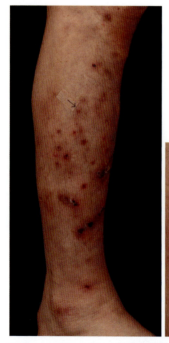
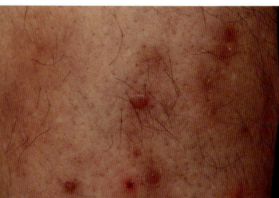

図1　ニボルマブによる皮膚障害（水疱性類天疱瘡），Grade 1
四肢にそう痒を伴う紅斑や水疱が多発していた。

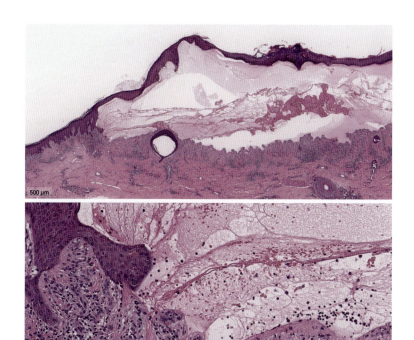

図2 病理組織所見
表皮下水疱と少数の好酸球浸潤を認めた［蛍光抗体直接法で表皮基底膜部にIgGの線状沈着を認めた（データ未提示）］。

〔経過〕Very strong class の副腎皮質ステロイド（マイザー®軟膏）の外用とドキシサイクリンの内服を行った。ニボルマブは皮疹の悪化があれば中止とする条件で継続した。皮疹は1カ月で消退した。以後再燃を認めていない。

❗ここがポイント

免疫チェックポイント阻害薬（ICI）誘発性のBPは通常，薬剤投与開始後13〜16週で発症するが，それ以降や治療完了後に発症することもある[15]。また，通常のBPと比較しBP180などの抗体価が低い場合がある点に留意する[16]。

National Comprehensive Cancer Network（NCCN）ガイドライン version 1.2024 では，Grade 1（水疱が体表面積10%未満でほか無症状）ではICI休薬の考慮とステロイド外用が推奨されており[9]，米国臨床腫瘍学会（ASCO）ガイドラインではICIは継続投与とされている[17]。Grade 2（体表面積10〜30%）ではGrade 1未満になるまでICIを休薬し，副腎皮質ステロイド（プレドニゾロン）0.5〜1 mg/kg/日の全身投与を行う。投与3日で改善がなければリツキシマブやデュピルマブの追加投与を検討としている（本邦では保険未承認）。Grade 3（体表面積30%以上で日常生活動作の制限あり）以上となれば，ICIを完全に中止し，副腎皮質ステロイド（プレドニゾロン）1〜2 mg/kg/日の全身投与3日後に改善がなければリツキシマブ，デュピルマブ，免疫グロブリン大量静注療法を検討する。

（結城明彦）

■第4章　免疫チェックポイント阻害薬

> **症例 7**
> 診断名：多形紅斑，サイトカイン放出症候群
> 重症度評価：Grade 3，重症
> 原因薬剤：イピリムマブ，ニボルマブ
> 支持療法：副腎皮質ステロイド（プレドニゾロン）30 mg/日内服，strongest classの副腎皮質ステロイド（デルモベート®軟膏など）外用，アセトアミノフェン注射薬（アセリオ® 1,000 mg/回，1日3回）

〔概要〕60代男性。左腎悪性腫瘍，多発肺転移，多発リンパ節転移。イピリムマブ＋ニボルマブ療法（イピリムマブ1 mg/kg，ニボルマブ240 mg/body 3週ごと）を2サイクル実施した。3週後，発熱（40℃台），倦怠感，皮膚症状のため入院した。血液検査上，多臓器障害（肝・腎），血小板減少，CRP高値，フェリチン高値（測定不能）のため，サイトカイン放出症候群を疑った。皮膚には，頸部および四肢・体幹部に浮腫性紅斑を認めた（図1，2）。明らかな粘膜症状を認めなかった。

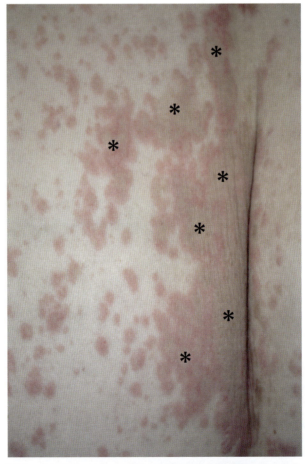

図1　イピリムマブ，ニボルマブによる多形紅斑，Grade 3
右腋窩部～側胸部の皮膚所見。右側胸部には褐色斑が地図状・島状に拡がる（＊）。褐色斑の辺縁は潮紅を帯び，網目状に連なる部位は，いわゆる「虹彩様皮疹」を呈する。さらに，背部には浮腫性紅斑が集簇・多発する。

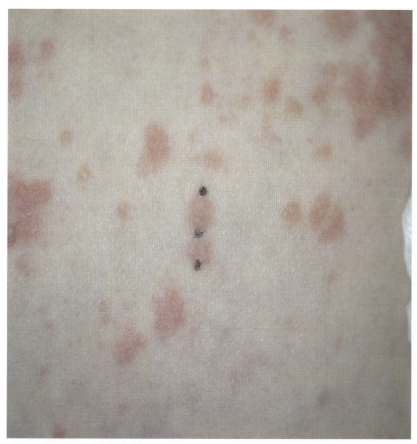

図2 浮腫性紅斑の拡大所見
鮮紅色で，触診すると浸潤を伴う。

〔経過〕皮膚生検を行い，苔癬型組織反応を認め，表皮に明らかな壊死を認めなかった。経口摂取可能なため，副腎皮質ステロイド（プレドニゾロン）30 mg/日内服を開始した。その後，発熱・多臓器障害は速やかに軽減し，血小板数も回復した。皮疹には strongest class の副腎皮質ステロイド（デルモベート®軟膏）を外用し，次第に消退した。

ここがポイント

サイトカイン放出症候群に併発して多形紅斑が現れた。発熱・皮疹および血液検査で多臓器障害（肝・腎）が現れたが，中等量の副腎皮質ステロイド（プレドニゾロン，0.5 mg/kg）内服に反応し，救命し得た。各診療科と経験を共有し，積極的にステロイドパルス療法を提案する必要がある。

（平川聡史）

■ 第4章　免疫チェックポイント阻害薬

> **症例 8**
> 診断名：白斑
> 重症度評価：Grade 1，軽症
> 原因薬剤：ニボルマブ
> 支持療法：なし。経過観察

〔概要〕70代男性。胃がん，多発肺転移。一次治療SOX療法（ティーエスワン®，オキサリプラチン），二次治療ラムシルマブ＋weeklyパクリタキセルを実施後，三次治療ニボルマブ（240 mg/回 2週ごと）を開始した。ニボルマブ5サイクル後，前額部に白斑を自覚した（図1）。

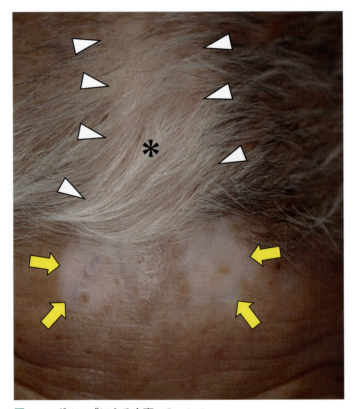

図1　ニボルマブによる白斑，Grade 1
前額部に2 cm大の白斑が散在する（矢印）。この白斑から連続し，被髪頭部にも白斑を透見する（矢頭）。被髪頭部の白斑に一致して毛髪は白い（＊）。

〔経過〕白斑は増大することなく，患者の日常生活に影響を及ぼさなかった。このため経過観察した。

> 🛈 **ここがポイント**
> 免疫チェックポイント阻害薬が患者に投与された場合，がん種を問わず白斑が現れることがある。悪性黒色腫の場合と異なり，他がん種では白斑が抗腫瘍効果の指標になるかどうか不明である。

（平川聡史）

1. 皮膚障害

> **症例 9**
>
> **診断名**：脱毛，白斑
> **重症度評価**：〔脱毛〕Grade 1，軽症，〔毛の色素脱失〕Grade 2，中等症，
> 　　　　　　　〔白斑〕Grade 2，中等症
> **原因薬剤**：イピリムマブ，ニボルマブ
> **支持療法**：毛染め，マスカラによるカモフラージュ

〔概要〕30代女性。悪性黒色腫（原発不明），多発肝転移，多発骨転移，皮膚転移。一次治療イピリムマブ＋ニボルマブ療法（導入イピリムマブ 3 mg/kg，ニボルマブ 80 mg/body 3 週ごと；維持ニボルマブ 240 mg 2 週ごと）を選択し，導入療法 2 サイクルを実施した。四肢・体幹部に紅斑が現れ（図1），皮膚転移巣に細胞傷害性 T 細胞が浸潤した（図2）。このため導入療法は目的を果たしたと判断し，維持療法を開始した。以後，4 カ月にわたりニボルマブを 7 回投与した。途中，維持療法 4 サイクル後，被髪頭部に脱毛を自覚した（図3）。維持療法 7 サイクル後，毛髪および睫毛に脱色素を伴い，患者は「白髪」を訴えた（図4，5）。導入当初，皮膚の色調は健常だったが（図6a），その後，びまん性に白斑を生じた（図6b）。

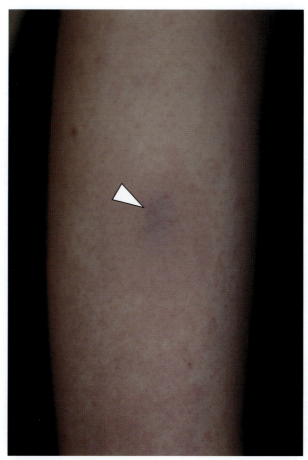

図1　導入1サイクル後
右前腕部に青褐色〜灰褐色斑が透見され，悪性黒色腫の皮膚転移を示唆する（矢頭）。この転移巣を中心に紅斑が現れ，皮膚で免疫反応が賦活化されたことが示唆される。

■ 第4章　免疫チェックポイント阻害薬

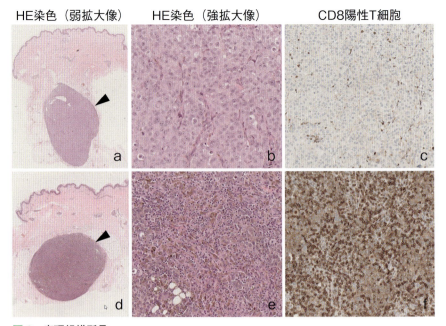

図2　病理組織所見
導入療法による腫瘍免疫の賦活化。悪性黒色腫の皮膚転移巣の病理組織所見を示す。

a～c. 治療前。脂肪織に転移巣がある（a，矢頭）。転移巣は腫瘍細胞で構成され（b），CD8陽性T細胞を認めない（c）。

d～e. 導入療法2サイクル後。皮膚転移巣は脂肪織にある（d，矢頭）。転移巣内では腫瘍細胞間に単核球が浸潤している（e）。浸潤した細胞はCD8陽性細胞T細胞である（f）。導入療法により，細胞傷害性T細胞が転移巣へ誘導されたことが示唆される。

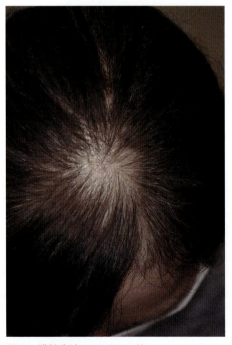

図3　維持療法4サイクル後
頭部に脱毛を自覚した。

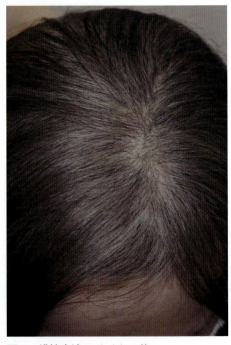

図4　維持療法7サイクル後
毛髪に脱色素が現れた。

1. 皮膚障害

図5 維持療法7サイクル後
睫毛に脱色素が現れた。

図7 睫毛のケア
睫毛の色調変化をマスカラでカモフラージュした。

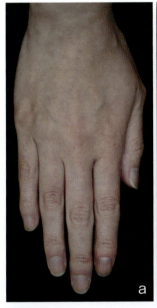
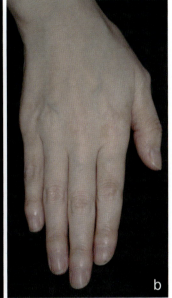

図6 手背の所見
a. 導入1サイクル後。右手背〜手指背面の皮膚色は健常である。
b. 維持療法7サイクル後。右手背〜手指背面に，びまん性に白斑を生じた。

〔経過〕毛の色調変化に関して，毛髪は毛染めを行い，睫毛はマスカラでカモフラージュした（図7）。

> ❗ ここがポイント

　自験例ではイピリムマブ＋ニボルマブ療法のレジメンに基づいて，当初導入療法を4サイクル実施する予定だった。しかし，皮膚転移巣を免疫組織化学で評価し，細胞傷害性T細胞が浸潤していたため，導入療法を2サイクルで終了し，副作用を軽減することを目指した。

　皮膚悪性黒色腫に対する免疫療法に関して，白斑は抗腫瘍効果を示す指標である。自験例では広範に白斑を生じ，毛髪および睫毛の色調も消失した。

　毛幹は，皮膚免疫反応が生じやすい付属器のひとつである。維持療法中，自験例でも頭部に脱毛が現れた。

（平川聡史）

> **症例 10**
>
> **診断名**：接触皮膚炎, 汎下垂体機能低下症（副腎不全）
> **重症度評価**：〔接触皮膚炎〕Grade 2, 中等症, 〔汎下垂体機能低下症〕Grade 3, 重症
> **原因薬剤**：オキシブチニン（ネオキシ®テープ）, イピリムマブ, ニボルマブ
> **支持療法**：副腎皮質ステロイド（ヒドロコルチゾン）内服, very strong class の副腎皮質ステロイド（アンテベート®軟膏など）外用

〔概要〕80代女性。子宮頸部原発悪性黒色腫, 左尿管浸潤, 腟・会陰部転移。PD-L1発現1%未満。併存疾患：尿漏れ（尿失禁）。患者は尿漏れに対してオキシブチニン（ネオキシ®テープ）を貼付している。切除不能の進行悪性黒色腫と診断され, 一次治療イピリムマブ＋ニボルマブ［イピリムマブ3 mg/kg（day 1）, ニボルマブ80 mg/body（day 1） 3週ごと×4サイクル, 以後ニボルマブ240 mg/body（day 1） 2週ごと］を開始した。3サイクル後, 患者に自覚症状はなかったが, 血液検査所見から甲状腺機能低下症を疑った（1病日, 表1）。8病日, 患者は倦怠感・食欲不振を訴え, 独歩で来院できなかった。このため家族に付き添われて来院し, 血中ホルモン値を始め再検した（表1）。続発性下垂体機能低下症を始め免疫関連有害事象を疑われ, 患者は即日入院した。入院時理学所見で腹部に皮疹があり, 患者はそう痒を訴えた（図1）。

表1 血液検査所見

病日	TSH	Free T3	Free T4	コルチゾール	ACTH	Na	CRP
1	0.03	<1.5	0.7	19.3	50.3	140	0.1
8	0.03	<1.5	0.56	2.1	<1.5	132	14.7
単位	μIU/mL	pg/mL	ng/dL	μg/dL	pg/mL	mEq/L	mg/dL

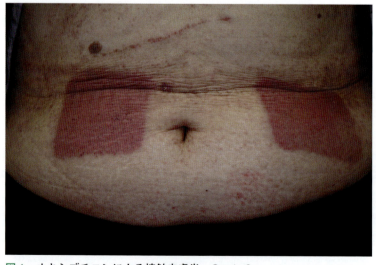

図1 オキシブチニンによる接触皮膚炎, Grade 2
境界明瞭な紅斑があり, 経皮吸収型薬剤を貼付した部位に一致する。免疫関連有害事象のひとつとして生じた接触皮膚炎と診断した。

〔経過〕内分泌内科を受診し，臨床経過・検査所見から続発性副腎不全と診断された。直ちにヒドロコルチゾンエステル注射薬 100 mg を点滴静注し，さらに 100 mg を 24 時間かけて持続静注した。腹部の皮膚症状は接触皮膚炎と診断し，very strong class の副腎皮質ステロイド（アンテベート® 軟膏）外用で治療を開始した。副腎皮質ステロイド（ヒドロコルチゾンリン酸エステルナトリウム注射液 100 mg）補充後，倦怠感は速やかに回復し，患者は食事を摂取した。11 病日から副腎皮質ステロイドを内服薬に切り替え，13 病日にホルモン負荷試験を実施して汎下垂体機能低下症と診断された。14 病日からレボチロキシン（チラーヂン® S 錠）12.5 μg/日内服を開始した。副腎皮質ステロイドを補充後，腹部の皮疹・そう痒は消失した（図 2）。

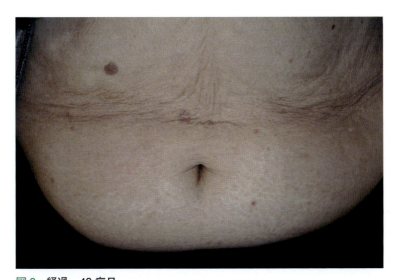

図 2　経過，48 病日
コートリル® 内服，アンテベート® 軟膏外用により皮疹・そう痒は消失した。

ここがポイント

自験例は，免疫関連有害事象（irAE）として続発性副腎不全と接触皮膚炎を併発した。一般に，irAE として湿疹・皮膚炎は現れやすく，接触皮膚炎を生じる場合もある。一方，自験例では接触皮膚炎と副腎不全が同時に起こり，副腎皮質ステロイド補充により皮膚症状が改善したため，内因性コルチゾールの欠乏により接触皮膚炎が誘発されたと考えた。

ニボルマブ（抗 PD-L1 抗体）にイピリムマブ（抗 CTLA-4 抗体）を併用すると irAE の頻度が高まり，重症化しやすい。このため，がん免疫療法中に皮膚症状が現れた場合には，他臓器にも irAE を併発していないか留意する必要がある。

（平川聡史）

✦ スキンケアのポイント

●免疫チェックポイント阻害薬による皮膚免疫関連有害事象における スキンケアのポイント

　免疫チェックポイント阻害薬による皮膚免疫関連有害事象は,「皮疹」と「白斑」が代表的な皮膚障害である。その他にも発疹,皮膚炎,そう痒症,丘疹,乾燥肌など多様な症状が報告されている。免疫チェックポイント阻害薬による皮膚障害は頻度が高く,発現は早く,程度は軽いことが特徴であるが,稀に皮膚粘膜眼症候群(スティーヴンス・ジョンソン症候群)や多形紅斑,類天疱瘡など生命を脅かす可能性のある重度の皮膚免疫関連有害事象が起こることがあるため,重症例の発症も疑いながら慎重かつ経時的に皮膚症状をアセスメントしていく必要がある。特に,重度の皮膚免疫関連有害事象は,好発時期が明らかになっておらず,いつ発症するかわからないという欠点がある。そのため日常から皮膚の状態を観察する習慣をもち,普段との違いや異変に迅速に気づくために,患者のセルフケア能力や患者を支える支援者の観察力が重要となる。治療開始前からの皮膚症状に対するセルフマネジメントを高める指導を徹底していく必要がある。

●指導のポイント

　稀に起こる皮膚粘膜眼症候群(スティーヴンス・ジョンソン症候群)や多形紅斑,類天疱瘡など生命を脅かす可能性のある重度の皮膚免疫関連有害事象に対する重症度を判断するため,以下①～③を確認する。

①全身状態の最近の変化を確認する。変化がいつ起こったのか,重症度はどの程度か,QOLにどの程度影響を及ぼしているのかなど,具体的な状態の観察を行う。

②患者の全身状態の評価を行い,PSの低下など日常生活への影響が生じていないかなど,日常生活動作(ADL)の低下状況や介護量などを把握する。

③重篤な皮膚有害反応(SCAR)に特徴的な発熱,広範囲の発疹,皮膚痛,皮膚の剝離,顔面や上肢の浮腫,水疱,びらん,膿疱,眼・鼻・口・生殖器の粘膜障害などの臨床症状の有無を確認し,上記の1つ以上の徴候が現れた場合は,医師の指示を仰ぎ緊急治療を受ける必要がある。看護師は,そのためのトリアージを行う必要がある。患者指導においては上記の症状をモニタリングするために皮膚のセルフチェックを強化するよう指示する。特に目視で確認ができない部位(背部全面)は全身鏡を利用したり,家族などの介護者に協力を依頼し観察したり,写真撮影などテクノロジーを利用したり,訪問看護を利用しているものは看護師にスキンチェックを依頼するなどの考慮も必要となる。またSCARを疑う場合の病院への連絡方法や受診方法などの指導をあらかじめ行っておく必要がある。

　免疫チェックポイント阻害薬を投与する患者の予防的スキンケアは,がん治療中および治療後も継続する必要がある。特に,治療前より保清(洗浄)・保湿・保護の3ステップを遵守していく必要があるが,スキンケアの効果は処方,使用薬剤,塗布頻度,塗布アドヒアランスによって異なる。患者によっては,皮膚障害が現れるまで保湿などのスキンケアを行わないものもいる。そのため看護師は,予防的ケアの利点やSCARのリスクを十分説明していく必要がある。

予防的スキンケア

保清	・よく泡立てた洗浄剤で指先をやさしく洗う ・肌に優しい洗浄剤，生理的皮膚 pH（4.0～6.0）に近いものを選択する ・石鹸，界面活性剤，洗剤，特にアルカリ性 pH（＞7）のものは，皮膚の脂質を除去し，皮膚表面の pH を上昇させ，炎症を引き起こし，皮膚微生物叢を低下させるため，使用を避ける必要がある ・シャワーや入浴は，熱湯を避けて温水を使用し，短時間（5 分以内）で済ませる
保湿	・保湿薬はバリアを形成し，経表皮水分損失を防ぎ，皮膚の弾力性を回復し，皮膚の恒常性を維持するため利用する ・皮膚の水分を保持するためグリセロール，プロピレングリコール，ブチレングリコールなどの親水性保湿薬や，乳酸，グリコール酸などの製品が望ましい ・保湿薬は生理的な皮膚 pH（4.0～6.0）に近いものが望ましい ・クリームや軟膏は油水比が高いため，特に冬場はローションよりもクリームを選択するなど，季節や天候にあわせて基剤の選択を工夫する ・皮膚の状態，乾燥の程度，患者の好みに基づいて保湿薬を選択する
保護	・免疫チェックポイント阻害薬における日焼け止め対策は非常に重要である ・SPF30 以上の日焼け止めを推奨する ・AM10：00 から PM16：00 までは日光にさらされないよう注意する ・衣服は長袖，SPF 対策機能のある衣類，つばの広い帽子を選択する ・サングラスを着用することを勧める ・白斑に対し，具体的なカバーメイク方法を指導する
その他	・具体的なスキンケアは患者の生活スタイルや嗜好にあわせて調整する ・スキンケアの基本は効果的かつ安全で，利便性や美容的に心地よいものを提供する ・一般的な防腐剤，香料，香水，感作剤などのアレルゲンや刺激物を含有する製品は使用に適していない

●免疫チェックポイント阻害薬による皮膚免疫関連有害事象における スキンケアの手順

白斑に対するカバーメイク（カモフラージュメイク）

・白斑部位を隠し，自然な肌質への補強を行うメイクのこと。
・カバー力を備えた専用のメイク用品を使用する。
・ベーシックカバーファンデーションと部分ファンデーションを使用し，色調や凹凸の変化に応じて塗布する。

（中村千里）

■ 引用文献

1. 皮膚障害

1) 小野薬品工業株式会社, ブリストルマイヤーズスクイブ株式会社. オプジーボ®医薬品インタビューフォーム.
2) Larkin J, Chiarion-Sileni V, Gonzalez R, et al. Combined Nivolumab and Ipilimumab or Monotherapy in Untreated Melanoma. N Engl J Med. 2015；373（1）：23-34.
3) 小野薬品工業株式会社, ブリストルマイヤーズスクイブ株式会社. オプジーボ®・ヤーボイ®安全性・適正使用情報. 特定使用成績調査（調査期間：2018/08/21-2019/02/20）.
4) 小野薬品工業株式会社, ブリストルマイヤーズスクイブ株式会社. オプジーボ®安全性・適正使用情報. 非小細胞肺がん（単剤）副作用発現状況.
5) 小野薬品工業株式会社, ブリストルマイヤーズスクイブ株式会社. オプジーボ®安全性・適正使用情報. 切除不能な進行・再発の非小細胞肺癌 特定使用成績調査結果報告書.
6) キイトルーダ®適正使用ガイド. KEYNOTE-671試験の項より抜粋
7) 日本臨床腫瘍研究グループ. Common Terminology Criteria for Adverse Events（CTCAE）version 5.0（有害事象共通用語規準 v5.0 日本語訳 JCOG 版）. 2022.
8) 小野薬品工業株式会社, ブリストルマイヤーズスクイブ株式会社. irAE アトラス 12 皮膚障害.
9) NCCN Clinical Practice Guidelines in Oncology. Management of Immunotherapy-Related Toxicities. Version 1.2024.
https://www.nccn.org/professionals/physician_gls/pdf/immunotherapy.pdf（2024年7月15日アクセス）
10) Postow MA, Sidlow R, Hellmann MD. Immune-Related Adverse Events Associated with Immune Checkpoint Blockade. N Engl J Med. 2018；378（2）：158-68.
11) 八尋知里, 横山大輔, 川田裕味子, 他. 免疫チェックポイント阻害薬使用中に出現した皮疹の検討. 皮病診療. 2020；42（2）：98-103.
12) Sibaud V. Dermatologic Reactions to Immune Checkpoint Inhibitors：Skin Toxicities and Immunotherapy. Am J Clin Dermatol. 2018；19（3）：345-61.
13) Said JT, Elman SA, Perez-Chada LM, et al. Treatment of immune checkpoint inhibitor-mediated psoriasis：A systematic review. J Am Acad Dermatol. 2022；87（2）：399-400.
14) Hwang SJ, Carlos G, Wakade D, et al. Cutaneous adverse events（AEs）of anti-programmed cell death（PD）-1 therapy in patients with metastatic melanoma：A single-institution cohort. J Am Acad Dermatol. 2016；74（3）：455-61.e1.
15) Sadik CD, Langan EA, Gutzmer R, et al. Retrospective Analysis of Checkpoint Inhibitor Therapy-Associated Cases of Bullous Pemphigoid From Six German Dermatology Centers. Front Immunol. 2021；11（Feb）：588582.
16) Yamaguchi A, Saito Y, Narumi K, et al. Association between skin immune-related adverse events（irAEs）and multisystem irAEs during PD-1/PD-L1 inhibitor monotherapy. J Cancer Res Clin Oncol. 2023；149（4）：1659-66.
17) Schneider BJ, Naidoo J, Santomasso BD, et al. Management of Immune-Related Adverse Events in Patients Treated With Immune Checkpoint Inhibitor Therapy：ASCO Guideline Update. J Clin Oncol. 2021；39（36）：4073-126.

第5章 免疫チェックポイント阻害薬併用・逐次的薬物療法

1 皮膚障害

第5章 免疫チェックポイント阻害薬併用・逐次的薬物療法

1 皮膚障害

はじめに

免疫チェックポイント阻害薬併用薬物療法による皮膚障害

　免疫チェックポイント阻害薬（immune checkpoint inhibitor；ICI）が登場し，がん薬物療法では従来の標準治療にICIを併用するレジメンが増えた．殺細胞性抗がん薬や分子標的薬にICIを併用するため，導入後に皮疹が現れたり，重症化したりすることが懸念される[1]．1例として，TOPAZ-1試験に基づく事例を紹介する（図1）．TOPAZ-1試験は，切除不能・局所進行あるいは転移性胆管がんの被験者685名を対象に実施され，従来の標準治療GC療法（ゲムシタビン＋シスプラチン）にデュルバルマブを併用したレジメンである[2,3]．対照群に比べ，デュルバルマブ併用群で全生存期間の中央値が延長したため，本邦で保険収載された．主要な有害事象では両群間に明らかな差異はないものの，免疫関連有害事象（immune-related adverse events；irAE）では，対照群（プラセボ）に比べてデュルバルマブ併用群で皮膚障害の頻度が高いことが示された（0.3％ vs 3.6％）．また，重症例はすべてデュルバルマブ併用群で報告された（3例）．

症例提示

症例：60代男性．胆嚢がん，多発肝転移
主訴：そう痒
現病歴：一次治療GC療法＋デュルバルマブを開始した．5日後，腹部右側に皮疹が現れた（図1a，b）．
現症：紅斑および紅色丘疹が集簇・多発．
診断：irAEによる皮膚障害（紅斑・丘疹型）．Grade 2（中等症）
被疑薬：デュルバルマブ・ゲムシタビン
治療：Strongest classの副腎皮質ステロイド（デルモベート®軟膏など）外用．
経過：外用療法で皮疹は軽快したため，がん薬物療法を予定どおり継続した．

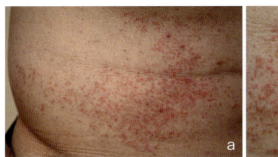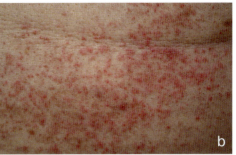

図1 切除不能胆嚢がんのため，GC 療法（ゲムシタビン＋シスプラチン）にデュルバルマブを併用して導入
a. 初診時所見。腹部右側に紅色丘疹が集簇・多発し，そう痒を伴う。
b. 拡大像。紅斑および紅色丘疹が集簇し，浸潤を伴う。明らかな水疱や帯状疱疹を疑う所見を認めない。

ICI 逐次的薬物療法による皮膚障害

　従来，先行する薬物療法が後方治療に大きな影響を与えることは少なく，副作用は現治療の薬剤に基づいて評価することが多かった。しかし，現在では標準治療（一次治療）で ICI が併用され，後方治療で殺細胞性抗がん薬や分子標的薬が投与される場合がある。このため，ICI が後方治療に影響を及ぼし，標準治療から後方治療まで幅広い期間に抗腫瘍効果が生じ，全生存期間を延長する可能性がある。このような ICI の効果を PFS2（progression free survival 2）として評価すると，抗腫瘍効果に関して逐次的な働きをもつことが示唆される（図2）[4]。一方，副作用では懸念がある。ICI により免疫系の賦活化が遷延し，後方治療による薬疹や皮膚障害の頻度が高まったり，重症化したりする可能性がある[5)～7)]。ICI が標準治療のひとつとして患者へ投与されるなか，皮膚障害の頻度と重症化リスクが，今後さらに高まるのではないかと思われる[8)～11)]。そこで，本章では ICI がきっかけになり薬疹や皮膚障害が現れた症例を紹介し，多様化する皮膚障害の「道しるべ milestone」を示す。

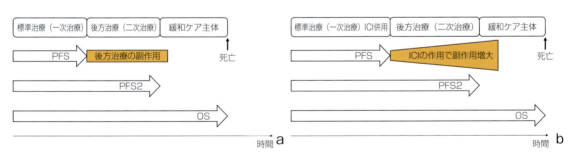

図2 ICI による逐次的薬物療法
a. 従来，殺細胞性抗がん薬を投与する場合，標準治療が後方治療の抗腫瘍効果や副作用に対して大きな影響を及ぼすことはなかった。
b. 標準治療に ICI を併用する場合，一次治療のみならず後方治療にも ICI の作用が及び，抗腫瘍効果や副作用に変化が現れることがある。この結果，患者の全生存期間（overall survival；OS）や PFS2（progression free survival 2）が延長する一方，後方治療の副作用の頻度が高まったり，重症化したりする場合がある。

治療

　皮膚症状に対する治療は一般的であり，皮疹が局所に生じた場合には副腎皮質ステロイド外用薬を用いる。また，皮疹が広範で重症化が懸念される場合には，副腎皮質ステロイドを全身投与する場合もある(経口プレドニゾロン換算で0.5～1 mg/kg程度)。そう痒を伴う場合には，抗アレルギー薬を併用するかどうか適宜判断する。

　がん薬物療法で薬疹あるいは皮膚障害が現れたとき，もっとも懸念されるのは被疑薬を再投与し得るかどうかである。皮膚症状が重症で，その要因がアレルギー性の場合，一般に被疑薬を再投与できない。重症薬疹であるスティーヴンス・ジョンソン症候群/中毒性表皮壊死症や薬剤性過敏症症候群は稀だが，その典型である。一方，殺細胞性抗がん薬にICIを併用し，薬疹や皮膚障害が現れた場合には，非アレルギー性と考えられる場合もある。このため，薬剤の再投与は許容され，薬剤を再投与しても皮膚症状が現れないことがある。日常診療では，皮膚病状や考えられる要因を患者に説明し，再投与の妥当性やリスクを薬剤師が中心になり多職種で検討したうえで，患者とともに決定することが求められる。

まとめ

　標準治療にICIを併用するレジメンが増えるなか，皮膚障害を始め生涯患者に与える副作用が増えつつある。一方，従来の薬物療法に精通した医療者が患者治療に取り組む場合には，ICIを併用しなくても標準治療によって良好な治療成果が上げられる場合もある。ICIは，副作用による患者負担だけではなく，経済的・社会的な課題も指摘されている。今後，個々の医療環境に応じたレジメンの選定や運用が，抗腫瘍効果のみならず副作用対策の視点から求められる。

〔田中将貴・平川聡史〕

1. 皮膚障害

> **症例 1**
> **診断名**：新型コロナワクチンによる局所および全身性副反応
> **重症度評価**：Grade 2，中等症
> **原因薬剤**：ニボルマブ，新型コロナワクチン
> **支持療法**：Strongest class の副腎皮質ステロイド（デルモベート®軟膏など）外用

〔概要〕70代男性。胃がん，多発リンパ節転移，多発骨転移。一次治療SP療法［テガフール・ギメラシル・オテラシルカリウム（ティーエスワン®），シスプラチン］，二次治療ラムシルマブ＋アルブミン懸濁型パクリタキセル注射薬（アブラキサン®）を実施後，新型コロナワクチン（コミナティ®）を初回接種した。その後，三次治療ニボルマブを開始した（1病日）。12病日，新型コロナワクチン（コミナティ®）の2回目を接種した。翌日，発熱（38℃台）したためアセトアミノフェンを服用した。ワクチン接種部に紅斑が現れ，そう痒を伴った（図1）。16病日，解熱したが体幹部に紅斑が現れた（図2）。

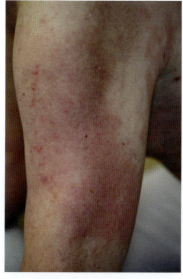

図1 新型コロナワクチンによる局所副反応（左上腕部），Grade 2
ワクチンを筋注した部位に一致して紅色局面があり，皮下に硬結を伴う。

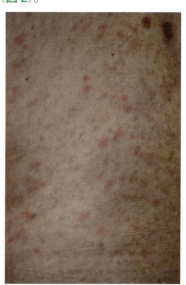

図2 背部の所見
浸潤を伴う紅斑が散在・多発する。

〔経過〕Strongest class の副腎皮質ステロイド（デルモベート®軟膏）を外用し，次第に皮疹は消退した。

⚠ ここがポイント

ニボルマブ投与前後に新型コロナワクチンを接種した。ワクチン初回接種後に感作が成立し，2回目の接種で副反応が惹起された。自験例では，ニボルマブにより免疫能が賦活化されたため新型コロナワクチンの副反応が強調され，接種部位にとどまらず全身反応（発熱・体幹部の皮疹）が誘発された。

（平川聡史）

症例 2	診断名：多形紅斑型薬疹 重症度評価：Grade 2, 中等症 原因薬剤：ベバシズマブ 支持療法：副腎皮質ステロイド（プレドニゾロン）内服, very strong class の副腎皮質ステロイド（アンテベート®軟膏など）外用

〔概要〕50代女性。子宮頸がん再発，多発肺転移。CPS（Combined Positive Score）≧1%。併存疾患：2型糖尿病。併用薬：レパグリニド 1.5 mg/日，リナグリプチン 5 mg/日。原病に対して一次治療ペムブロリズマブ＋TC療法，ベバシズマブ併用を開始した［ペムブロリズマブ 200 mg/body，パクリタキセル 175 mg/m^2，カルボプラチン AUC 5，ベバシズマブ 15 mg/kg 3週ごと×6サイクル，維持療法としてペムブロリズマブ 200 mg/body＋ベバシズマブ 15 mg/kg 3週ごと］。維持療法2サイクル目，投与16日後から四肢・体幹部に浮腫性紅斑が多発した。そう痒を自覚したため，患者は皮膚科開業医を受診した。副腎皮質ステロイド（プレドニゾロン）10 mg/日内服，very strong class の副腎皮質ステロイド（アンテベート®軟膏）外用を開始したが，軽快しないため主科から支持医療科へ紹介された。初診時の臨床像を示す（1病日，図1）。Nikolsky 現象陰性。粘膜症状および全身症状を伴わないため，ペムブロリズマブあるいはベバシズマブによる多形紅斑型薬疹 Grade 2 と診断した。そう痒のため，患者は睡眠障害を訴えた。

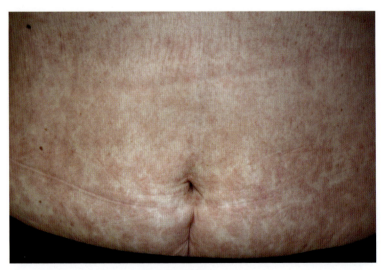

図1　ベバシズマブによる多形紅斑型薬疹，Grade 2
腹部に浮腫性紅斑が多発し，融合している。免疫関連有害事象の可能性を考え，副腎皮質ステロイド（プレドニゾロン）10 mg/日から 30 mg/日へ増量した。

〔経過〕プレドニゾロン 30 mg/日へ増量し，維持療法 3 サイクル目を延期した．以後，皮疹は消退したため，プレドニゾロンを漸減，睡眠障害も消失した．免疫関連有害事象による多形紅斑を否定できないため，維持療法を再開する際にはペムブロリズマブを休薬する方針をたてた．22 病日，ベバシズマブを投与した．この結果，浮腫性紅斑が再燃した（29 病日，図 2a，b）．原因薬剤はベバシズマブと考え，投与を中止した．皮膚症状に対して，再びプレドニゾロン 30 mg/日で治療を開始した．耐糖能異常が悪化したため，かかりつけ内科で経口血糖降下薬が処方された．皮疹が軽快し，プレドニゾロンを終了した後，原病に対する維持療法をペムブロリズマブで再開した．以後，皮疹は再燃せず，ペムブロリズマブで維持療法を継続している（図 3）．

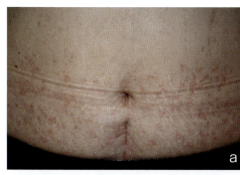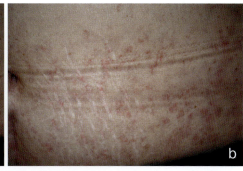

図 2　経過，29 病日
a．腹部．22 病日にベバシズマブを投与し，腹部に浮腫性紅斑が再燃した．
b．臍左側の拡大像．多形紅斑が索状〜網状に拡がる．原因薬剤はベバシズマブであり，ペムブロリズマブによる多形紅斑ではないと考えた．

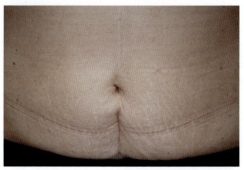

図 3　ペムブロリズマブ 15 サイクル後
皮膚症状は再燃することなく，原病に対する維持療法を継続している．

ここがポイント

従来のがん薬物療法に免疫チェックポイント阻害薬を併用するレジメンが増えている．多形紅斑を生じた場合，免疫チェックポイント阻害薬による直接的な免疫関連有害事象ではなく，従来使用していた薬剤が原因となる場合もある．自験例ではベバシズマブを再投与し，多形紅斑が誘発されたため原因薬剤と同定した．

ベバシズマブによる多形紅斑は稀だが，ペムブロリズマブを始め免疫チェックポイント阻害薬を併用することにより，ベバシズマブによる薬疹が誘発・強調されることが示唆された．

〔平川聡史〕

| 症例 3 | 診断名：播種状紅斑丘疹型薬疹
重症度評価：Grade 3，重症
関連薬剤：ニボルマブ，エンホルツマブ ベドチン
支持療法：休薬。Very strong class の副腎皮質ステロイド（アンテベート® 軟膏など）外用，抗アレルギー薬（アレグラ® など）内服 |

〔概要〕60代男性。右尿管がん。導入化学療法（ゲムシタビン＋シスプラチン）2サイクルを行い，手術を実施した。術後薬物療法ニボルマブ（240 mg/回）を9カ月にわたり11回投与した。画像評価で右肺に結節影が現れ増大したため，肺転移と診断した。エンホルツマブ ベドチン（1.25 mg/kg）を開始して2サイクル目，体幹部に皮疹が現れた。3カ月後，皮疹は四肢へ拡大した。7カ月後，そう痒のため睡眠障害を生じ，播種状紅斑丘疹型薬疹 Grade 3 と診断した（図1a，b）。頭部および眉毛・睫毛には脱毛を生じた（図2）。

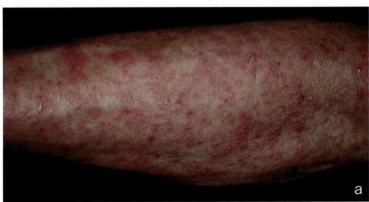

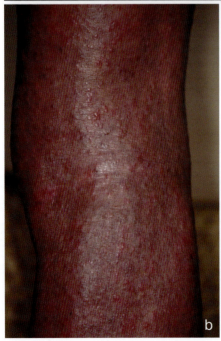

図1 ニボルマブ，エンホルツマブ ベドチンによる播種状紅斑丘疹型薬疹，Grade 3
a．初診時，右前腕部。紅斑および紅色丘疹が集簇・多発し，互いに癒合する。
b．右下肢後面。紅色丘疹が集簇・多発し，膝窩を中心に苔癬化・色素沈着を伴う。

図2　脱毛
両眉毛・睫毛が消失している。

〔経過〕エンホルツマブ ベドチンを中止したうえで，very strong class の副腎皮質ステロイド（アンテベート®軟膏など）外用，抗アレルギー薬（アレグラ®など）内服で加療し，皮膚症状は次第に消失した（図3）。

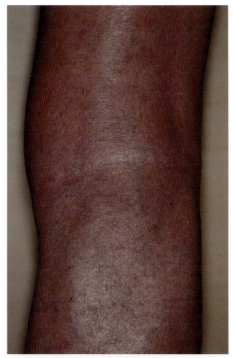

図3　治療後（右下肢後面）
皮疹は消失した。

ここがポイント

　エンホルツマブ ベドチンは，Nectin-4 を標的とする抗体薬物複合体であり，皮膚に副作用が現れやすい。自験例では先行してニボルマブが投与され，免疫能が賦活化した。その後，エンホルツマブ ベドチンを投与したため皮膚症状が拡大し，重症化したことが示唆される。

　重症度について，そう痒のため睡眠障害を生じ，日常生活に支障をきたしたため，自験例では Grade 3 と評価した。

（平川聡史）

> **症例 4**
>
> **診断名**：irAE による湿疹反応，セツキシマブによる増悪（皮脂欠乏性湿疹）
> **重症度評価**：Grade 3，重症
> **原因薬剤**：ニボルマブ，セツキシマブ
> **支持療法**：休薬。Strongest class の副腎皮質ステロイド（デルモベート®軟膏など）外用，クラリスロマイシン 400 mg/日内服

〔概要〕70代男性。下咽頭がん，多発肺転移のため一次治療 FP（フルオロウラシル，シスプラチン）＋セツキシマブ療法（初回 400 mg/m^2，2回目以降 250 mg/m^2 毎週）を6サイクル実施した。セツキシマブによる皮膚毒性は軽微だった。二次治療ニボルマブ（240 mg/回）を8カ月にわたり14回投与し，湿疹反応 Grade 1 を生じた。その後，三次治療 weekly パクリタキセル＋セツキシマブ療法（パクリタキセル 80 mg/m^2，セツキシマブ初回 400 mg/m^2，2回目以降 250 mg/m^2）を開始したところ，ざ瘡様皮疹が現れた。2カ月後，四肢・体幹部が乾燥し，湿疹が悪化したため，主科から支持医療科へ紹介された（図1，1病日）。そう痒およびヒリヒリする疼痛を伴い睡眠障害を生じた。このため，皮脂欠乏性湿疹 Grade 3 と診断した。

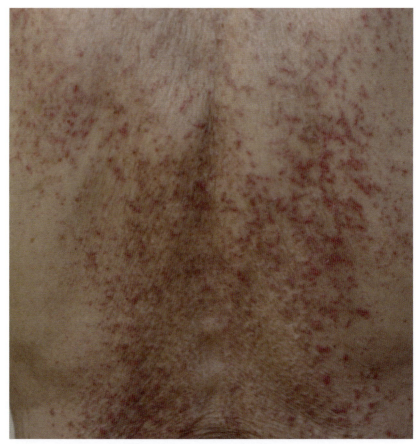

図1　ニボルマブ，セツキシマブによる皮脂欠乏性湿疹，Grade 3
背部の所見。広範に乾燥し，さざ波〜網目状に紅斑が広がり，色素沈着を伴う。

〔経過〕セツキシマブを 80％ へ減量し，strongest class の副腎皮質ステロイド（デルモベート®軟膏など）およびクラリスロマイシン 400 mg/日で治療したが，皮膚症状は改善しなかった。このため 8 病日からセツキシマブを 2 週間休薬したところ，皮疹は軽減して Grade 1 まで回復した（図 2a）。22 病日にセツキシマブを 60％ へ減量して再開，2 カ月後に効果判定を行い SD（stable disease）と評価した。背部の皮膚症状は限局し，日常生活に支障をきたすことはないため Grade 2 と評価した（図 2b）。

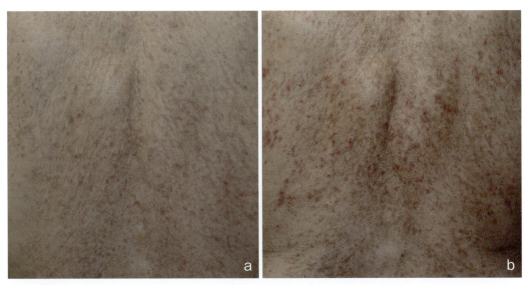

図2　経過
a. 22 病日。背部の乾燥・湿疹病変は消退し，色素沈着主体になった。
b. 78 病日。セツキシマブを 60％ へ減量し，再開した皮膚所見。紅斑・丘疹は限局している。

ここがポイント

　一次治療でセツキシマブを投与した際，皮膚症状は軽微だったが，ニボルマブ投与後にセツキシマブを再投与したところ，乾燥・湿疹が重症化した。ニボルマブで免疫能が賦活化し，セツキシマブによる皮膚炎が悪化したことが示唆される。

　血中セツキシマブ濃度は，皮膚毒性の重症度に関連する指標のひとつである。このため，皮膚症状に応じてセツキシマブを減量し，継続することにより原病の病勢をコントロールし得た。

〈平川聡史〉

症例 5	診断名：irAEによる接触皮膚炎および水疱性類天疱瘡，セツキシマブによる増悪 重症度評価：Grade 3，重症 関連薬剤：ペムブロリズマブ，セツキシマブ 支持療法：休薬。創傷被覆材（デュオアクティブ®など），亜鉛華単軟膏外用，炎症性皮膚疾患治療薬（アズノール®軟膏）外用，ストーマパウダー（アダプト®ストーマパウダーなど），高カロリー輸液・オクトレオチド混注（300 μg/日），副腎皮質ステロイド注射薬（水溶性プレドニン® 20 mg/日）

〔概要〕60代男性。既往歴：食道胃接合部がん。術後，腸瘻あり。2型糖尿病。現病歴：舌がん，皮下転移。一次治療ペムブロリズマブ（200 mg 3週ごと）を8カ月にわたり11回実施した。一次治療以前，腸瘻周囲を始め皮膚所見を認めなかった。ペムブロリズマブ投与後，体幹部に緊満性水疱が現れ，びらんを呈した（図1a）。血中抗BP180抗体を検出したため，irAEによる水疱性類天疱瘡と診断した。ただし，患者に苦痛がないため経過観察していた。また，腸瘻周囲には紅斑が現れ，ヒリヒリ疼痛を伴うため，irAEによる刺激性接触皮膚炎と診断した（図1b）。1病日，入院で二次治療PCE療法（パクリタキセル，カルボプラチン，セツキシマブ 初回400 mg/m², 2回目以降250 mg/m²）を開始した。11病日，腸瘻周囲の皮膚炎と疼痛が悪化し，広範な皮膚潰瘍を形成した（図1c）。このため患者は入院を継続した。

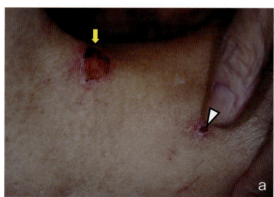

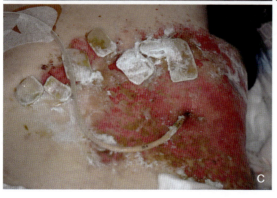

図1 ペムブロリズマブ，セツキシマブによる接触皮膚炎および水疱性類天疱瘡，Grade 3
a. 左肩部。2 cm大の潰瘍（矢印）および痂皮を付すびらん（矢頭）が散在する。
b. 二次治療導入前。ペムブロリズマブによるirAEで刺激性接触皮膚炎を生じ，腸瘻を中心に紅斑が広がり，ドレーン穿入部はびらんを呈する（矢印）。また，紅斑の一部にもびらんが散在する（矢頭）。
c. 二次治療11日目。腸瘻周囲にびらんが拡大し，紅斑の範囲全体が潰瘍に変化した。創傷処置に伴い，創面には亜鉛華単軟膏と創傷被覆材（デュオアクティブ®）が付着している。創部には強い疼痛を伴い，患者の日常生活動作（ADL）は著しく低下した。

〔経過〕水疱性類天疱瘡の治療を副腎皮質ステロイド注射薬（水溶性プレドニン® 20 mg/日）で開始した。接触皮膚炎の要因は腸液と考え，腸液を軽減するため経口摂取を中止して高カロリー輸液を行い，オクトレオチドを併用した。疼痛を軽減するため，アセトアミノフェン注射薬を静脈内投与した（アセリオ® 700 mg，1日3回）。皮膚潰瘍は，皮膚・排泄ケア認定看護師とともに評価・治療方針をたて，連日多職種で創傷処置を行った（図2a〜d）。その後，皮膚潰瘍は徐々に上皮化し始めたが（図3a），体動時に強い疼痛を伴い，患者の日常生活動作（ADL）が低下した。腸瘻ドレーン部を残して皮膚は再生したが（図3b），誤嚥性肺炎を併発した。50病日，病状が悪化し患者は死亡した（図3c）。

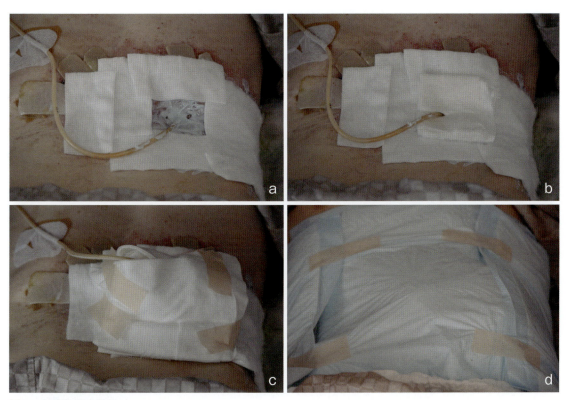

図2　創傷処置の手順
a. 潰瘍に亜鉛華軟膏および炎症性皮膚疾患治療薬（アズノール®軟膏）を外用し，不織布を重ねた。深い潰瘍にはアダプト®ストーマパウダーを散布し，デュオアクティブ®を貼った。
b. ドレーン刺入部に高吸収ポリマーシートを重ねた。
c. 不織布を立体的に重ねてドレーンの排液が拡散するのを防いだ。
d. フラットな大人用紙おむつ（いわゆる板おむつ）で創部を被覆した。

■第5章 免疫チェックポイント阻害薬併用・逐次的薬物療法

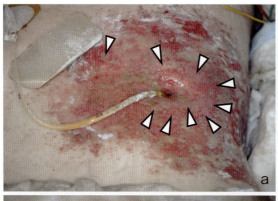
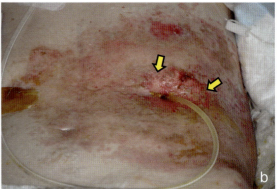
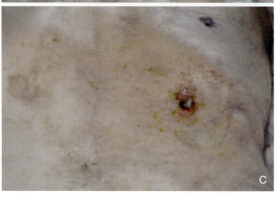

図3 経過
a. 二次治療19日目。皮膚潰瘍は諸処で上皮化し始め、いわゆる「薄い皮膚」が再生し始めた（矢頭）。
b. 41日目。広範に生じた皮膚潰瘍は上皮化したが、腸瘻周囲には潰瘍が残存する（矢印）。
c. 死亡時の所見。腸瘻周囲も上皮化した。腸液が減少し、接触皮膚炎は治癒した。

> **ここがポイント**

　背景にirAEによる水疱性類天疱瘡があり、表皮の接着は脆弱だった。さらにirAEで腸液による刺激性接触皮膚炎が惹起され、セツキシマブによる皮膚毒性（バリアの破綻や創傷治癒遅延）で皮膚炎が重症化し、腸瘻を中心に広範な皮膚潰瘍が形成された。このため、難治性びらん・皮膚潰瘍は、治癒するまで長期間を要した。

　多職種で連携し、連日創傷処置を行った。皮膚潰瘍は縮小したが、皮膚創部の疼痛のため患者のADL・QOLが著しく低下した。患者のPS（performance status）が悪化し、誤嚥性肺炎を発症したため、皮膚症状と関連があったと考えた。

（平川聡史）

■ 引用文献

1．皮膚障害

1) 新川衣里子, 田中菜々子, 川田裕味子, 他. ニボルマブ投与後の他剤による薬疹の検討. 日皮会誌. 2018；128（10）：2109-16.
2) Oh DY, He AR, Qin S, et al. Durvalumab plus Gemcitabine and Cisplatin in Advanced Biliary Tract Cancer. NEJM Evid. 2022；1（8）：EVIDoa2200015.
3) Oh DY, He AR, Bouattour M, et al. Durvalumab or placebo plus gemcitabine and cisplatin in participants with advanced biliary tract cancer（TOPAZ-1）：updated overall survival from a randomised phase 3 study. Lancet Gastroenterol Hepatol. 2024；9（8）：694-704.
4) 近松一朗. 頭頸部癌治療の最前線 免疫療法. 日耳鼻頭頸部外会報. 2022；125（9）：1409-13.
5) Saleh K, Daste A, Martin N, et al. Response to salvage chemotherapy after progression on immune checkpoint inhibitors in patients with recurrent and/or metastatic squamous cell carcinoma of the head and neck. Eur J Cancer. 2019；121（Nov）：123-9.
6) Kacew AJ, Harris EJ, Lorch JH, et al. Chemotherapy after immune checkpoint blockade in patients with recurrent, metastatic squamous cell carcinoma of the head and neck. Oral Oncol. 2020；105（Jun）：104676.
7) Wakasaki T, Yasumatsu R, Masuda M, et al. Prognostic Biomarkers of Salvage Chemotherapy Following Nivolumab Treatment for Recurrent and/or Metastatic Head and Neck Squamous Cell Carcinoma. Cancers（Basel）. 2020；12（8）：2299.
8) Yahiro C, Takai T, Nakatani S, et al. Skin rash associated with combined cytotoxic chemotherapy and immunotherapy for cancer：A retrospective single-center case series. J Dermatol. 2023；50（3）：357-63.
9) Adachi T, Matsui T, Okata-Karigane U, et al. Delayed and immediate cutaneous adverse events during pembrolizumab combination chemotherapy against cervical cancer：Case series. J Dermatol. 2025；52（1）：132-7.
10) Janjigian YY, Shitara K, Moehler M, et al. First-line nivolumab plus chemotherapy versus chemotherapy alone for advanced gastric, gastro-oesophageal junction, and oesophageal adenocarcinoma（CheckMate 649）：a randomised, open-label, phase 3 trial. Lancet. 2021；398（10294）：27-40.
11) Kang YK, Chen LT, Ryu MH, et al. Nivolumab plus chemotherapy versus placebo plus chemotherapy in patients with HER2-negative, untreated, unresectable advanced or recurrent gastric or gastro-oesophageal junction cancer（ATTRACTION-4）：a randomised, multicentre, double-blind, placebo-controlled, phase 3 trial. Lancet Oncol. 2022；23（2）：234-47.

第6章 がん治療に伴う合併症

1. 放射線皮膚炎
2. 感染症
3. 血管・血栓症に関連した有害事象
4. 支持医療の副作用

第6章　がん治療に伴う合併症

1　放射線皮膚炎

はじめに

　放射線治療を行う場合，放射線はまず皮膚を通過して体内の標的に達するため，照射範囲に一致した皮膚の炎症が生じる。これは放射線皮膚炎とよばれ，放射線治療を受ける患者のおよそ9割が経験する，もっとも頻度の高い副作用である[1]。

　放射線皮膚炎は，急性放射線皮膚炎（治療中〜治療終了後3カ月）と遅発性放射線皮膚炎（治療終了後数カ月〜数年後）に分けられる。急性放射線皮膚炎は，放射線治療のもっとも一般的な線量分割スケジュールである1回2 Gy，1日1回の通常分割照射を行った際には，開始後2週間前後（累積線量にして20 Gy程度）で紅斑，乾燥，落屑，浮腫，熱感，そう痒感，色素沈着など，「日焼け」に類似した症状を伴って生じる[2]。この放射線皮膚炎の初期段階では，放射線感受性の高い表皮基底層のケラチノサイトの細胞分裂が障害され，結果として乾性の落屑を生じる（図1a）。これ以降の症状の進行は個人差が大きいものの，一般的に累積線量が50 Gy前後まで達した際には，放射線の影響は真皮にまで至り，湿性の落屑を呈することがある（図1b）。湿性の落屑が生じると真皮の露出に伴う疼痛や，刺激による出血が生じるようになり，さらに皮膚バリアの破綻により感染をきたすリスクも上昇する。稀ではあるが，皮膚壊死および潰瘍形成，自然出血が起きることがあり，同部位に感染や致命的な出血をきたした場合には生命に関わる重篤な副作用となり得る。また，皮膚表面に高線量が照射された場合，遅発性放射線皮膚炎として毛細血管拡張や皮下組織の線維化，表皮の萎縮，色素脱失，皮膚壊死などの非可逆性の変化を生じることがある。さらに，放射線皮膚炎は重症化するにつれ患者の精神面，ひいてはQOLに及ぼす影響が大きくなることも指摘されている[3]。したがって，放射線治療開

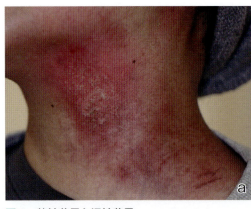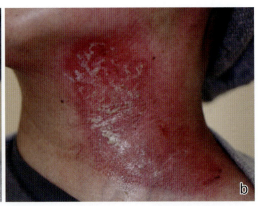

図1　乾性落屑と湿性落屑
a. 放射線治療中。頸部左側，放射線照射部に紅斑が拡がる。表面には乾燥した落屑が付着する。
b. 治療直後（総量60 Gy）。紅斑は放射線照射部位に一致しており，皮膚表面は浸軟し，湿性落屑が現れた。擦過すれば容易にびらん・潰瘍化することが懸念される。

（写真提供：聖隷浜松病院　平川聡史）

始前から患者本人に対して日常生活における患部の自己ケアについて指導を行うなど，重症化予防のための管理が重要である。

重症度評価

放射線皮膚炎の重症度評価には，CTCAE v5.0 が用いられることが多い[4]。放射線治療に特化した評価として，急性には RTOG の，遅発性には RTOG/EORTC の重症度分類も使用される[5]（表1）。

重症度評価のポイントとしては，①紅斑，②落屑，③出血の評価が肝要となる。

①紅斑：放射線の影響により皮下組織において血管透過性が亢進し，皮膚が発赤を呈した状態を指す。紅斑が軽度ないしわずかな状態であれば Grade 1，一方，紅斑が明瞭な場合には Grade 2 と評価する。放射線皮膚炎の紅斑は照射野に一致していることが特徴である。重症度評価において注目すべきは紅斑の範囲ではなく，発赤の強さであることに留意する必要がある。

②落屑：表皮が剥がれ，鱗状に落ちる状態を指す。放射線の影響で単に表皮が剥がれ落ちる状態を乾性落屑とよび，表皮が完全に剥がれて真皮が露出し，滲出液を伴うようになる状態を湿性落屑とよぶ。湿性落屑が生じた時点で Grade 2 の判定となり，その範囲が皮膚の皺や襞に限局せずに広範囲に達する場合には Grade 3 の判定となる。

③出血：放射線皮膚炎が重症化した際には出血をきたすことがある。CTCAE v5.0 では，出血を確認した時点で Grade 3 となる。軽度の摩擦や刺激により出血をきたしている場合には Grade 3，特に誘因がなく自然に出血している場合には Grade 4 の判定となる。Grade 4 は致死的な状態に移行し得るため，放射線治療の休止を検討する必要がある。

表1 放射線皮膚炎の重症度分類

	放射線性皮膚炎 CTCAE v5.0	急性放射線皮膚炎 RTOG	遅発性放射線皮膚炎 RTOG/EORTC
Grade 1	わずかな紅斑や乾性落屑	淡い紅斑 乾性落屑 発汗減少	軽度萎縮 色素変化 一部脱毛
Grade 2	中等度から高度の紅斑；まだらな湿性落屑。ただしほとんど皺や襞に限局している；中等度の浮腫	中等度または明瞭な紅斑 斑状の湿性落屑（大部分は間擦部に限局） 中等度の浮腫	斑状の萎縮 （中等度）毛細血管拡張 完全脱毛
Grade 3	皺や襞以外の部位の湿性落屑；軽度の外傷や擦過により出血する	融合する湿性落屑（間擦部に限局しない） 圧痕性の浮腫	著明な萎縮・毛細血管拡張
Grade 4	生命を脅かす；皮膚全層の壊死や潰瘍；病変部より自然に出血する；皮膚移植を要する	潰瘍 出血 壊死	潰瘍
Grade 5	死亡		

（文献4）5）をもとに作成）

■第6章　がん治療に伴う合併症

Grade 1（軽症）

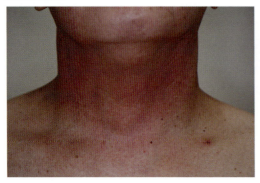

放射線照射部に，わずかに紅斑を認める。

Grade 2（中等症）

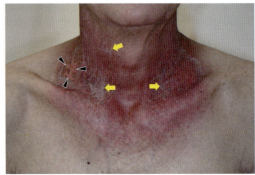

紅斑は明瞭であり，皮膚表面には乾性落屑が付着する（矢印）。頸部右側では表皮が剝がれて真皮が露出し，湿性落屑を生じた（矢頭）。

Grade 3（重症）

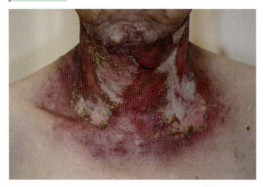

表皮を欠く湿性落屑が，間擦部にとどまらず融合する。

(Grade 1～3 写真提供：聖隷浜松病院　平川聡史)

予防と治療

　放射線皮膚炎の予防として，保湿・保清・保護を心掛けるよう患者にセルフケアを指導することが重要である。指導にも関わらず放射線皮膚炎が増悪する際は，セルフケアがうまくできていない可能性にも留意する必要がある。

　放射線皮膚炎は皮膚バリア機能の破綻により細菌感染症を合併することがある（図2）。湿性落屑や潰瘍など重症化を防ぐために，日常臨床において細菌感染症の予防が重要である。放射線皮膚炎への対応として，乾性落屑に伴う乾燥・そう痒感（Grade 2 相当）には保湿薬，湿性落屑（Grade 3 相当以上）には副腎皮質ステロイド外用薬が使用されることが多い。一方，皮膚細菌感染症には，副腎皮質ステロイド外用薬は禁忌である。放射線皮膚炎の発生予防として保湿薬や副腎皮質ステロイド外用薬が有効であるという明確なエビデンスは乏しいが[6)7)]，副腎皮質ステロイド外用による重症度軽減効果を示すランダム化比較試験の報告は存在する[8)9)]。また，2023年に発刊された MASCC（国際がんサポーティブケア学会）による急性放射線皮膚

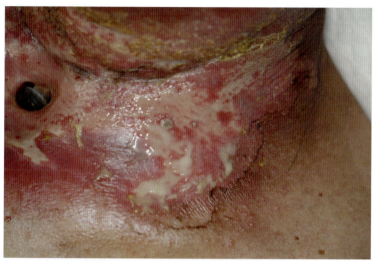

図2　急性放射線皮膚炎に併発した表在性細菌感染症
皮膚炎の表面に乳白色の排膿を認め，創部が汚染されている。一般細菌培養を行い，黄色ブドウ球菌が検出された。不十分なセルフケアのため，創面はびらんを呈する。このため医療者が創部を洗浄し，除菌を行った。

(写真提供：聖隷浜松病院　平川聡史)

炎の予防と管理に関するガイドラインでは，予防的介入として副腎皮質ステロイド外用薬ではベタメタゾンおよびモメタゾンが推奨された。ベタメタゾンは，本邦ではアンテベート®軟膏やリンデロン®-DP軟膏あるいはリンデロン®-V軟膏として処方されることが多く，モメタゾンの標準医薬品名（先発品）はフルメタ®軟膏である。本邦には副腎皮質ステロイド外用薬に関するランクがあり，リンデロン®-V軟膏はstrong classである一方，アンテベート®軟膏，リンデロン®-DP軟膏およびフルメタ®軟膏は，very strong classである。副腎皮質ステロイド外用薬の処方に際しては基剤も重要であり，放射線皮膚炎では軟膏が好ましい。副腎皮質ステロイド外用薬以外ではオリーブオイル塗布，ハイドロフィルムの貼付，また乳がん患者に限定してメピテル®フィルムの貼付，光線療法が予防的介入として推奨された。同ガイドラインでは，急性放射線皮膚炎の管理としてメピレックス®ライトのみが推奨された[10]。

　放射線皮膚炎は日々の丁寧な観察・適切な対応を行うことでその進行を最小限にとどめることのできる副作用であり，チーム内でその認識を共有し，実践することが重要である。

(富澤建斗・大吉秀和)

症例 1

診断名：放射線皮膚炎
重症度評価：Grade 1，軽症
併用するがん薬物療法：なし
支持療法：炎症性皮膚疾患治療薬（アズノール®軟膏）外用

〔概要〕70代男性。声門がんに対して総線量64.8 Gy/27回の予定で放射線治療を開始した。
〔経過〕26 Gy/11回の時点で前頸部の皮膚に，放射線が照射されている部位に一致した発赤が出現した。放射線皮膚炎 Grade 1と診断し，炎症性皮膚疾患治療薬（アズノール®軟膏）を用いた保湿を行った。62 Gy/26回時点では乾性落屑を認めた（図1）。その後，外用薬による保湿，非固着性創傷被覆材での保護による処置を継続することで改善した。

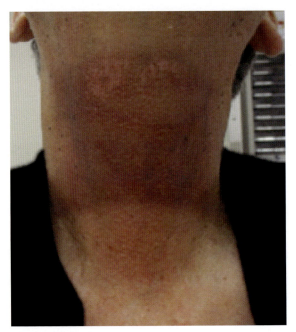

図1　放射線皮膚炎，Grade 1
照射野に一致した，辺縁が直線状の皮膚炎を認める。顎の下の部分には乾性落屑を認める。

ここがポイント

放射線皮膚炎は基本的には放射線が照射された部位に影響が出るため，放射線が通過した部位に一致した，辺縁が直線状の発赤を認めることが特徴的である。放射線治療を開始して2週間頃から出現し始める。

放射線皮膚炎は，放射線治療終了後も約1～2週間は増悪の可能性がある。一度に高線量を照射して短期間で治療を完遂する定位照射や粒子線治療（陽子線治療，重粒子線治療）では，放射線皮膚炎が出現する前に治療が終了することもある。皮膚表面に高線量が照射されている場合は治療終了後1カ月ほどしてから急に発赤が出現することもあり，経過観察が必要である。

（富澤建斗・大吉秀和）

> **症例 2**
> 診断名：放射線皮膚炎
> 重症度評価：Grade 2，中等症
> 併用するがん薬物療法：なし
> 支持療法：炎症性皮膚疾患治療薬（アズノール®軟膏）外用，strong class の副腎皮質ステロイド・ゲンタマイシン硫酸塩配合薬（リンデロン®-VG）外用

〔概要〕80代男性。声門がんに対して総線量 60 Gy/25 回の予定で放射線治療を開始した。

〔経過〕19 Gy/8 回時点で皮膚炎 Grade 1 を認め，炎症性皮膚疾患治療薬（アズノール® 軟膏）の塗布を開始した。46 Gy/19 回時点で放射線皮膚炎 Grade 2（図1）と診断し，strong class の副腎皮質ステロイド・ゲンタマイシン硫酸塩配合薬（リンデロン®-VG）塗布を開始した。放射線治療終了後1週間の時点で Grade 2 ながらも皮膚炎の改善を認め，リンデロン®-VG を終了した。アズノール軟膏®と非固着性創傷被覆材により，放射線治療終了後3週間の時点で Grade 1 相当まで改善した（図2）。

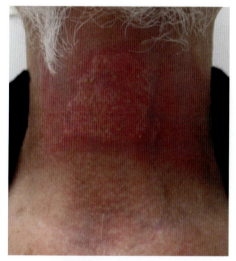

図1　放射線皮膚炎，Grade 2
放射線の照射野に一致した中等度〜高度の紅斑および湿性落屑を認める。

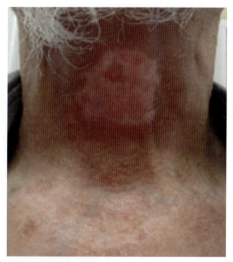

図2　放射線治療終了から3週間後
皮膚の発赤は中心部に限局し，上皮化している。照射野の辺縁部は色素沈着を認める。

ここがポイント

放射線皮膚炎が高度の紅斑と湿性落屑を伴ってきた際は Grade 2 の判定となる。

皮膚炎の出現の仕方は個人差があり，症例1と同様に 2.4 Gy/回の照射であったが，本症例は8回時点ですでに Grade 1 の皮膚炎が出現している。

本症例では皮膚炎が出現した時点で放射線治療は17回残されており，可及的速やかに保湿および物理的刺激を避けるため非固着性創傷被覆材にて保護をしたが照射が進むにつれ Grade 2 への増悪を認めた。

放射線治療の早期に皮膚炎が出現した際は，今後の皮膚炎増悪の可能性を考慮する必要がある。

（富澤建斗・大吉秀和）

| 症例 3 | 診断名：放射線皮膚炎
重症度評価：Grade 3，重症
関連薬剤：シスプラチン
支持療法：炎症性皮膚疾患治療薬（アズノール® 軟膏）外用 |

〔概要〕70代女性。左頬粘膜がん術後（皮弁形成あり）の局所および左頸部〜鎖骨上リンパ節再発に対し，総線量70 Gy/35回の予定で放射線治療を開始した。

〔経過〕36 Gy/17回の時点で皮膚炎 Grade 1が出現した。57 Gy/27回の時点で皮膚炎 Grade 2を認め，炎症性皮膚疾患治療薬（アズノール® 軟膏）および非固着性創傷被覆材による処置を開始した。68 Gy/32回では皮膚炎 Grade 3を認めた（図1）。放射線治療終了後，1週間にわたり Grade 3相当が持続したが，その後改善傾向であった。周囲から上皮化が進行し，皮膚炎の範囲も徐々に中心部に向かい縮小していった。放射線治療30日後には照射の中心部付近に Grade 1相当の皮膚炎を認めるのみであったが，同部位も含めて上皮化しており，湿潤していた皮膚も乾燥していた（図2）。

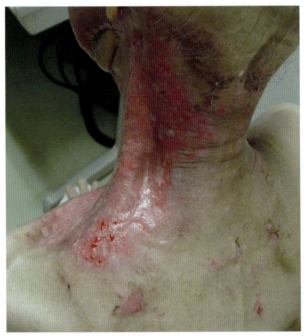

図1　放射線皮膚炎，Grade 3
左肩のテープ貼付部からは易出血性を認める。

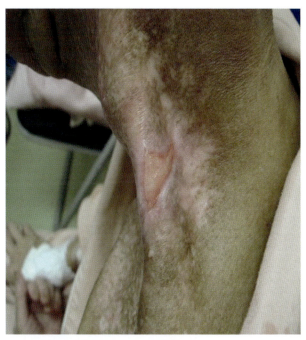

図2 放射線治療終了から1カ月後
周囲から皮膚の上皮化が進行し，皮膚炎は左頸部の一部に限局している。皮膚炎の改善に伴い，湿潤していた皮膚も乾燥してきている。

ここがポイント

　放射線治療はがんの種類によって処方線量が異なる。

　頭頸部では総線量が70 Gy程度と他の部位よりも高線量で照射されることが多く，皮膚炎のリスクはその分高くなる。

　また放射線治療の増感作用を目的として同時に化学療法を併用されることがあり，その際は皮膚炎のリスクはさらに高くなる。本症例ではシスプラチンを同時併用していた。

　本症例は三次元原体照射（3D-CRT）で照射されているが，近年では強度変調放射線治療（IMRT）を用いることが増えてきており，皮膚表面線量の低減が図られてきている。

　軽度の刺激で出血する際はGrade 3の判定となり，感染に注意して経過観察をしていく必要がある。

　本症例のようにテープ貼付部が照射野内に入ってしまうと，出血や剥離など皮膚炎が増悪してしまう可能性があるため注意を要する。

〈富澤建斗・大吉秀和〉

> **症例 4**
>
> 診断名：放射線皮膚炎
> 重症度評価：Grade 4, 最重症
> 併用するがん薬物療法：なし
> 支持療法：炎症性皮膚疾患治療薬（アズノール®軟膏）外用

〔概要〕50代男性。声門がんに対し総線量 65.25 Gy/29 回の予定で放射線治療を開始した。

〔経過〕34 Gy/15 回時点で皮膚炎 Grade 1 が出現した。59 Gy/26 回時点で皮膚炎増悪のため炎症性皮膚疾患治療薬（アズノール® 軟膏）およびガーゼによる処置を開始した。63 Gy/28 回時点では皮膚炎 Grade 2 相当であったが，処置の必要性を理解していなかったこともあり，放射線治療後 3 日目の来院時には皮膚炎 Grade 4 まで増悪していた（図1）。その後，処置の必要性を理解され，処置を継続するよう指導し，軟膏処置をあらためて徹底するよう指導し，放射線治療後 1 週間で Grade 3，2 週間で Grade 2 と改善した。放射線治療後 3 週間には Grade 1 まで改善し，処置を終了した（図2）。

放射線治療終了後 5 年 8 カ月では，皮膚の萎縮と毛細血管の拡張といった晩期有害事象を認めた（図3）。

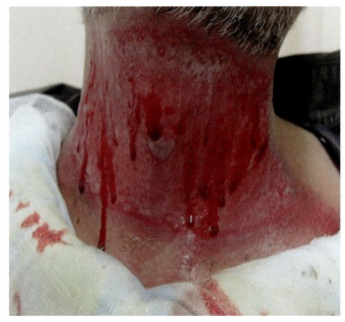

図 1　放射線皮膚炎，Grade 4
皮膚炎部位から自然に出血を認める。ガーゼには血液および滲出液が付着している。

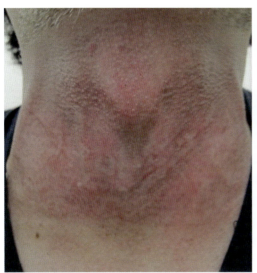 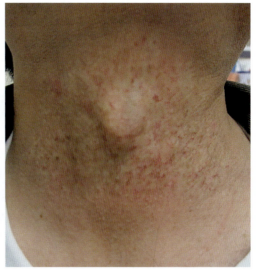

図2 放射線治療終了から3週間後
上皮化が進行しわずかな紅斑を残すのみ（Grade 1）まで改善した。

図3 放射線治療終了から5年8カ月後
毛細血管拡張，皮膚萎縮といった晩期有害事象の所見を認める。

> **ここがポイント**

自然に出血を認めると Grade 4 となる。

皮膚炎の処置のためには患者自身の協力も不可欠であり，処置の必要性や皮膚炎の回復までの期間を説明し，毎日適切に処置が行えているか丹念に経過観察をする必要がある。

放射線皮膚炎は治療中～直後の急性期だけでなく，その後に生じる遅発性皮膚炎もあり，本症例のように毛細血管拡張や皮膚萎縮などが現れることがある。

〈富澤建斗・大吉秀和〉

症例 5	診断名：放射線皮膚炎，ざ瘡様皮疹 重症度評価：Grade 2，中等症 原因薬剤：オシメルチニブ 支持療法：Very strong class の副腎皮質ステロイド（アンテベート® 軟膏など）外用，ミノサイクリン 200 mg/日内服

〔概要〕70代男性。原発性肺がん，多発骨転移。原発性肺がんによる多発骨転移に対して放射線治療を行った（部位：右肩甲骨，目的：準根治，総線量 45 Gy，10 回分割照射）。照射を終えた翌日からオシメルチニブ 80 mg/日内服を開始した。2 週後，背部右側に皮疹，ヒリヒリする疼痛を自覚した（NRS 3〜4）。疼痛は体動時に現れ，睡眠時に衣類が病変部に付着して誘発された。主科で very strong class の副腎皮質ステロイド（アンテベート® 軟膏）を処方されたが，外用するも皮疹・疼痛が緩和しないため，支持医療科へ紹介された（1 病日）。初診時の臨床像を示す（図 1a）。背部右側に紅斑・丘疹が多発し，分布は放射線照射部位に一致する（図 1b）。所々びらんを呈し，滲出液を伴う。オシメルチニブ内服後 1 カ月経過していたため，ざ瘡様皮疹を鑑別診断に挙げ，紅色丘疹を生検した。病理組織学的に放射線皮膚炎と毛包炎双方の所見を認めたため，診断を確定した。

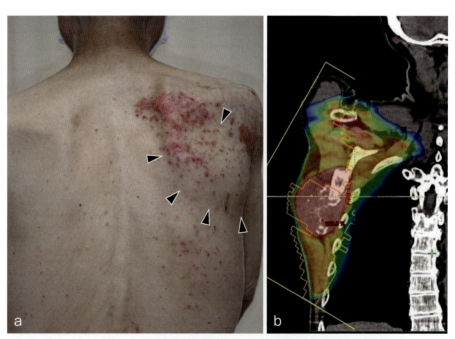

図 1　オシメルチニブによる放射線皮膚炎およびざ瘡様皮疹，Grade 2
　a．初診時。背部右側に紅斑・丘疹が多発する。右上背部に皮下腫瘤を認める（矢頭）。
　b．放射線治療の照射部位。背部右側の腫瘤を中心に，右肩甲骨から第 9 肋骨まで照射した。皮疹は照射部位に一致して現れた。顔面や背部左側など，他の脂漏部位には皮疹を認めない。

〔経過〕Very strong class の副腎皮質ステロイド（アンテベート®軟膏）外用に加えてミノサイクリン 200 mg/日を追加した。治療効果が現れ，ほぼ皮疹は消失し，放射線障害による色素沈着と色素脱失が現れた（23 病日，図 2）。疼痛も緩和された（NRS 0〜1）。

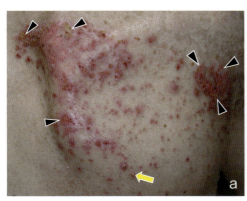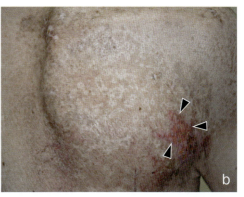

図 2　右肩甲骨部の所見
a. 初診時（1 病日）。紅斑と丘疹が多発・集簇する。紅斑は所々萎縮を伴い，島状にびらんを呈する（矢頭）。膿疱が散在し，ざ瘡様皮疹の所見を認める（矢印）。
b. 23 病日。紅斑・丘疹は消失し，色素沈着と色素脱失が混在する（ポイキロデルマ）。右腋窩部にびらんが残存する（矢頭）。

> **ここがポイント**

　放射線照射終了後，オシメルチニブを開始してから放射線照射部位に一致して特異的に皮疹が現れた。鑑別診断に帯状疱疹を挙げたが，皮疹の分布は帯状疱疹とは異なる。放射線治療歴のある患者を診察する際には照射部位を確認し，臨床診断を行う。

　自験例では病理組織所見および治療経過から亜急性放射線皮膚炎およびざ瘡様皮膚炎/ざ瘡様皮疹と診断した。

　分割照射の場合，通常 30〜50 Gy では放射線皮膚炎の症状として乾燥や乾性落屑を生じ，水疱・びらんには至らない。自験例では体幹部に 45 Gy 照射し，逐次的にオシメルチニブを投与した結果，びらんを始め中等症以上の皮膚症状が現れ，悪化することが示唆された。

　一般に，体幹部に 45 Gy 照射しても中等症以上の放射線皮膚炎は現れない。このため，自験例では放射線照射とオシメルチニブによる逐次的な相互作用で皮膚炎症反応が惹起されたと考えた。

　副腎皮質ステロイド外用薬に加えミノサイクリン内服を併用し，皮膚炎と疼痛（体性痛）が緩和した。

〔平川聡史・柿原奈保子〕

スキンケアのポイント

●放射線皮膚炎のケア

放射線皮膚炎は，痛み，不快感，治療の遅れ，QOLの低下などの合併症につながる可能性がある。ケアの目標は，患者の快適さを高め，皮膚の健全性を維持し，治癒を促進し，皮膚が損傷した際に感染を防ぐことである[11]。

●指導のポイント

放射線治療中は，感染を防ぐための衛生管理と，皮膚の保湿が重要である。基本的な衛生管理とセルフケアは，患者の満足度向上にもつながる。そのなかで，放射線皮膚炎に伴うQOL，日常生活，セルフケア能力および皮膚のケアに伴う経済的影響に対する苦痛の評価も重要である。医療者は，患者，介護者および家族に，放射線による皮膚反応を最小限に抑えるためのケアを指導する。

●具体的ケア

RTOG All Grades

期待する効果：乾性落屑あるいは湿性落屑の発生を遅らせる

- 衛生管理をするために，お風呂やシャワーは，ぬるま湯にして極端な温度は避ける。患部を毎日，無香料のマイルドな石鹸で洗い，よくすすぐ。水分を拭き取る際は，患部への摩擦を避けるために，こすらずに柔らかく清潔なタオルで軽くおさえるようにする。
- 照射された皮膚には，香水，メイクアップ，アフターシェーブ，SPFを含む製品は使用しない。
- 患部への日光曝露を避ける。
- 皮膚に損傷がない場合は，デオドラントまたは制汗剤を使用できる[12]。
- 電気カミソリのみを使用する。皮膚の最上層に外傷を負わせるリスクがあるため，ストレートエッジカミソリや使い捨てカミソリは使用しない。
- 摩擦を減らすために，頭や首が窮屈な服，襟つきのシャツ，ワイヤー入りのブラジャーの着用は避ける。可能であれば，綿の服を着用するように指導する。
- 放射線治療の前に皮膚に塗布したローション，クリームまたは軟膏は，皮膚へのボーラス効果はもたらさないため，使用を制限する必要はない[13]。
- 軟膏を塗布する際は，擦り込まずに，乗せるように置く。
- 患者に適切な栄養状態（十分な蛋白質の摂取など）を維持し，喫煙をやめるよう奨励することで，皮膚の治癒を妨げる要因を減らすように指導する。

RTOG Grade 1

期待する効果：皮膚の損傷がなく，不快感を最小限に抑える

- 摩擦を軽減して皮膚を保護するために，親水性の保湿ローションあるいはクリームを使用する。
- かゆみや灼熱感を和らげるために，損傷のない皮膚にのみ副腎皮質ステロイド外用薬を塗布する。

RTOG Grade 2

期待する効果：①皮膚を清潔に保つ，②湿潤した創傷治癒環境を強化する，③痛みを和らげる，④敏感な皮膚を保護する

- 摩擦と外傷を軽減するため，患部をこすらずに洗うスキンケアを続ける。
- 創傷被覆材は，組織へのさらなる損傷のリスクを軽減できる。刺激を軽減するために，軟膏は創傷被覆材に塗布し，固定にはテープではなくメッシュ包帯などを用いる。
- 必要に応じて鎮痛薬を使用する。
- 栄養状態を保つ。

RTOG Grade 3

- 感染の徴候を監視する。
- 軟膏と創傷被覆材の使用を継続する。
- 傷口に張りつかないように，吸収性ドレッシング材あるいは柔らかいシリコンドレッシング材などの使用を検討する。
- 鎮痛薬を用いて，痛みが軽減できるようにする。

〔小林直子〕

2 感染症

はじめに

　がん薬物療法施行中の患者において，感染症が原因となる皮膚障害（蜂窩織炎，帯状疱疹など）に対しては，病原体の排除による治療が原則となる。特に，がん薬物療法中の患者は免疫抑制状態かつ，抗がん薬誘発性皮膚障害により，皮膚のバリア機能が低下しており，グラム陽性球菌感染症による蜂窩織炎，CVポート感染，再活性化を含む水痘・帯状疱疹ウイルス感染のリスクが高い。免疫不全状態でない人と比べた場合，固形がん患者で約1.5倍程度，血液がん患者で約5〜10倍，帯状疱疹の頻度が高いことが報告されている[1]。特に，発症リスクの高い血液がん患者においては，組換え/不活化ワクチンの投与が推奨される[2,3]。がん薬物療法や，支持医療として副腎皮質ステロイドが使用される患者において生ワクチンは適さない。新規ワクチンの登場による帯状疱疹ハイリスク患者のQOL改善が期待される。

重症度評価

　重症度評価はCTCAE v5.0により行われ，各Gradeに応じた治療を早期に行うことが重要である。

表1　感染症誘発性皮膚障害の重症度評価

CTCAE v5.0 Term 日本語	Grade			注釈
	1	2	3	
皮膚感染	限局性，局所的治療を要する	内服治療を要する（例：抗菌薬/抗真菌薬/抗ウイルス薬）	抗菌薬/抗真菌薬/抗ウイルス薬の静脈内投与による治療を要する；侵襲的治療を要する	蜂巣炎などの皮膚の感染
帯状疱疹	限局性；局所的治療を要する	中等度の症状を伴う局所の感染；内服治療を要する；年齢相応の身の回り以外の日常生活動作の制限	重症または医学的に重大であるが，ただちに生命を脅かすものではない；入院もしくは入院期間の延長を要する；静脈内投与による治療を要する；身の回りの日常生活動作の制限	帯状疱疹ウイルスの再活性化

（有害事象共通用語規準v5.0日本語訳JCOG版より引用）

治療

蜂窩織炎の治療は軽度の症状であれば，ペニシリン系，セフェム系，ニューキノロン系の経口抗菌薬の投与が有効となる。範囲が広く，比較的重症例に対しては広域スペクトラムの抗菌薬を点滴投与する。CVポート感染に対しては，感染源となっているCVポートを抜去し，全身抗菌薬療法を開始する。帯状疱疹に対しては，アシクロビルを始め抗ウイルス薬による原因治療が必須となる。疼痛に対してはプレガバリンやロキソプロフェンなどの内服が有効性を示す場合があるが，いずれの薬剤においても，腎機能低下患者においては腎機能に応じた用量調節が必要となることに留意されたい。

まとめ

皮膚における局所感染は，重症化し，全身感染症につながる恐れがある。がん薬物療法施行患者自身も，免疫抑制状態であり，皮膚のバリア能が低下している状態であることを認識すべきである。セルフケア方法を中心とした患者教育が重要な有害事象である。

(飯村洋平)

参考症例

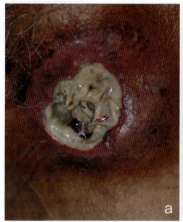 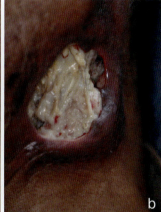 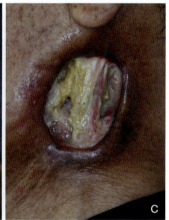

図1 喉頭がん再発。パクリタキセル＋セツキシマブ導入後に生じた嫌気性菌混合感染症
(本症例は206ページと同一症例である)

a. 初診時 (1病日)。頸部左側に皮膚潰瘍あり。発赤・腫脹・熱感・疼痛・悪臭を伴う。一般細菌および嫌気性菌培養で *Staphylococcus aureus* (MSSA), *Streptococcus anginosus, Bacteroides fragilis* を検出した。ロゼックス®ゲル外用およびゾシン®(タゾバクタム・ピペラシリン) 点滴静注を開始した。薬剤感受性検査は抗菌薬選択を裏づけた。
b. 8病日。悪臭は消失，発赤・腫脹および壊死組織は軽減した。*Bacteroides fragilis* 陰性化を確認後，ロゼックス®ゲルを終了して患者は退院した。
c. 2カ月後。訪問看護で創傷ケアを継続した。

(写真提供：聖隷浜松病院 平川聡史)

■第6章 がん治療に伴う合併症

> **症例 1**
> 診断名：汎発性帯状疱疹
> 重症度評価：Grade 3，重症
> 関連薬剤：パクリタキセル，カルボプラチン，ベバシズマブ
> 支持療法：抗ウイルス薬（アシクロビル注射薬 300 mg，8 時間ごと）静脈内投与，鎮痛および鎮痛補助薬（アセトアミノフェン注射薬 1,000 mg 8 時間ごと，ミロガバリン 20 mg/日内服，セレコキシブを中止），潰瘍治療薬（プロスタンディン®軟膏）外用

〔概要〕60 代女性。原発不明がん，多発肝転移に対して卵巣がんの標準治療（パクリタキセル，カルボプラチン，ベバシズマブ）を開始した。24h-クレアチニン・クリアランス 89 mL/min。Grade 4 好中球減少のため，2 サイクル目を延期した。26 日目，左耳介，左側頭部〜頸部左側に紅暈を伴う小水疱が現れた（図 1a）。皮疹部にピリピリする疼痛を伴う。水疱は，背部右側など他の皮膚分節（デルマトーム）にも散在した（図 1b，c）。汎発性帯状疱疹と診断し，入院治療を開始した。左顔面神経麻痺や同側第Ⅷ脳神経障害（難聴，めまいなど）を認めなかった。

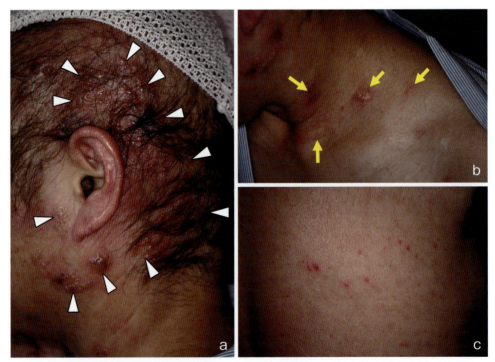

図 1　がん薬物療法に伴う汎発性帯状疱疹，Grade 3，初診時
a. 左 C2 領域。左耳介を囲むように左側頭部〜左後頭部および耳介下部に紅暈を伴う小水疱が集簇・多発する（矢頭）。耳介には発赤あり。
b. 左 C3 領域。頸部左側〜左鎖骨上まで紅暈を伴う小水疱が集簇・散在する（矢印）。
c. 右 Th5 領域。背部に紅色丘疹および小水疱が帯状に散在する。

〔経過〕帯状疱疹の治療としてアシクロビル注射薬 5 mg/kg を 8 時間ごとに静脈内投与した。鎮痛薬はアセトアミノフェン注射薬（アセリオ®）1,000 mg を 8 時間ごとに静脈内投与し，セレコキシブ 200 mg 分 2 内服を併用した。入院 7 日目，水疱はすべて痂皮化したため，アシクロビルを終了した（図 2a, b）。疼痛が持続したため，アセトアミノフェンを内服薬に切り替え，セレコキシブを継続した。入院 8 日目，がん薬物療法を再開した。発症 3 週後，皮疹は潰瘍化し，創傷治癒が遷延した（図 3a）。薬剤性の創傷治癒遅延を考え，その要因としてベバシズマブとセレコキシブを挙げた。ベバシズマブを継続しつつセレコキシブを中止，潰瘍治療薬（プロスタンディン®軟膏）で創傷処置を開始したところ，発症から 5 週を経て皮膚潰瘍は上皮化した（図 3b）。

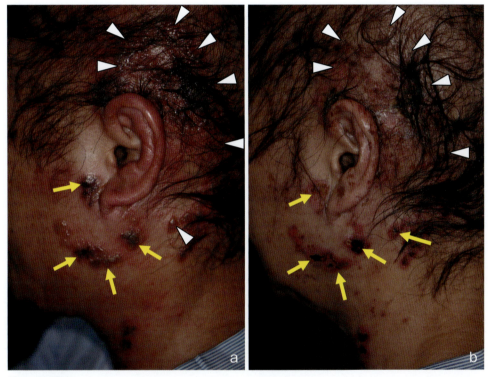

図 2 入院時
a. 入院 2 日目。左側頭部〜後頭部には瑞々しい水疱が集簇し，癒合している（矢頭）。耳介下部〜耳前部の水疱は褐色〜黒褐色を帯びる（矢印）。耳介は，発赤に加え腫脹した。
b. 入院 7 日目。左側頭部〜後頭部の紅暈は消退し，ドライアップした（矢頭）。耳介下部の水疱は，すべて痂皮化した（矢印）。耳介の炎症所見も消失した。

■第6章　がん治療に伴う合併症

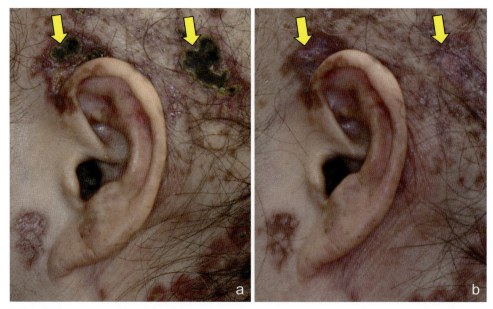

図3　経過
a. 発症3週後。耳介上部に皮膚潰瘍が残存し，eschar（乾燥した硬い壊死組織）を付す（矢印）。
b. 発症5週後。皮膚潰瘍は上皮化した。疼痛は消失し，神経症状も治癒した。

ここがポイント

　がん治療により，患者は免疫不全をきたし，健常者に比べて帯状疱疹を発症する頻度が高く，重症化しやすい。特に頭頸部に罹患した場合には，脳炎や脳神経障害を合併するリスクがあるのでアシクロビル注射薬を投与する。

　耳介に帯状疱疹を生じた場合にはRamsay-Hunt症候群に留意する。この症候群の3主徴は，耳介帯状疱疹・同側の顔面神経麻痺・第Ⅷ脳神経症状（難聴，めまい，疼痛など）である。

　血管内皮増殖因子受容体（VEGFR）シグナル阻害およびシクロオキシゲナーゼ（COX）Ⅱ阻害は，それぞれ創傷治癒遅延と潰瘍形成の原因になる。自験例では，両経路を阻害したため皮膚潰瘍を生じたと思われる。このため，アルプロスタジル アルファデクスによる創傷治癒促進を期待し，セレキコシブを中止してプロスタンディン®軟膏を外用したところ，治療効果が現れ上皮化した。

　帯状疱疹の発症と重症化を予防するため，がん治療では不活化ワクチン（シングリックス®）を接種することが奨められる。

（平川聡史）

症例 2	診断名：単純性皮膚軟部組織感染症（大きな炎症性粉瘤） 重症度評価：Grade 2，中等症 関連薬剤：パクリタキセル，カルボプラチン，セツキシマブ 支持療法：切開排膿・洗浄，抗菌薬（セファゾリン2g1日2回静脈内投与など）

〔概要〕70代男性。声門上部がんに対して術前薬物療法（パクリタキセル＋カルボプラチン＋セツキシマブ）を実施した。3サイクル目，後頭部の嚢腫が急速に腫大し，発赤・熱感を伴った（図1）。炎症性粉瘤と診断し，入院治療を開始した。

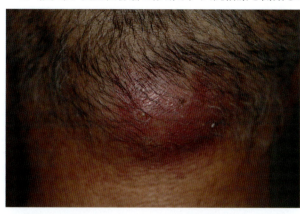

図1 単純性皮膚軟部組織感染症，Grade 2，初診時
被髪頭部（後頭部）に7cm大の嚢腫があり，表面に発赤・熱感を伴い，波動を触れる。圧痛あり。

〔経過〕切開排膿を行い，一般細菌培養を提出した。*Staphylococcus capitis* を検出し，セファゾリンに感受性を認めたため，静脈内投与した。その後，経口薬（セファレキシン）に切替え，がん薬物療法を継続した。2週後，局所の炎症所見は消失した（図2）。細菌感染症を制御することにより，術前薬物療法を予定どおり完遂した。

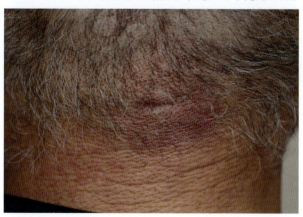

図2 経過，2週後
切開排膿した創は癒合し，炎症所見は消失した。

> ❗ **ここがポイント**
> がん薬物療法に伴い免疫不全が生じ，粉瘤に細菌感染症を併発した。がん薬物療法を予定どおり実施するためには，炎症性粉瘤は大小にかかわらず切開し，開窓・洗浄する必要がある。自験例では，薬剤師と相談しつつ適切に抗菌薬を投与し，感染巣を制御した。

（平川聡史）

症例 3	診断名：複雑性皮膚軟部組織感染症（MRSA 重症感染症） 重症度評価：Grade 4，最重症 関連薬剤：ノギテカン 支持療法：抗菌薬（バンコマイシン 24 時間ごとに 800 mg）静脈内投与，鎮痛薬（フェンタニル注射薬 0.18 mg/日など）持続静注

〔概要〕50 代女性。腹膜がんに対して，がん薬物療法を実施した。薬剤性肝障害および腎障害，両下肢にリンパ浮腫あり。五次治療ノギテカンを導入，9 日後に倦怠感と右下腿部の皮膚症状を訴え来院した（図 1）。発熱性好中球減少症，右下腿に紫斑を伴う複雑性皮膚軟部組織感染症と診断し，緊急入院。血液培養の結果，MRSA を検出した。

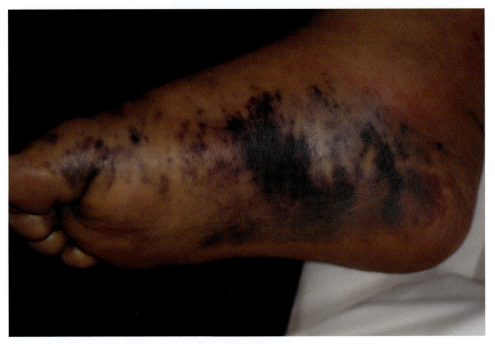

図 1　複雑性皮膚軟部組織感染症，Grade 4，入院時
右下腿部に浮腫があり，右足底部に大小の紫斑が集簇・散在する。疼痛を伴う。

〔経過〕敗血症と診断し，バンコマイシン静脈内投与を開始したが，患者は敗血症性ショックを起こしたためICUへ入室した．入院2日目，足底部には水疱が現れ，皮膚は急速に壊死が拡がった（図2）．全身状態および生命予後を評価し，右下肢に関する外科的デブリードマンは実施しなかった．入院8日後，患者は死亡した．

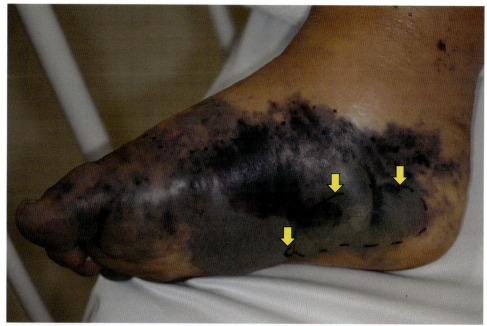

図2 入院2日目
紫斑は足趾・足背部へ拡大し，足底中央部には黒褐色の水疱を形成し，壊死を伴う（矢印）．

ここがポイント

　MRSAが血液から分離された場合には，壊死性筋膜炎や深部膿瘍，複雑性皮膚軟部組織感染症をきたしていることが多い．レジメンが後方治療へ移り，薬剤による多臓器障害・リンパ浮腫など合併症を伴う場合には細菌感染症が重篤化するリスクがあり，留意したい．

（平川聡史）

症例 4	診断名：手術部位感染（ポート造設部） 重症度評価：Grade 2，中等症 関連薬剤：パクリタキセル，セツキシマブ 支持療法：インプラント抜去，抗菌薬（バンコマイシン初回 1,200 mg，以後 12 時間ごとに 750 mg）静脈内投与

〔概要〕60代男性。喉頭がん再発のため，頸部左側リンパ節に対して同時化学放射線治療を行った。放射線治療による晩期障害で皮膚潰瘍を生じ，MRSA が定着した（図1）。局所再発および肺転移をきたしたため，一次治療ニボルマブ，二次治療パクリタキセル＋セツキシマブを実施した。1年後，末梢ルート穿刺困難になり，右上腕部にポートを造設した。術後2日間バンコマイシンを投与したが，8日目に発熱，ポート部に発赤・熱感が現れた（図2）。手術部位感染（surgical site infection；SSI）と診断し，ポートおよび中心静脈カテーテルを抜去した。インプラントを一般細菌培養へ提出し，あわせて血液培養を行った。この結果，ポートからMRSAを検出し，カテーテル先端および血液は陰性だった。患者は治療のため入院した。

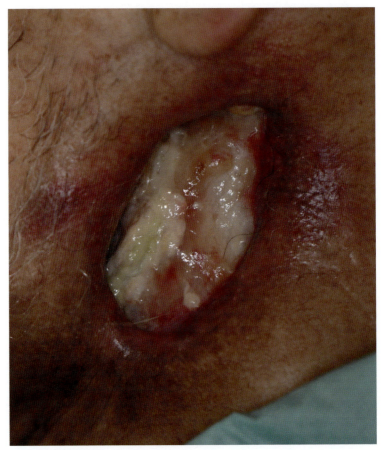

図1　手術部位感染（SSI），Grade 2
左下顎部。長径5 cm 大の皮膚潰瘍あり。創面には MRSA が定着している。

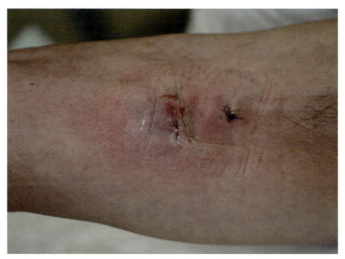

図2 初回ポート造設後（右上腕）
創部に発赤が現れ，熱感を伴う。ポート造設部に生じたSSIと診断した。抜去したポートからMRSAを検出した。

〔経過〕バンコマイシン注射薬を静脈内投与した。創部は瘢痕を残して治癒した（図3）。このため，がん薬物療法を予定どおり実施した。一方，この機会にMRSAを除菌できると考え，バンコマイシン投与7日目，左上腕部に新たにポートを造設した。術後7日間バンコマイシンを継続したところ，創部に細菌感染を生じることなく治癒した（図4）。

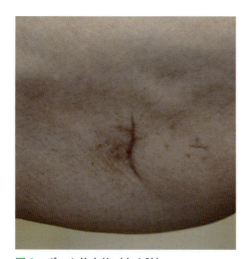

図3 ポート抜去後（右上腕）
瘢痕を残し，創は治癒した。

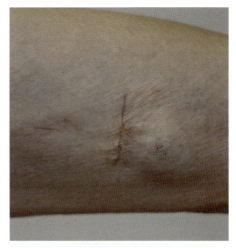

図4 ポート再造設後（左上腕）
創は治癒し，細菌感染を併発することなくポートを使用できるようになった。

ここがポイント

MRSA保菌者に対して，ポート造設後バンコマイシンを投与したが無効，SSIを生じた。そこで，術前・術後バンコマイシンを投与したところ，SSIを予防できた。術前のMRSA除菌はMRSA感染症の診療ガイドラインでも推奨され，自験例でも有効と思われた。

（平川聡史）

スキンケアのポイント

●帯状疱疹のケア
　帯状疱疹のケアで重要なことは感染対策を十分に実施することである。外来や病棟で帯状疱疹が疑われる患者を発見した際は，病変の広がりを確認し，医師に報告するとともに，適切な感染予防対策を実施する。帯状疱疹は皮膚のケア以外にも帯状疱疹後神経痛が生じる可能性があり，疼痛コントロールも重要である。

●指導のポイント
　特に，汎発性帯状疱疹は他者への接触感染・空気感染のリスクが伴う。そのことを患者に十分に説明する必要がある。自宅における感染対策の説明を行うこと。局所的に出現した帯状疱疹が全身に広がってきたり，首より上（顔面や頭部）に出現したりした場合には眼部帯状疱疹や顔面の神経麻痺のリスクなどがあり電話連絡をしたうえで早めに受診するように伝えることが大切である。

●具体的ケア

感染対策
　帯状疱疹の場合は病変部を被覆することで感染予防となるが，汎発性帯状疱疹の場合は空気感染のリスクが伴うため，発見時には直ちに医師に報告し患者を個室管理すること。接触する医療従事者は個人防具を装着し，手指衛生を徹底する。また十分な抗体を獲得していないスタッフは接触を避けること。
　自宅療養する患者に対しては空気感染のリスクがあるため，水疱に罹患していない家族や他者との接触は避けてもらい，使用したリネンやタオルは共有しないこと，病変部は極力被覆することなどを指導する。

病変部のケア
　病変部はできるだけ清潔を保つためシャワー浴をしてもらうが水疱が破れないように水圧に注意する。破疱したり，潰瘍化したりした病変は炎症性皮膚疾患治療薬（アズノール®軟膏など）を塗布し，創傷被覆材は被固着性のものを使用する（固着による二次的水疱の破疱や剥離時の疼痛を防ぐため）。

疼痛ケア
　帯状疱疹後神経痛は長期にわたって継続することがあり，QOLの低下につながる。疼痛がある場合はその程度，鎮痛薬が処方されている場合はその効果もアセスメントし十分な鎮痛が図れているかどうか，日常生活が支障なく送れるよう支援をする。

●感染対策ワンポイント
　感染管理は患者の免疫状態と水疱の状態（限局か汎発性か）によって異なる。また院内には免疫が低下した患者も多いため，接触感染対策とするか，空気感染対策も行うかは十分に検討をすること。

（柳　朝子）

第6章 がん治療に伴う合併症

3 血管・血栓症に関連した有害事象

はじめに

　血管は，薬物送達で重要な役割を果たし，がん微小環境における腫瘍血管は分子標的薬のターゲットのひとつである．注射薬を静注する際，安全な静脈ルートを確保し，血管外漏出（溢出）を予防する[1]．静脈内に投与される薬剤が血管周囲の皮下組織などに漏れ出ることをextravasation といい，血管外漏出として広く普及しているが，CTCAE v5.0 では溢出と改訂された（表1）．本来，血管外漏出は低アルブミン血症などで水分および電解質が血管外へ当出する現象であり，英語では vascular leakage に相当する（図1a）．典型的な臨床像は浮腫であり，皮下出血を伴わない（図1b, 2）．一方，溢出は炎症や外傷などで血管が傷害され，血液および薬物が血管外へ漏れる有害事象であり（図1c），がん薬物療法に伴う「点滴もれ」の本態である．そこで本稿では，いわゆる血管外漏出を溢出として表現する．

　がん薬物療法では薬剤を静脈投与する際，過敏反応を生じることがある．発症機序はアレルギー，非アレルギー反応があり，アレルギー反応の場合，典型的にはヒスタミンを介するⅠ型である．一方，抗体薬や表面修飾された薬剤による過敏反応は非アレルギー性のことが多く，投与時反応（infusion related reaction）とよばれる（表1）．過敏反応の皮膚症状は，膨疹などvascular leakage の結果として現れることに留意したい．

　がん患者では血液凝固能が亢進し，血栓塞栓症を生じることがある．また，がん薬物療法により血栓塞栓症を生じることがあり（表1），血管内皮増殖因子（vascular endothelial growth factor；VEGF）やVEGFR 受容体をターゲットにする分子標的薬を投与する際には，事前に深部静脈血栓症（deep vein thrombosis；DVT）の検索を行い，定期的に静脈血栓塞栓症（venous thromboembolism；VTE）の評価およびモニタリングを継続することが望ましい[2]．

重症度評価

　CTCAE v5.0（日本語表記 v25.1）を示す．過敏反応のうち投与時反応では，患者が（そう痒など）自覚症状を生じた場合に Grade 2 と判断し，一旦薬剤投与を中断する．薬剤師を始め多職種で情報共有し，再投与可能かどうか検討する．

　溢出は，患者が訴える疼痛や違和感を聴取し，予防することが大事である．溢出に伴う重症度は薬剤によって異なり，特にアントラサイクリンやタキサンなど壊死起因性抗がん薬に分類される薬剤に注意する必要がある．また，がん薬物療法に伴う血管外漏出に関する合同ガイドラインで壊死起因性抗がん薬に分類されたオキサリプラチンや，炎症性抗がん薬に分類されるが持続静注されるため溢出のリスクがあるフルオロウラシルにも留意したい[1]（41 ページ参照）．壊死起因性抗がん薬は，DNA 結合型と非結合型に分類される．ドキソルビシンを始めとするアントラサイクリンならびにオキサリプラチンは DNA 結合型であり，ひとたび溢出すると正常細胞の DNA にも結合して組織を傷害するため，皮膚が壊死するなど重症化しやすい[1]．

■第6章 がん治療に伴う合併症

表1 注入に伴う反応・注入部位溢出および血栓塞栓症に関する重症度評価

CTCAE v5.0 MedDRA v20.1 Code	CTCAE v5.0 SOC 日本語	CTCAE v5.0 Term	CTCAE v5.0 Term 日本語	Grade 1	Grade 2	Grade 3	Grade 4	Grade 5	CTCAE v5.0 AE Term Definition 日本語 [定義]	検索上の注意
10051792	傷害、中毒および処置合併症	Infusion related reaction	注入に伴う反応	軽度で一過性の反応；点滴の中断を要さない；治療を要さない	治療または点滴の中断が必要。ただし症状に対する治療には速やかに反応する(例：抗ヒスタミン薬、NSAIDs、麻薬性薬剤、静脈内輸液)；速やかに反応する≤24時間の予防的投薬を要する	遷延(例：症状に対する治療および/または短時間の点滴中止に対して速やかに反応しない)；一度改善しても再発する；続発症により入院を要する	生命を脅かす；緊急処置を要する	死亡	薬物または生物製剤の輸注に対する有害反応	—
10064774	一般・全身障害および投与部位の状態	Infusion site extravasation	注入部位血管外漏出溢出	疼痛を伴わない浮腫	症状を伴う紅斑(例：浮腫、疼痛、硬結、静脈炎)	潰瘍または壊死；高度の組織損傷；外科的処置を要する	生命を脅かす；緊急処置を要する	死亡	注射部位から周囲組織への漏出溢出。注射部位の硬結、紅斑、腫脹、熱感、著しい不快感などを伴い得る	—
10043565	血管障害	Thrombo-embolic event	血栓塞栓症	内科的治療を要さない(例：表在性血栓症)	内科的治療を要する	緊急の内科的治療を要する(例：肺塞栓症または心臓内血栓)	循環動態が不安定または神経学的に不安定で生命を脅かす	死亡	血流に乗って末梢から移動してくる血栓による血管の閉塞	一過性脳虚血発作または脳卒中[神経系障害]も参照してgradingする 動脈血栓には、動脈血栓塞栓症[血管障害]を用いる

(有害事象共通用語規準 v5.0 日本語訳 JCOG版より引用)

3. 血管・血栓症に関連した有害事象

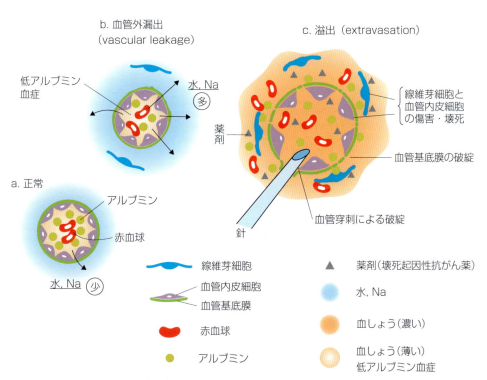

図1 血管外漏出と溢出：病理学的な相違
a. 正常所見。血管は，血管内皮細胞と基底膜が生理的な状態にある。血液には十分アルブミンが含まれ，膠質浸透圧が保たれている。このため，血管周囲にわずかに水とナトリウムが漏出し，組織の恒常性が保たれる。
b. 低アルブミン血症の所見。血液の膠質浸透圧が低下するため，水やナトリウムが血管外へ多量に漏出する（vascular leakage）。このため，患者は浮腫を訴える。
c. がん薬物療法の血管穿刺で溢出した所見。壊死起因性抗がん薬を含む血液が血管外へ溢出した。このため，血管内皮細胞のみならず線維芽細胞が傷害され，血管基底膜が破綻した。組織障害は拡大し，皮下出血や壊死・皮膚の潰瘍化が懸念される。

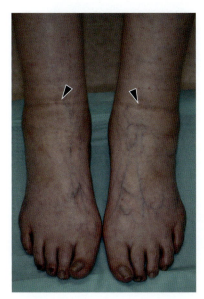

図2 両下腿部に生じた浮腫
患者は食欲不振を訴え，局所性浮腫が現れた。両足関節部を主体に浮腫があり，靴下の圧痕を伴う（矢頭）。血液検査所見で低アルブミン血症を認める。明らかな皮下出血なく，そう痒も伴わない。水分，Naが血管外に漏出する結果，血管内脱水が懸念され，皮膚および皮下の間質に水やナトリウムが貯留していることが示唆される。

血栓塞栓症の診断は緊急を要する場合があり，循環器内科医へ速やかに相談する必要がある[3)4)]。

治療

過敏反応の場合には，病態・重症度に応じて抗ヒスタミン薬あるいは副腎皮質ステロイド薬を全身投与する。また，患者が呼吸困難を訴えたり，バイタルサインに懸念が生じたりする場合にはアドレナリン 0.5 mg を筋注し，酸素投与を開始するとともに末梢ルートを新たに確保し，救急対応を行う。溢出および VTE の治療について，症例の項で紹介するが，いずれも予防が大切である[4)5)]。このため，読者は各ガイドラインで予防および治療を参照してほしい[2)]。

まとめ

がん薬物療法に伴う過敏反応，薬剤の溢出と血栓塞栓症を一口にまとめるのは容易ではないが，いずれも血管や凝固系を介した病態であり，全身に症状が及ぶ点で共通し，注意を要する。それゆえ多くの視点で評価し，初動することが患者の安全を守ることにつながるので，日常診療でも多職種で取り組むことが期待される。

（平川聡史）

参考症例

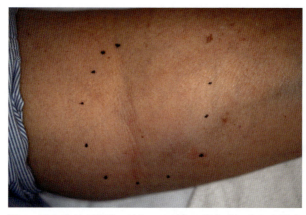

図1 子宮体がん再発。ドキソルビシン投与中に生じた溢出（血管外漏出）
左肘窩部に溢出したため（マーキングを参照），サビーン®（デクスラゾキサン）を 3 日間静脈内投与した。その後，皮膚潰瘍を防止したが，副作用として血小板減少 Grade 4 が現れた。

（写真提供：聖隷浜松病院 平川聡史）

> **症例 1**
>
> **診断名**：インフュージョンリアクション（投与時反応）
> **重症度評価**：Grade 2, 中等症
> **原因薬剤**：ドキソルビシン内包 PEG リポソーム（ドキシル®）
> **支持療法**：抗ヒスタミン薬（ポララミン®）注射薬 5 mg 静注, デキサメタゾン注射薬 9.9 mg 点滴静注

〔概要〕50代女性。卵巣がん, 多発骨転移, 多発リンパ節転移。既往歴：パクリタキセルによるアナフィラキシー。原病に対して一次治療TC療法＋ベバシズマブを導入したが, パクリタキセル投与時にアナフィラキシーが現れた。このためパクリタキセルを中止, 代替薬としてドキソルビシン内包PEGリポソーム（ドキシル®）を選択した［ドキシル® 30 mg/m², カルボプラチン AUC 5, ベバシズマブ 15 mg/kg 4週ごと］。前投薬としてデキサメタゾン 9.9 mgを点滴静注した。ドキシル®点滴静注を開始して1時間後, 上肢や前胸部に膨疹が現れ, そう痒を自覚した（図1）。眼球結膜の充血を伴ったが, バイタルサインに異常なく, 呼吸困難など重篤な症状は現れなかった。このため, インフュージョンリアクション Grade 2と判断した。

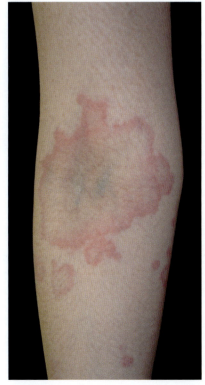

図1 ドキシル®によるインフュージョンリアクション, Grade 2
ドキシル®投与1時間後, 右肘窩〜前腕部に膨疹が現れ, 多発した。

〔経過〕ドキシル®投与を中断，抗ヒスタミン薬（ポララミン®）5 mgを静注し，重炭酸リンゲル液（ビカーボン®）を点滴静注した。さらに，デキサメタゾン注射薬9.9 mgを点滴静注すると，次第に皮疹は消退し始めた。このためドキシル®再投与を検討し，50 mL/hrで点滴静注を再開した。モニタリングを行いつつ15分ごとに増速し，皮疹再燃なくドキシル®を全量投与した（図2）。

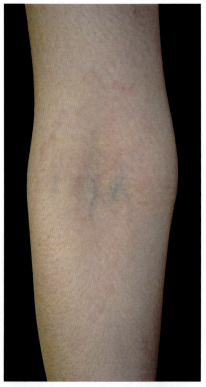

図2　ドキシル®全量投与後の経過
膨疹は再燃することなく，ほぼ消退した。

!ここがポイント

　ドキシル®は，ドキソルビシンをリポソームで封入した薬剤であり，表面修飾のため患者にインフュージョンリアクションを起こすことがある。インフュージョンリアクションの頻度は18％と報告されている。
　インフュージョンリアクションを生じた場合には，多職種で患者のリスクを評価する。治療に伴うメリット・デメリットを患者に十分説明し，患者が投与再開を希望する場合には投与速度を十分下げて点滴静注する。

（平川聡史）

| 症例 2 | 診断名：ドキソルビシンの血管外漏出による皮膚潰瘍
重症度評価：Grade 3，重症
原因薬剤：ドキソルビシン
支持療法：Very strong class の副腎皮質ステロイド（デルモベート®軟膏），
　　　　外用感染治療薬（ゲーベン®クリーム）外用 |

〔概要〕70代女性。進行乳がん治療のためドキソルビシン＋シクロホスファミドを投与。ドキソルビシン 60 mg/m² を肘の表在性静脈から投与した際に薬剤が漏出。漏出直後には特に症状はなかったが，漏出部に水疱が出現。その後 7〜10 日間，時間経過とともに疼痛を伴う腫脹，発赤が増悪し，潰瘍を形成，周囲に硬結もみられた（図1）。

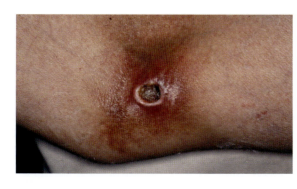

図1　ドキソルビシンによる壊死，潰瘍，Grade 3

〔経過〕炎症を抑えるため，患部を冷却，ソル・コーテフ® 100 mg＋1％リドカイン 1 mL を生食水で溶解して全量 5 mL となるよう調整し，潰瘍周囲に局所注射するとともに very strong class の副腎皮質ステロイド（デルモベート®軟膏）を連日塗布，潰瘍部には外用感染治療薬（ゲーベン®クリーム）を外用し，経過をみたが上皮化は遷延し，硬結を残して瘢痕治癒した。

ここがポイント

血管外に漏出した抗がん薬は，どんな種類のものであっても組織障害をきたす可能性があると考えるべきである。ただし，抗がん薬の種類や濃度，漏出した量や漏出した身体部位によってそのリスクは異なり下記の3種類に分類される。
①壊死起因性抗がん薬（ベシカント薬；vesicants drugs）
②炎症性抗がん薬（イリタント薬；irritants drugs）
③非壊死起因性抗がん薬（non-vesicants drugs）

ドキソルビシンは壊死起因性抗がん薬である。また肘窩など固定が難しい部位には注射針の留置は避けるべきである。

アントラサイクリン系薬の血管外漏出に関してデクスラゾキサン（サビーン®）が抗悪性腫瘍薬血管外漏出時の唯一の治療薬として本邦で承認されている。この薬剤はアントラサイクリン系薬の血管外漏出後6時間以内に可能な限り速やかに静脈内投与を開始し1〜2時間をかけて3日間投与することで効果を発揮する。

本症例を経験した後デクスラゾキサンが本邦で承認され，「がん薬物療法に伴う血管外漏出に関する合同ガイドライン 2023 年版」で弱く推奨された。一方，本ガイドラインでは抗がん薬の血管外漏出に対して，ステロイド局所注射を行わないことを弱く推奨している。その理由は，ステロイド局所注射の有効性を示す強いエビデンスが不足しているからである。自験例は，ソル・コーテフ®を局所注射した。今後，ガイドラインの内容を踏まえつつ，日常診療では一人一人の患者に対して各医療者が判断し，対応するスキルが求められる。

（山﨑直也）

> **症例 3**
>
> 診断名：深部静脈血栓症（deep vein thrombosis；DVT）
> 重症度評価：Grade 2，中等症
> 関連薬剤：経口エトポシド（ラステット®Sカプセル）
> 支持療法：抗凝固療法（未分画ヘパリン）

〔概要〕50代女性。卵巣がん，腹膜播種，がん性腹膜炎。既往歴：肺血栓塞栓症。主科で骨盤内腫瘤と腹水を指摘され，卵巣がんと診断された。精査の結果，静脈血栓塞栓症（venous thromboembolism；VTE）を併発していたため，下大静脈フィルターを挿入し，エドキサバン（リクシアナ®）30 mg/日内服を開始した。原病再発後，がん薬物療法（一次～三次治療）を実施したが，病態進行のため中止した。四次治療［ノギテカン 1.25 mg/m²（day 1～5），ベバシズマブ 15 mg/kg（day 1）3週ごと］は14サイクル後，病態進行し，中心静脈カテーテルが閉塞した。その後，五次治療［経口エトポシド（ラステット®Sカプセル）50 mg/m²（day 1～21）4週ごと］を開始した。18サイクル後，消化管穿孔を生じたため積極的がん治療を終了した。その後，患者が左下肢に疼痛を訴えたため入院，支持医療科へ紹介された。初診時，臨床像を示す（1病日，図1）。下肢静脈エコー検査を行い，左総腸骨静脈～膝窩静脈に器質化した血栓を指摘された。さらに，造影CT検査を行い，左外腸骨～大腿静脈に造影欠損を指摘された（図2）。臨床経過および画像検査から左下肢DVTと診断した。

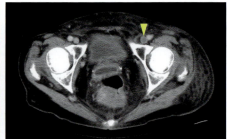

図2 造影CT検査所見（入院時，1病日）
後期相で左大腿静脈に造影欠損を認める（矢頭）。

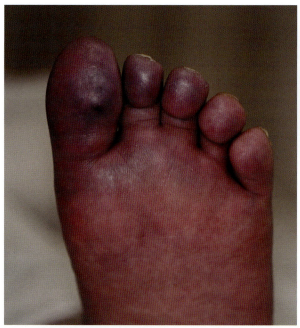

図1 深部静脈血栓症，Grade 2
左第1趾～第3趾が赤紫～暗紫紅色を帯び，足底部にうっ血を伴う。患者は左足に疼痛を訴えた。

〔経過〕循環器科へ相談し，ヘパリン10,000単位/日を8日間持続静注した．局所の疼痛を緩和するため，アセトアミノフェン注射薬650 mgを頓用で点滴静注した．10病日の経過を示す（図3）．疼痛は軽減し，皮膚の色調も回復した．

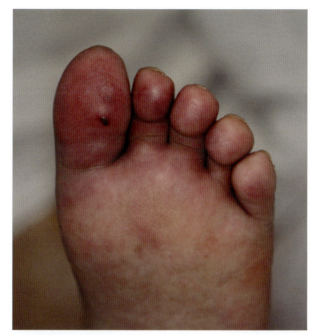

図3　経過，10病日
ヘパリン持続静注後，皮膚の色調は改善し，疼痛も軽減した．

ここがポイント

　婦人科がんを始め悪性腫瘍とVTEには関連性があり，がん関連血栓症（cancer associated thrombosis；CAT）は，Trousseau（トルソー）症候群として広く知られる．狭義では，VTEに伴う脳卒中をトルソー症候群とよぶことがある．

　外来がん患者では，がん進行に次いでVTEによる死亡が多く，VTEは患者の生命予後に大きな影響を及ぼす．

　血栓形成の因子としてVirchowの3徴が重要であり，血液凝固能の亢進，血流の停滞および血管内皮細胞の障害が知られる．

　がん患者に合併するVTEの治療に関して，本邦では直接作用型経口抗凝固薬（direct oral anticoagulants；DOAC）が普及し始めた．消化管出血など有害事象に対して注意が必要である．

〈平川聡史〉

4 支持医療の副作用

はじめに

　がん薬物療法による皮膚障害を予防するために，保湿薬や副腎皮質ステロイド外用薬は多くの患者に提供され，今日の支持医療において欠かせない医薬品である。皮膚障害の予防に関するエビデンスは少ないものの，EGFR阻害薬による皮膚障害に関して，支持療法薬の予防効果を検証する臨床試験が本邦で実施された[1]。この試験は大腸がん患者を対象に，ベクティビックス®による皮膚障害対策として行われた（J-STEPP試験）。この結果，保湿薬，副腎皮質ステロイド外用薬，ミノサイクリンおよびサンスクリーン剤には，ベクティビックス®による皮膚障害を予防する効果があることが示された[1]。一方，支持療法薬にも一定の割合で副作用を伴い，皮膚や諸臓器に副作用を生じる可能性があることに留意したい。がん薬物療法による皮膚障害が支持療法で改善しない場合には，支持療法薬による副作用を鑑別する必要がある。そこで本稿では，支持療法薬による主な副作用を臨床写真とともに紹介する。

保湿薬による副作用

副作用：接触皮膚炎など

　一般に，保湿薬は外界から皮膚を保護し，皮膚の湿度を保つ働きがある。また，がん薬物療法で，保湿薬は皮膚障害を予防する目的でも使用される。保険収載されている保湿薬には，白色ワセリン，尿素クリームやヘパリン類似物質（油性）クリームあるいはヘパリン類似物質ローションなどがある。一般に，外用薬は有効成分のみならず添加物が含まれ，製造過程や品質保持のため酸化防止剤や界面活性剤（乳化剤）が用いられる。特に，クリームやローションなどの基剤はアルコール類を含み，皮膚を刺激することがある。実際に，各保湿薬には灼熱感や皮膚炎などの副作用が添付文書に記載されており，軟膏の基剤である白色ワセリンにも接触皮膚炎を生じる可能性がある（表1）。また，尿素は蛋白質を融解するため乾燥を生じたり，患者は疼痛・熱感を訴えたりすることがある。患者が副作用を訴えた場合には使用を控え，接触皮膚炎と診断した場合には治療を行う。

表1 支持医療で汎用される保湿薬と主な副作用

薬剤名および副作用の項目	副作用の内容と頻度			
	5%以上または頻度不明	0.1〜0.5%未満	0.1%未満	頻度不明
尿素クリーム 10%				
一過性または投与初期に現れる刺激症状	疼痛, 熱感	潮紅, そう痒感		
過敏症	過敏症状			
皮膚		湿疹化, 亀裂	腫脹, 乾燥化, 丘疹	
尿素クリーム 20%				
皮膚		びりびり感, 紅斑, そう痒感, 疼痛, 丘疹	灼熱感, 落屑	
ヘパリン類似物質油性クリーム 0.3% ヘパリン類似物質クリーム 0.3% ヘパリン類似物質ローション 0.3%				
過敏症		皮膚炎, そう痒, 発赤, 発疹, 潮紅等		皮膚刺激感
皮膚（投与部位）				紫斑
白色ワセリン				
皮膚				接触皮膚炎

（各添付文書より作成）

副腎皮質ステロイド外用薬

副作用：ステロイド紫斑，酒さ様皮膚炎，細菌および真菌感染症など

　副腎皮質ステロイド薬は，多様で強力な薬理作用をもち，皮膚障害対策では抗炎症・抗アレルギー作用を期待して用いられる。一方，ステロイド外用薬の局所副作用には皮膚感染症（免疫抑制作用），多毛やざ瘡（ホルモン作用），皮膚萎縮（線維芽細胞増殖抑制作用）などが知られる。また，副腎皮質ステロイド投与で皮膚血管が脆弱化し，いわゆるステロイド紫斑を生じることもある（図1）。副腎皮質ステロイド外用薬が全身に及ぼす副作用には下垂体・副腎皮質系機能抑制が添付文書に記載されている。実際に，strongest class の副腎皮質ステロイド外用薬を皮膚の広範囲に用いると，副腎皮質機能低下や耐糖能異常を生じることが報告されている[2)〜4)]。近年，免疫チェックポイント阻害薬（immune checkpoint inhibitor；ICI）が普及し，内分泌機能の異常は免疫関連有害事象（irAE）で生じる場合がある。このため，がん薬物療法ではirAEとステロイド多用による内分泌機能の異常と鑑別を要することがある。

■第6章 がん治療に伴う合併症

図1 ステロイド紫斑，皮膚萎縮に生じたスキンテア
70代男性。原発性肺がんに対してペムブロリズマブを投与した。irAEで水疱性類天疱瘡を生じたため，副腎皮質ステロイド（プレドニゾロン）内服およびデルモベート® 軟膏で治療した。その後，耐糖能異常が悪化し，前腕部にステロイド紫斑と皮膚萎縮が現れた。外傷でスキンテア（皮膚裂傷）が発生した。

　副腎皮質ステロイド外用薬にはゲンタマイシンやフラジオマイシン硫酸塩など抗菌薬を配合する製剤があり，皮膚障害対策でも頻用される。フラジオマイシン硫酸塩では接触皮膚炎の報告が多い[5)6)]。

　副腎皮質ステロイド外用薬の副作用は，長期使用により頻度が高まりやすい。日常診療では副腎皮質ステロイド外用薬を必要とすることも多いため，長期使用に際しては，常に副作用を評価する必要がある。また，顔面・頸部や前腕部では副腎皮質ステロイド外用薬の副作用が起こりやすいため，ロコイド® 軟膏などmedium class以下にとどめることが薦められ，必要に応じてタクロリムス（プロトピック®）軟膏など代替薬へ切り替える（保険適用外）。

ミノサイクリン

副作用：色素沈着，肝障害など

　ミノサイクリン（ミノマイシン®）は，ざ瘡様皮疹や爪囲炎に対して抗炎症作用を期待して使用される。一方，ミノマイシン®は副作用として肝障害，悪心，めまい，光線過敏症，色素沈着を生じることがある。ミノサイクリンは，稀に薬剤性過敏症症候群（drug-induced hypersensitivity syndrome；DIHS）の原因薬にも挙げられるため注意を要する。

サンスクリーン剤

副作用：接触皮膚炎

　一般に，サンスクリーン剤の成分は紫外線吸収剤と紫外線散乱剤に分類され，後者は酸化チタンや酸化亜鉛など金属である。このため，紫外線散乱剤を用いたサンスクリーン剤を外用すると，金属アレルギーによる接触皮膚炎を起こすことがある（図2）。

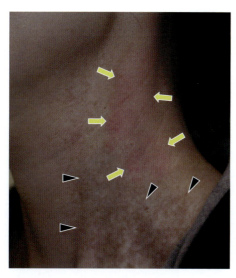

図2　サンスクリーン剤で生じた接触皮膚炎
40代女性。既往歴：金属アレルギー。中咽頭がん，頸部リンパ節転移に対して同時化学放射線治療を行った。治療後1年経過し，頸部に色素沈着と色素脱失が現れて残存した（矢頭）。ポイキロデルマは放射線治療による晩期皮膚障害のひとつであり，患者は日焼け予防の目的でサンスクリーン剤を外用した。この結果，頸部に紅斑が現れ，そう痒を自覚した（矢印）。サンスクリーン剤には紫外線散乱剤が配合されていたため，金属アレルギーによる接触皮膚炎と診断し，サンスクリーン剤を中止して very strong class の副腎皮質ステロイド（アンテベート®軟膏）を外用した。

まとめ

　支持療法薬による副作用は，皮膚局所に現れることが多いが，薬剤を代謝する臓器に薬剤性障害が現れたり，内分泌系に異常が現れたりすることがある。また，がん治療の副作用は治療期のみならず，治療後に晩期障害として現れることがある。支持医療では，がんサバイバーを診療し，生涯にわたり患者を支援する。各医療施設で支持医療を構築し，多様な副作用に対処する姿勢が，患者支援につながるものと思われる。

（伊與田友和・平川聡史）

> | 症例 1 | 診断名：接触皮膚炎
> 重症度評価：Grade 2，中等症
> 原因薬剤：保湿薬（ヘパリン類似物質軟膏）
> 支持療法：ヘパリン類似物質軟膏を中止。Medium class の副腎皮質ステロイド（リドメックス®軟膏など）外用，抗アレルギー薬（ザイザル®5 mg/日など）内服 |

〔概要〕10 代男性。大腸がんと診断され，三次治療パニツムマブを投与している。顔面が乾燥するため，保湿薬（ヘパリン類似物質軟膏など）を外用したところ，外用部位に一致して両頬部〜上眼瞼部に紅斑・紅色丘疹が現れた（図 1）。そう痒を伴う。ヘパリン類似物質軟膏による接触皮膚炎と診断し，被疑薬を中止したうえで medium class の副腎皮質ステロイド（リドメックス®軟膏など）外用，抗アレルギー薬（ザイザル®）5 mg/日を開始した。

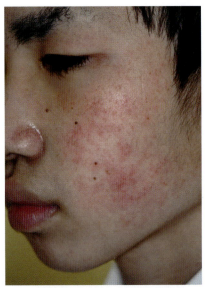

図 1　保湿薬（ヘパリン類似物質軟膏）による接触皮膚炎，Grade 2
左上眼瞼〜頬部に紅斑・紅色丘疹が散在・多発する。境界明瞭で，外用部位に一致して皮疹が現れているため，接触皮膚炎と診断した。睫毛は，パニツムマブの副作用のため伸長している。

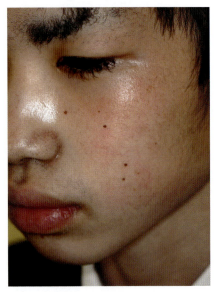

図 2　治療開始 2 週後
頬〜眼囲の皮疹・そう痒とも消退した。

〔経過〕治療を開始して 2 週後，紅斑・そう痒とも消退した（図 2）。原病に対してパニツムマブを継続している。

ここがポイント

保湿薬は，予防から治療まで多くの患者に処方される。本稿は保湿薬を否定するものではないが，一般に保湿薬のエビデンスは少なく，弱い推奨にとどまる。「はじめに」の表 1（219 ページ）では，いずれの医薬品でも接触皮膚炎および関連する症状が現れることを示した。頭頸部でもっとも多い皮膚のトラブルは，接触皮膚炎である。処方箋で提供する薬剤だけではなく，患者が日常生活で使用する乳液やクレンジングあるいは化粧品でも接触皮膚炎を生じる可能性があるので，原因薬剤を考える際には注意する必要がある。

（平川聡史）

> **症例 2**
>
> **診断名**：酒さ様皮膚炎
> **重症度評価**：Grade 2，中等症
> **原因薬剤**：Medium class の副腎皮質ステロイド（キンダベート®軟膏）
> **支持療法**：副腎皮質ステロイド外用薬を中止，クリンダマイシン 300 mg/日内服
> （本症例は 48 ページと同一症例である）

〔概要〕40 代女性。肺腺がんに対してオシメルチニブ 80 mg/日開始。2 週後，ざ瘡様皮疹 Grade 1 が出現したため，medium class の副腎皮質ステロイド（キンダベート®軟膏など），ミノサイクリン 200 mg/日を処方された。一旦皮疹は軽減したが，8 週まで支持療法薬を継続したところ，顔面に紅色丘疹が増えた。内服薬をクリンダマイシン 300 mg/日へ変更し，治療を継続したが，患者は不安になり自分で判断して副腎皮質ステロイド外用薬を中止した。7 日後，顔面に浮腫性紅斑・丘疹・膿疱が表れ，増悪した（図1）。ヒリヒリする疼痛を伴い，酒さ様皮膚炎と診断した。

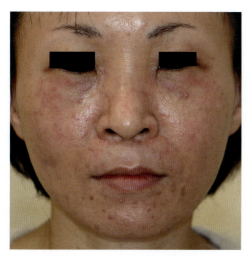

図1　副腎皮質ステロイド外用中止後
副腎皮質ステロイド外用薬を中止して 7 日後の所見。両下眼瞼〜頬・口唇部に浮腫性紅斑・紅色丘疹が集簇・多発している。いわゆるリバウンドにより皮膚症状が悪化した。

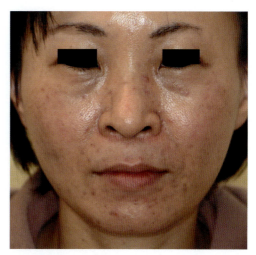

図2　経過，1 週後
経過観察を始めて 1 週後。口唇部（口周囲）に褐色丘疹が残存するものの浸潤は軽減し，皮疹・自覚症状ともおおむね消退した。

〔経過〕Medium class の副腎皮質ステロイド外用薬を中止したまま経過を観察した。日常生活には支障がないため，オシメルチニブおよびクリンダマイシン内服を継続した。1 週後，皮疹・自覚症状（疼痛・ほてり）とも軽減した（図2）。以後，保湿によるスキンケアを主体に行い，必要に応じて副腎皮質ステロイド外用薬を用いながら原病の治療を継続している。

❗ ここがポイント

急に副腎皮質ステロイド外用を止めたとき，皮疹が増悪したら鑑別診断として酒さ様皮膚炎を考える。

（平川聡史）

■第6章 がん治療に伴う合併症

| 症例 3 | 診断名：酒さ様皮膚炎
重症度評価：Grade 2，中等症
原因薬剤：Medium class の副腎皮質ステロイド（ロコイド® クリーム）
支持療法：継続，マクロライド系抗菌薬と保湿薬外用 |

〔概要〕50代男性。イリノテカンによる治療歴あるも病態進行にて治療変更になり，再度セツキシマブ開始の患者。長期ミノサイクリン内服と顔面に medium class の副腎皮質ステロイド（ロコイド® クリーム）外用を継続していたために，顔面と頸部にはそう痒を伴う多数の皮疹と膿疱がみられ，Grade 2 と診断した（図1）。なお，長期副腎皮質ステロイド外用による血管拡張が著明であり，膿疱の内容物の真菌検査は陰性であった。

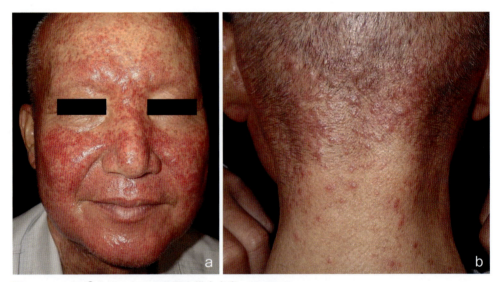

図1 ロコイド® クリームによる酒さ様皮膚炎，Grade 2
a. 顔面は長期ミノサイクリン内服と顔面に medium class の副腎皮質ステロイド（ロコイド® クリーム）外用を行っていたために，毛細血管拡張が著明でありその中に小さい丘疹・膿疱がみられる。
b. 頸部はかゆみを伴う皮疹が多発している。

〔経過〕毛細血管拡張が著明であることより，副腎皮質ステロイド外用の副作用を考え，適切なスキンケアの指導とともに保湿薬外用とロキシスロマイシン 300 mg/日内服治療を開始した．1 カ月後には顔面の紅斑と膿疱は改善した（図 2）．

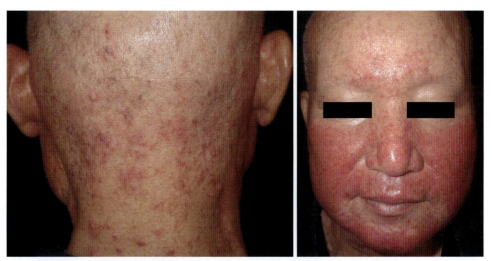

図 2　治療継続・外用薬・内服薬変更 1 カ月後
副腎皮質ステロイド外用中止，適切なスキンケア指導，内服薬変更により，顔面のびまん性紅斑や膿疱はやや改善し，そう痒も改善した．

ここがポイント

長期の副腎皮質ステロイド外用による副作用を見逃さないことが重要である．長い期間の顔面への副腎皮質ステロイド外用は特に注意を要する．副腎皮質ステロイド外用にて皮疹の改善を認めない場合は皮膚科専門医へのコンサルトが必要である．

（山本有紀）

> **症例4**
>
> 診断名：細菌性毛包炎
> 重症度評価：Grade 3，重症
> 関連薬剤：mFOLFOX，セツキシマブ
> 支持療法：休薬。スルファメトキサゾール・トリメトプリム（バクタ®配合錠など）4錠/日内服

〔概要〕40代男性。大腸がんに対してmFOLFOX＋セツキシマブを導入した。皮膚症状に関して，主科でミノサイクリン200 mg/日，strong classの副腎皮質ステロイド（エクラー®ローションなど）を処方され，4カ月間加療した。臀部や下肢に紅色丘疹が散在し，治癒しないため当科へ紹介された（図1）。

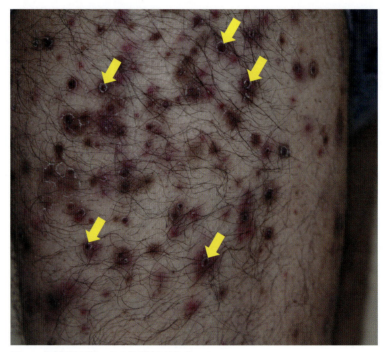

図1　多剤耐性菌による細菌性毛包炎，Grade 3
当科初診時。右大腿部に紅色～褐色丘疹が集簇・多発し，強い浸潤を伴う。所々に膿疱が混在し，表面に痂皮を伴う（矢印）。

〔経過〕臀部・下肢に紅色丘疹が散在し，着座すると臀部に強い疼痛を自覚した。膿疱が混在するため，一般細菌培養を行った。MRSA（レボフロキサシン耐性・クリンダマイシン耐性）を検出し，日常生活に支障をきたすため，多剤耐性菌による細菌性毛包炎 Grade 3 と診断した。セツキシマブを休薬，スルファメトキサゾール・トリメトプリム（バクタ®配合錠など）4錠/日で加療開始した。3週後，皮疹は浸潤・色調とも消退し，着座に伴う疼痛も消失した（図2）。患者の生活の質（QOL）が改善したため，原病に対する治療をFOLFIRI＋ベバシズマブへ変更して再開した。

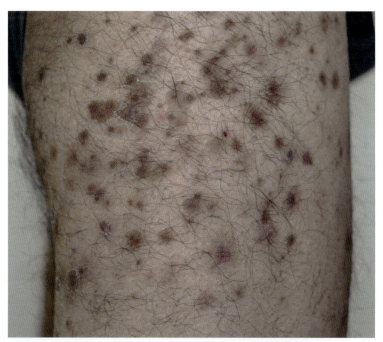

図2 スルファメトキサゾール・トリメトプリム内服3週後
浸潤を始め炎症所見は軽減し，着座に伴う疼痛も消失し，生活の質が改善した。

ここがポイント

テトラサイクリン系抗菌薬などを長期使用すると多剤耐性菌が問題になる。やむを得ずスルファメトキサゾール・トリメトプリム（ST合剤）などを処方するが血液毒性を伴うため，がん治療に影響する場合がある。

（平川聡史）

> | 症例 5 | 診断名：皮膚膿瘍，MRSA 感染症
> | | 重症度評価：Grade 3，重症
> | | 原因薬剤：Very strong class の副腎皮質ステロイド（アンテベート® ローション），パニツムマブ
> | | 支持療法：テイコプラニン注射薬，バンコマイシン注射薬，潰瘍治療薬（プロスタンディン® 軟膏など）外用

〔概要〕40 代男性。直腸がん，多発肝転移。併存疾患：2 型糖尿病。原病に対して一次治療 mFOLFOX，二次治療 FOLFOX＋ベバシズマブを実施したが，病態進行のため三次治療（パニツムマブ 6 mg/kg 2 週ごと）を開始した。3 サイクル後，皮膚症状の診察目的で主科から皮膚科へ紹介された。初診時の臨床像を示す（1 病日，図 1）。初診医は，ざ瘡様皮疹 Grade 2 と診断し，very strong class の副腎皮質ステロイド（アンテベート® ローション）外用とロキシスロマイシン 300 mg/日内服を開始した。

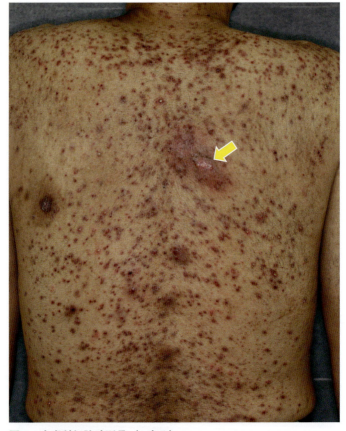

図 1 皮膚科初診時所見（1 病日）
背部に紅色丘疹が多発し，中央部に紅色局面を認める。ざ瘡様皮疹に瘢を併発している。

〔経過〕8病日，再診医が患者を診察した．発熱（39℃台），背部に発赤・腫脹・熱感を認め，患者は疼痛を訴えた（図 2a）．患者は皮膚膿瘍 Grade 3 と診断され，即日入院した．皮膚病変から排膿を認めたため一般細菌培養を提出し，MRSA を検出した．血液培養は陰性だった．テイコプラニン注射薬を選択し，皮膚・軟部組織の MRSA 感染症に対する治療を開始した．入院中，血糖管理を行った．テイコプラニンによる副作用で血小板が 1.9 万/μL へ減少したため（Grade 4），テイコプラニンを中止してバンコマイシン注射薬へ切り替えた．25 病日の臨床像を示す（図 2b）．疼痛および皮膚症状は軽減し，平熱へ回復したため，患者は退院した（41 病日）．50 病日の臨床像を示す（図 3a）．潰瘍が多発したため，潰瘍治療薬（プロスタンディン®軟膏）を外用した．116 病日，潰瘍はすべて上皮化した（図 3b）．退院後，原病に対する治療を主科で再開し，患者はパニツムマブを 75％へ減量して点滴静注した．

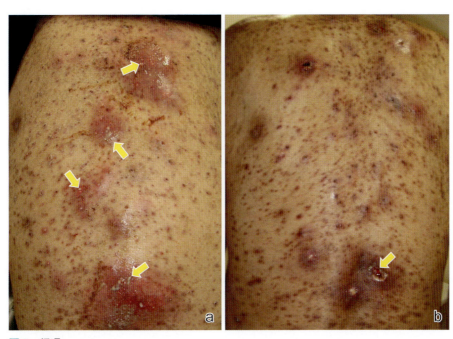

図 2 経過
a. 8 病日．皮膚膿瘍が多発し，排膿を認める（矢印）．患者は発熱し，疼痛を訴えたため即日入院した．排膿から MRSA を検出した．
b. 25 病日．MRSA に対する抗菌薬で治療したため，発赤・腫脹および疼痛は軽減した．自壊した部位は潰瘍化し始めた（矢印）．

■第6章　がん治療に伴う合併症

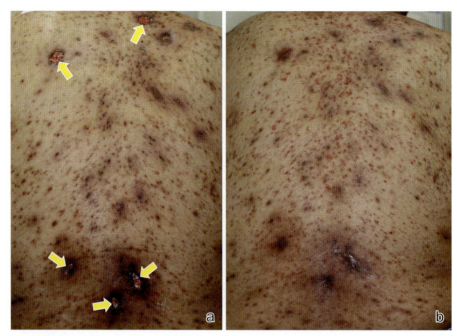

図3　経過
a. 50病日。膿瘍は消失し、潰瘍が多発した（矢印）。
b. 116病日。潰瘍治療薬（プロスタンディン®軟膏）外用を行い、潰瘍はすべて上皮化した。主科でパニツムマブを再開したため、ざ瘡様皮疹が再燃した。

ここがポイント

初診医は、細菌感染症を鑑別診断に挙げることなく、一般細菌培養を怠った。さらに、糖尿病を煩う患者に副腎皮質ステロイド外用薬を処方したため、重篤な細菌感染症に至ったことが懸念される。皮膚科専門医には支持医療に関する責任があり、適切な診療を患者に提供しなければならない。

皮膚膿瘍が潰瘍化し、長期間残存した。糖尿病のため、自験例では創傷治癒遅延をきたした。さらに、皮膚潰瘍の治療中に抗EGFR抗体（パニツムマブ）を再開したため、表皮角化細胞の増殖が抑制され、上皮化が遷延した可能性がある。

（平川聡史）

症例 6	診断名：色素沈着 重症度評価：Grade 2，中等症 原因薬剤：ミノサイクリン 支持療法：なし

〔概要〕70代男性。肺腺がん（*EGFR* 遺伝子 uncommon mutation 陽性）のためアファチニブ 40 mg/日を開始した。ざ瘡様皮疹が現れたため，medium class の副腎皮質ステロイド（キンダベート® 軟膏など），ミノサイクリン 200 mg/日を併用した。さらに，頭皮にざ瘡様皮疹および脂漏性皮膚炎が出現したため，medium class の副腎皮質ステロイド（リドメックスコーワローションなど）を外用し，ミノサイクリンを継続した。その後，体幹部に乾燥，手指に亀裂が現れたため，保湿薬（ヘパリン類似物質軟膏）を外用した。ミノサイクリンを4カ月間内服したところ，下肢に色素沈着を自覚した（図1）。ミノサイクリンによる色素沈着と診断し，同薬を中止した。

図1 ミノサイクリンによる色素沈着，Grade 2
下腿部前面に濃淡あるいは青みを伴う黒褐色（スレート色）の色素沈着が散在・多発する。そう痒など自覚症状を伴わない。

〔経過〕ミノサイクリンに対する代替薬としてクリンダマイシン（ダラシン® T ゲルなど）を外用し，アファチニブによる副作用に対処した。ミノサイクリンによる色素沈着は遷延した。

❗ここがポイント

ミノサイクリンを長期投与すると非露出部にも色素沈着が起きることがある。この場合には，医療者が気づかず不可逆的に皮膚障害が進行・拡大するため，注意が必要である。

（平川聡史）

引用文献

1. 放射線皮膚炎

1) Narvaez C, Doemer C, Idel C, et al. Radiotherapy related skin toxicity (RAREST-01): Mepitel® film versus standard care in patients with locally advanced head-and-neck cancer. BMC Cancer. 2018;18(1):197.
2) 大西 洋, 唐澤久美子, 西尾禎治, 他編. がん・放射線療法. 改訂第8版. Gakken;2023.
3) Fuzissaki MA, Paiva CE, Oliveira MA, et al. The Impact of Radiodermatitis on Breast Cancer Patients' Quality of Life During Radiotherapy: A Prospective Cohort Study. J Pain Symptom Manage. 2019;58(1):92-9.e1.
4) 日本臨床腫瘍研究グループ. Common Terminology Criteria for Adverse Events (CTCAE) version5.0 (有害事象共通用語規準 v5.0 日本語訳 JCOG 版). 2022.
5) Cox JD, Stetz J, Pajak TF. Toxicity criteria of the Radiation Therapy Oncology Group (RTOG) and the European Organization for Research and Treatment of Cancer (EORTC). Int J Radiat Oncol Biol Phys. 1995;31(5):1341-6.
6) McQuestion M. Evidence-based skin care management in radiation therapy. Semin Oncol Nurs. 2006;22(3):163-73.
7) Gosselin T, Ginex PK, Backler C, et al. ONS Guidelines™ for Cancer Treatment-Related Radiodermatitis. Oncol Nurs Forum. 2020;47(6):654-70.
8) Ho AY, Olm-Shipman M, Zhang Z, et al. A Randomized Trial of Mometasone Furoate 0.1% to Reduce High-Grade Acute Radiation Dermatitis in Breast Cancer Patients Receiving Postmastectomy Radiation. Int J Radiat Oncol Biol Phys. 2018;101(2):325-33.
9) Yokota T, Zenda S, Ota I, et al. Phase 3 Randomized Trial of Topical Steroid Versus Placebo for Prevention of Radiation Dermatitis in Patients With Head and Neck Cancer Receiving Chemoradiation. Int J Radiat Oncol Biol Phys. 2021;111(3):794-803.
10) Behroozian T, Bonomo P, Patel P, et al. Multinational Association of Supportive Care in Cancer (MASCC) clinical practice guidelines for the prevention and management of acute radiation dermatitis: international Delphi consensus-based recommendations. Lancet Oncol. 2023;24(4):e172-85.
11) Mcquestion M, Drapek LC, Witt ME. Manual for Radiation Oncology Nursing Practice and Education. 5th Ed. Oncology Nursing Society;2021. p45-61.
12) Lewis L, Carson S, Bydder S, et al. Evaluating the effects of aluminum-containing and non-aluminum containing deodorants on axillary skin toxicity during radiation therapy for breast cancer: a 3-armed randomized controlled trial. Int J Radiat Oncol Biol Phys. 2014;90(4);765-71.
13) Baumann BC, Verginadis II, Zeng C, et al. Assessing the Validity of Clinician Advice That Patients Avoid Use of Topical Agents Before Daily Radiotherapy Treatments. JAMA Oncol. 2018;4(12):1742-8.

2. 感染症

1) Sullivan KM, Farraye FA, Winthrop KL, et al. Safety and efficacy of recombinant and live herpes zoster vaccines for prevention in at-risk adults with chronic diseases and immunocompromising conditions. Vaccine. 2023;41(1):36-48.
2) Lal H, Cunningham AL, Godeaux O, et al. Efficacy of an adjuvanted herpes zoster subunit vaccine in older adults. N Engl J Med. 2015;372(22):2087-96.
3) Cunningham AL, Lal H, Kovac M, et al. Efficacy of the Herpes Zoster Subunit Vaccine in Adults 70 Years of Age or Older. N Engl J Med. 2016;375(11):1019-32.

3. 血管・血栓症に関連した有害事象

1) がん薬物療法に伴う血管外漏出に関する合同ガイドライン 2023 年版. 日本がん看護学会, 日本臨床腫瘍学会, 日本臨床腫瘍薬学会編. 金原出版;2023.
2) Onco-cardiology ガイドライン. 日本臨床腫瘍学会, 日本腫瘍循環器学会編. 南江堂;2023.
3) 岡元るみ子, 川崎智広. 循環器障害. がん化学療法副作用対策ハンドブック. 羊土社;2025.
4) 中尾英智, 柴田龍宏. 浮腫の病態生理と鑑別診断. 緩和ケア. 2024;34(5):409-16.
5) Yamashita Y, Morimoto T, Muraoka N, et al. Edoxaban for 12 Months Versus 3 Months in Patients With Cancer With Isolated Distal Deep Vein Thrombosis (ONCO DVT Study): An Open-Label, Multicenter, Randomized Clinical Trial. Circulation. 2023;148(21):1665-76.

4. 支持医療の副作用
1) Kobayashi Y, Komatsu Y, Yuki S, et al. Randomized controlled trial on the skin toxicity of panitumumab in Japanese patients with metastatic colorectal cancer：HGCSG1001 study；J-STEPP. Future Oncol. 2015；11（4）：617-27.
2) 島雄周平, 阿曽三樹. 外用ステロイド剤による全身的影響. Ther Res. 1988；8（1）：222-31.
3) グラクソ・スミスクライン株式会社. デルモベート®添付文書.
4) 國崎　哲, 牧野圭祐. ステロイド外用薬により血糖悪化を呈した2型糖尿病の1例. 糖尿病. 2019；62(6)：360-5.
5) 濱田裕子, 笠ゆりな, 平野由似, 他. 硫酸フラジオマイシンの感作率に関する検討. 昭和学士会誌. 2019；79（5）：636-41.
6) 高山かおる, 横関博雄, 松永佳世子, 他. 接触皮膚炎診療ガイドライン2020. 日皮会誌. 2020；130（4）：523-67.

まとめの言葉

今回，日本がんサポーティブケア学会から「がん治療に伴う皮膚障害アトラス＆マネジメント（第2版）」が発出されました．2018年に第1版を発出してから7年経過しましたが，その間に，PARP阻害薬であるオラパリブ，ニラパリブ，抗EGFR抗体であるネシツムマブ，CDK4/6阻害薬であるアベマシクリブ，ALK阻害薬であるロルラチニブ，NTRK阻害薬であるエヌトレクチニブ，ラロトレクチニブ，MET阻害薬であるカプマチニブ，FGFR2阻害薬であるペミガチニブ等多くの分子標的薬が本邦において承認されました．またそれとともに，各分子メカニズムに関連した副作用対策も重要な課題として挙がってきております．今回，各薬剤別に特徴的な画像所見，それぞれの治療方針をわかりやすく記載しておりますので，皮膚科にコンサルトしながら，もしくは皮膚科がない病院等においても，本アトラスを外来診察室に準備し，それぞれの皮膚症状を参考にし，支持療法を実践してもらえれば助かります．EGFR-TKIや抗EGFR抗体治療例における皮膚障害と治療効果との関連性の検討では，皮膚障害が発現したほうが治療効果がよいとのデータも複数出ていることから，治療のメルクマールになるのはもちろん，重篤な皮膚障害に至らず治療継続できるかが，腫瘍医にとって重要な課題となります．

少し古いデータにはなりますが，「2013がん体験者の悩みや負担等に関する実態調査報告書」によれば，がん患者の悩みや負担に感じている事項の内，抗がん薬の副作用や脱毛が常に上位であることがわかるかと思います．抗がん薬を実践する腫瘍内科医/腫瘍外科医にとって，臨床試験の主要なエンドポイントにもなっているように，どれだけ長く治療効果が得られるか，延命効果があるかどうかにどうしても目がいきがちでありますが，本書が患者さんの目線に立って，有害事象で苦しむことのない治療法の開発，さらに，有害事象への対策を日々考えながら治療していくきっかけになればと思います．

"症状・副作用・後遺症" 細分類別　上位10位

背景の色の説明	薬物療法に関連した症状など		放射線療法に関連した症状など
	手術に関連した症状や後遺症など		治療後の生活行動
	その他の症状やその影響（原因が特定できない記述を含む）		

順位	2003年	順位	2013年
1	抗がん剤による脱毛	1	抗がん剤による副作用症状（その他）
2	抗がん剤による副作用症状（その他）	2	抗がん剤による脱毛
3	持続する術後後遺症（痛み・肩こり）	3	抗がん剤による末梢神経障害（しびれ，違和感等）
4	リンパ浮腫によるむくみ	4	治療後の体力低下・体力回復
5	持続する術後後遺症（その他）	5	リンパ浮腫による症状（その他）
6	薬物療法による吐き気	6	持続する術後後遺症（その他）
7	治療後の体力低下・体力回復	7	抗がん剤による副作用の持続（その他）
8	ホルモン剤治療による更年期症状	8	抗がん剤による食欲不振や味覚変化
9	（持続する症状）痛み	9	持続する傷跡とその周辺の痛み，しびれ，つっぱり感等
10	罹患前の状態に戻れるか	10	今後の健康管理

（「がんの社会学」に関する研究グループ．2013がん体験者の悩みや負担等に関する実態調査報告書より引用）

（武田真幸）

索引

和文索引

あ

アクチノマイシン D　112
アダパレン　46, 51
アテゾリズマブ　146
アファチニブ　8, 21, 24, 43
アベマシクリブ　83, 86
アルブミン懸濁型パクリタキセル注射薬　171
アントラサイクリン系　108, 209

い

溢出　209, 211, 212
イピリムマブ　142, 145, 154, 156, 159, 162
イマチニブ　80, 94, 98
イリノテカン　42
インフュージョンリアクション　213

う

ウィッグ　58, 102
産毛　65
うろこ状　17

え

エルロチニブ　13, 22, 31, 32, 44, 50
エンコラフェニブ　83
炎症性粉瘤　203
エンホルツマブ ベドチン　174

お

黄色ブドウ球菌　50
オキサリプラチン　38, 40, 41, 42, 53, 158, 209
オキシブチニン　162
オシメルチニブ　24, 28, 48, 52, 60, 194, 223
オリーブオイル　15, 187

か

潰瘍　31, 32, 34, 42, 45
化学療法誘発性末梢神経障害　126
角質　67
角膜炎　58
カバーメイク　165
カペシタビン　108, 110, 114, 116
かゆみ　16, 19
カルボプラチン　120, 126, 130, 152, 172, 178, 200, 203
カンジダ性口内炎　100
乾性落屑　184, 196
感染症　198
感染徴候　45
乾癬　142
乾癬様皮疹　148
乾燥　20, 26, 28, 86
がん治療に伴う合併症　184, 198, 209, 218

き

丘疹性皮疹　142
急性放射線皮膚炎　184
亀裂　16, 17, 20, 21, 28, 30
筋萎縮　24

く

空気感染　208

け

鶏眼　77
経口エトポシド　216
毛染め　159
血管外漏出　209, 215
血管・血栓症　209
血管障害　31
血栓塞栓症　209
結膜炎　58
毛の色素脱失　159
ゲフィチニブ　36, 44
ゲムシタビン　169, 174
下痢　86, 112
嫌気性菌混合感染症　199

こ

抗 EGFR 抗体　2
抗凝固療法　216
抗腫瘍効果　158
口唇・口内炎　112
口内炎　114
紅斑　17, 142
固定薬疹　118

さ

細菌感染症　31, 42, 203
細菌性毛包炎　34, 226
サイトカイン放出症候群　156
作業療法士　116
さざ波様　17
ざ瘡様皮疹　2, 6, 8, 10, 13, 15, 43, 83, 142, 194, 228
殺細胞性抗がん薬　132
サンスクリーン剤　218, 221
サンドガーゼ　129

し

人工涙液　81
耳介部　130
色素沈着　231
ジクロフェナクゲル　108
シクロホスファミド　128
支持医療の副作用　218
シスプラチン　6, 10, 26, 169, 171, 174, 176, 190
湿疹　24, 142
湿疹・皮膚炎　145, 146
湿性落屑　184, 196
遮光　139
重症多形滲出性紅斑　80
十二指腸穿孔　75
縮毛　60
酒さ様皮膚炎　219, 223, 224
手術部位感染　206
手掌・足底発赤知覚不全症候群　66
出血　185, 192
上皮成長因子受容体　16
静脈炎　38, 40, 41
静脈血栓塞栓症　209
静脈投与　209
睫毛　62, 159
睫毛異常　58
褥瘡　28, 35, 74
食欲不振　28
新型コロナワクチン　171
シングリックス®　202
滲出液　45

尋常性疣贅 100
深部静脈血栓症 216

す

水痘・帯状疱疹ウイルス 198
水疱性類天疱瘡 152, 154, 178
睡眠障害 18, 26
スキンケア 15, 30, 45, 54, 77, 82, 102, 132, 164, 196, 208
スクエアカット 52, 55
スティーヴンス・ジョンソン症候群 78, 143
ステロイド紫斑 219
ステロイドパルス療法 81, 93, 157
スニチニブ 80
スプリント 116

せ

切開排膿 203
セツキシマブ 4, 6, 10, 26, 35, 40, 58, 65, 122, 176, 178, 203, 206, 226
接触皮膚炎 22, 162, 218, 222
セレコキシブ 75

そ

爪囲炎 46, 48, 50, 51, 52, 53, 54, 83, 109, 110
爪甲剝離 54
創傷被覆材 69, 73, 74, 77, 94, 114, 116, 126
そう痒 30, 83, 142, 162
ゾシン® 199
ソラフェニブ 68

た

代謝拮抗薬 108, 109
帯状疱疹 22, 198, 200, 208
耐糖能異常 173
タキサン系 109, 132
多形紅斑 78, 82, 93, 142, 156
多形紅斑型薬疹 94, 172
多職種連携 111
タゾバクタム・ピペラシリン 199
脱毛 60, 83, 92, 102, 142, 159, 174
ダブラフェニブ 83, 90
ダロルタミド 139
単純性皮膚軟部組織感染症 203

ち

逐次的薬物療法 168
遅発性放射線皮膚炎 184
中毒性表皮壊死症 78, 142

つ

爪障害 88, 89, 98, 122, 124, 132
爪白癬 116

て

手足症候群 66, 68, 70, 72, 74, 77, 89, 90, 94, 108, 112, 114, 116, 126
ティーエスワン® 42, 118, 158, 171
ディフェリン®ゲル 51
テーピング 48, 56
テガフール・ギメラシル・オテラシル 118, 171
デクスラゾキサン 212, 215
テトラサイクリン系 5, 46
デノスマブ 86
手袋 71
デュオアクティブ®ET 114, 116
デュルバルマブ 169

と

投与時反応 213
ドキソルビシン 215
ドキソルビシン内包PEGリポソーム 213
ドセタキセル 124, 126, 128, 130
トラメチニブ 83, 90

に

肉芽 110
ニボルマブ 142, 145, 148, 150, 154, 156, 158, 159, 162, 171, 174, 176, 206
二枚爪 122

ね

ネイルケアクリーム 98
粘膜 82

の

ノギテカン 204

は

ハイドロコロイドドレッシング 77
ハイドロサイト®ジェントル銀 96, 126
白癬 77
白髪 60, 159
白斑 142, 158, 159, 164
パクリタキセル 6, 10, 26, 120, 122, 152, 158, 172, 176, 178, 200, 203, 206
播種状紅斑丘疹型薬疹 90, 120, 174
パゾパニブ 74
発熱性好中球減少症 112
パニツムマブ 4, 38, 42, 51, 53, 62, 222, 228
バリア機能 30
パルボシクリブ 83
汎下垂体機能低下症 162
ハンドクリーム 132
汎発性帯状疱疹 200, 208

ひ

光毒性皮膚炎 139
皮脂欠乏性湿疹 176
微小管阻害薬 108
ビニメチニブ 83
皮膚潰瘍 38, 40, 41, 43
皮膚乾燥 16, 21, 22, 24, 30, 83, 142
皮膚粘膜眼症候群 142
皮膚膿瘍 228
皮膚肥厚 66
眉毛 58, 64
日焼け 184
ひょう疽 125, 132
びらん 31, 32, 34, 42, 45

ふ

フィンガーチップユニット 30
深爪 54
複雑性皮膚軟部組織感染症 204
副腎皮質ステロイド 2, 5, 218, 223, 224
浮腫 204
フチバチニブ 83
フッ化ピリミジン 109
フルオロウラシル 6, 10, 26, 38, 40, 41, 53, 112, 176

ふ

フルベストラント 86
フローズングローブ 111
粉瘤 203

へ

ベバシズマブ 22, 32, 42, 44, 172, 200
ヘパリン類似物質 222
ペミガチニブ 83
ペムブロリズマブ 6, 10, 26, 152, 178
ベムラフェニブ 92, 93
胼胝 77
扁平苔癬 150
片麻痺 24

ほ

蜂窩織炎 45, 198
放射線 28
放射線皮膚炎 184, 188, 189, 190, 192, 194, 196
訪問看護 74
保湿薬 19
保清 42
発疹 142
ポビドンヨード 50
ホルモン療法薬 136

ま

巻き爪 54
マクロライド系抗菌薬 46
マスカラによるカモフラージュ 159
末梢神経障害 124, 126
マニキュア 132
マルチキナーゼ阻害薬 66, 78

み

ミノサイクリン 2, 43, 218, 220, 231
未分画ヘパリン 216

め

メイク 102
免疫関連有害事象 142, 164
免疫チェックポイント阻害薬 142, 164
免疫チェックポイント阻害薬併用 168

も

毛髪異常 58

や

薬剤性過敏症症候群 137, 170, 220
薬剤性光線過敏症 139
薬剤性浮腫 128
薬剤性ループス 130
薬疹 118

よ

予防投与 5

ら

ラムシルマブ 50, 158, 171

り

リハビリテーション 117
鱗屑 16, 17

る

類天疱瘡 142
ルキソリチニブ 100

れ

レゴラフェニブ 66, 70, 72, 80
レボホリナート 38
レンバチニブ 66

わ

ワクチン 198

欧文索引

B

Bacteroides fragilis 199
BRAF/MEK 阻害薬 83

C

CDK4/6 阻害薬 83
CIPN 126
CT 検査 75
Cutibacterium acnes 12
CV ポート 38, 40, 41, 206

D

DLST 78
DOAC 217
DVT 209

E

EGFR 阻害薬 2, 15, 16, 30, 31, 46, 54, 58, 218

F

FGFR 阻害薬 83, 88
FTU 30

I

IgA 血管炎様の皮疹 31, 32, 36, 44
immune-related adverse events 142
irAE 142
irAE による湿疹反応 176
irAE による接触皮膚炎 178

M

mFOLFOX 38, 40, 41, 53, 226
MRSA 44, 204, 206, 227, 228
MSSA 50

N

NSAIDs 22, 74, 78

R

Ramsay-Hunt 症候群 202
RTOG 196

S

SSI 206
Staphylococcus aureus 42
Stevens-Johnson syndrome 78, 142
Streptococcus anginosus 199
surgical site infection 206

T

toxic epidermal necrolysis 78, 142

V

VTE 209

W

well-being 117

JASCC がん支持医療ガイドシリーズ
がん治療に伴う
皮膚障害アトラス&マネジメント 第2版

2018年8月31日　第1版発行
2025年5月20日　第2版第1刷発行

編　集　一般社団法人 日本がんサポーティブケア学会

発行者　福村　直樹

発行所　金原出版株式会社
　　　　〒113-0034 東京都文京区湯島 2-31-14
　　　　電話　編集　(03)3811-7162
　　　　　　　営業　(03)3811-7184
　　　　FAX　　　　(03)3813-0288　　　©JASCC, 2018, 2025
　　　　振替口座　00120-4-151494　　　　検印省略
　　　　http://www.kanehara-shuppan.co.jp/　Printed in Japan

ISBN 978-4-307-20492-7　　　印刷・製本／三報社印刷㈱

|JCOPY|＜出版者著作権管理機構 委託出版物＞

本書の無断複製は著作権法上での例外を除き禁じられています。複製される場合は，
そのつど事前に，出版者著作権管理機構（電話 03-5244-5088，FAX 03-5244-5089，
e-mail：info@jcopy.or.jp）の許諾を得てください。

小社は捺印または貼付紙をもって定価を変更致しません。
乱丁，落丁のものはお買上げ書店または小社にてお取り替え致します。

WEBアンケートにご協力ください
読者アンケート（所要時間約3分）にご協力いただいた方の中から
抽選で毎月10名の方に図書カード1,000円分を贈呈いたします。
アンケート回答はこちらから ➡
https://forms.gle/U6Pa7JzJGfrvaDof8